Les habitants du mirage

Éditions J'ai Lu

ABRAHAM MERRITT

ŒUVRES

J'ai Lu

LES HABITANTS DU MIRAGE
LA NEF D'ISHTAR
LE GOUFFRE DE LA LUNE
LE MONSTRE DE MÉTAL
SEPT PAS VERS SATAN
LE VISAGE DANS L'ABIME

ABRAHAM MERRITT

Les habitants du mirage

Traduit de l'américain
par Arlette ROSENBLUM

Ce roman a paru sous le titre original :
DWELLERS IN THE MIRAGE

LE LIVRE DE KHALK'RU

1

DES BRUITS DANS LA NUIT

Je redressai la tête et j'écoutai, non seulement l'ouïe en alerte mais aussi tous les nerfs à fleur de peau, guettant le renouvellement du bruit qui m'avait réveillé. Le silence régnait, un silence profond. Pas un frémissement dans les branches de la sapinière qui entourait notre petit camp. Pas le moindre mouvement furtif d'animal dans les broussailles. A travers les flèches des arbres, les étoiles luisaient faiblement dans le bref crépuscule qui sépare le coucher du soleil de son lever au commencement de l'été en Alaska.

Un coup de vent courba la cime des sapins, ramenant le bruit — le son d'une enclume qui résonne sous les coups d'un marteau.

Je me dégageai de ma couverture et contournai les braises noircissantes du feu pour rejoindre Jim. Sa voix m'arrêta.

— Ça va, Leif. J'ai entendu.

Le vent soupira, mourut — et avec lui moururent les vibrations du coup frappé sur l'enclume. Avant que nous ayons eu le temps de parler, le vent reprit. Il apporta l'écho des vibrations de l'enclume — un écho assourdi et lointain. De nouveau le vent mourut, et avec lui mourut le bruit.

— Une enclume, Leif !

— Ecoute !

Une rafale plus forte fit onduler les sapins. Elle était accompagnée d'un chant lointain ; les voix d'un grand nombre d'hommes et de femmes psalmodiant une étrange mélodie en mineur. Le chant s'acheva sur un accord plaintif, archaïque, dissonant.

Il y eut un long roulement de tambours s'élevant en un vif crescendo et qui s'interrompit brusquement. Puis une grêle explosion de clameurs confuses.

Elle fut étouffée par un roulement continu et bas pareil au tonnerre, assourdi par la distance. Exprimant un défi, une provocation.

Nous attendîmes, l'oreille tendue. Les sapins étaient immobiles. Le vent ne revint pas.

— Drôles de bruits, Jim.

Je m'efforçais de parler d'un ton léger. Il se redressa sur son séant. Une branche s'enflamma dans le feu mourant. Sa clarté dessina le visage de Jim sur le fond de la nuit : mince, brun, avec un profil d'aigle. Il ne me regardait pas.

— Tous les ancêtres coiffés de plumes des vingt derniers siècles sont éveillés et crient ! Appelle-moi plutôt Tsantawu, Leif. *Tsi' Tsa' Lagi* — je suis un Cherokee ! A cette minute même... un pur Indien.

Il sourit, mais il ne me regardait toujours pas, et j'en fus content.

— C'était une enclume, repris-je. Une enclume diablement grosse. Et des centaines de gens qui chantaient... comment serait-ce possible dans ce désert... on n'aurait pas dit des Indiens...

— Les tambours n'étaient pas indiens. (Il s'accroupit devant le feu, le contemplant fixement :) Quand ils se sont déchaînés, j'ai eu l'impression que des doigts glacés jouaient un pizzicato du haut en bas de mon dos.

— Ils m'ont impressionné aussi, ces tambours ! (Je me croyais la voix ferme, mais il me lança un coup d'œil aigu ; alors, à mon tour, je détournai les yeux et les fixai sur les braises :) Ils me rappellent quelque chose que j'ai entendu... et cru voir... en Mongolie. Les chants aussi. Sapristi, Jim, pourquoi me dévisages-tu comme ça ?

Je lançai une branche dans le feu. Je ne pus absolument pas m'empêcher de scruter les ombres quand la branche s'enflamma. Puis j'affrontai le regard de Jim.

— Un endroit qui n'avait rien d'agréable, n'est-ce pas, Leif ? demanda-t-il d'une voix unie.

Je ne répondis pas. Jim se leva et alla vers nos paquetages. Il revint avec de l'eau qu'il répandit sur le feu. Il projeta de la terre à coups de pied sur les tisons sifflants. S'il me vit tiquer quand l'obscurité nous envahit, il n'en laissa rien voir.

— Ce vent venait du nord, dit-il. C'est donc de cette direction qu'arrivaient les sons. Par conséquent, ce qui produisait ces bruits se trouve au nord de l'endroit où nous sommes. Ceci étant, quelle direction prenons-nous demain ?

— Le nord, répliquai-je.

Ma gorge se serra en le disant.

Jim rit. Il se laissa choir sur sa couverture et l'enroula autour de lui. Je m'adossai au fût d'un des sapins et restai assis, les yeux tournés vers le nord.

— Les ancêtres s'égosillent Leif. Ils annoncent un plein wigwam de malheurs à ce que je comprends... si nous allons au nord... « Mauvaise médecine ! disent les ancêtres... Mauvaise médecine pour toi, Tsantawu ! Tu vas à Usunhi'yi, le Pays du crépuscule, Tsantawu !... Dans Tsusgina'i, le Pays fantôme ! Prends garde ! Détourne-toi du nord, Tsantawu ! »

— Oh ! dors donc, espèce de Peau-Rouge obsédé !

— Bon, je t'explique simplement.

Puis, un peu plus tard :

— *Et j'ai entendu la voix des ancêtres prophétiser la guerre...* C'est pire que la guerre ce que prophétisent mes ancêtres, Leif.

— Sapristi, vas-tu te taire !

Un petit rire monta de la pénombre, puis ce fut le silence.

Je m'appuyai contre le tronc. Les bruits, ou plutôt les souvenirs pénibles qu'ils avaient évoqués, m'avaient ébranlé plus que je n'avais envie de le reconnaître, même vis-à-vis de moi-même. Ce que je portais depuis deux ans dans le sachet en peau de daim suspendu à la chaîne passée autour de mon cou avait paru frémir — se refroidir. Je me demandais ce que Jim avait deviné de ce que j'avais essayé de taire...

Pourquoi avait-il éteint le feu ? Parce qu'il avait compris que j'avais peur ? Pour me forcer à affronter ma peur et la dominer ?... ou bien l'instinct indien l'avait-il incité à chercher refuge dans l'obscurité ?... De son propre aveu, le chant et le roulement de tambour avaient agi sur ses nerfs autant que sur les miens...

Effrayé ? Oui, c'est la peur qui avait rendu moite la paume de mes mains et qui avait serré ma gorge si bien que le sang m'avait battu dans les oreilles comme un tambour.

Comme un tambour — oui !

Mais... pas comme ces tambours dont le roulement nous avait été apporté par le vent du nord. Sa cadence avait ressemblé à celle des pas d'hommes et de femmes, de jeunes gens, de jeunes filles et d'enfants qui graviraient en courant de plus en plus vite la paroi d'un monde creux pour plonger dans le vide... se dissolvant dans le néant... se volatilisant dans leur chute... se dissolvant... avalés par le néant...

Comme ce maudit roulement de tambour que j'avais entendu dans le temple secret de l'oasis du désert de Gobi, voici deux ans !

Ni à cette époque-là ni maintenant la peur n'avait été ma seule réaction. De la peur, certes, j'en avais éprouvé, mais une peur mêlée de défi... le défi de la vie contre sa négation... le surgissement d'une fureur fracassante, vitale... la révolte frénétique de qui se noie contre l'eau qui l'étouffe, la rage de la flamme de la chandelle contre l'éteignoir qui la menace...

Seigneur ! En était-ce à ce point-là ? Si ce que je soupçonnais d'être vrai l'était réellement, le penser était s'avouer vaincu d'avance !

Mais il y avait Jim ! Comment empêcher qu'il y soit mêlé ?

Au fond de moi-même, je n'avais jamais ri de ces perceptions subconscientes, quelles qu'elles fussent, qu'il appelait les voix de ses ancêtres. Quand il avait parlé d'Usunhi'yi, le Pays du crépuscule, j'avais eu froid dans le dos, car le vieux prêtre ouigour n'avait il pas parlé du Pays-dans-l'ombre ? Et j'avais eu l'impression d'entendre l'écho de ses paroles.

Je tournai la tête vers l'endroit où Jim était couché. Il m'était plus proche que mes propres frères. L'expression me fit sourire, car ils ne m'avaient jamais été proches. Pour tout autre que ma mère, Scandinave à la voix douce, à la gorge généreuse, j'avais été un étranger dans cette vieille maison farouchement conventionnelle où j'étais né. Le plus jeune fils, et un intrus mal accueilli ; un « enfant substitué » par les fées à l'enfant légitime. Ce n'est pas ma faute si en moi s'est réincarné le type des Vikings, ancêtres de ma mère, aux cheveux blonds, aux yeux bleus, aux muscles d'acier. Je n'ai rien d'un Langdon. Depuis des générations, les Langdon sortent du même moule d'hommes bruns et sveltes, aux lèvres minces, au caractère taciturne. Du haut de leur cadre, les portraits de famille me considéraient, moi l'enfant substitué, avec une hostilité dédaigneuse, légèrement amusée. Exactement comme mon père et mes quatre frères, tous de vrais Langdon, me regardaient insérer maladroitement ma grande carcasse à leur table.

Cela m'avait causé du chagrin, mais avait incité ma mère à m'entourer de sa tendresse. Je me demandai, comme je l'avais fait bien des fois, comment elle en était venue à se donner à l'homme sombre et égoïste qu'était mon père — alors que le sang des coureurs des mers chantait dans ses veines. C'est elle qui m'avait appelé Leif — un nom aussi incongru à donner à un Langdon que l'avait été ma naissance au sein de leur famille.

Jim et moi étions entrés à Dartmouth le même jour. Je le revis tel qu'il était à l'époque — grand garçon brun au profil d'aigle, aux yeux noirs impénétrables, en qui coulait pur le sang des Cherokees, du clan dont était issu le grand Sequoïah, un clan qui a produit, au fil de nombreux siècles, les conseillers les plus sages, des guerriers habiles aux ruses. Sur les registres de l'université, il était inscrit sous le nom de James T. Eagles, mais, sur les rôles de la nation cherokee, ce nom était Two-Eagles — Deux-Aigles — et sa mère l'avait appelé Tsantawu. Au premier coup d'œil, nous avions reconnu notre parenté spirituelle. Nous étions devenus frères de sang suivant les rites ancestraux de sa tribu et il m'avait donné mon nom secret, connu seulement de nous deux, Degataga — celui qui est si proche d'un autre que les deux ne font qu'un.

En dehors de ma force, mon unique talent est une aptitude à assimiler les langues étrangères. Je parlai bientôt cherokee comme si j'étais natif de la nation. Ces années d'université furent les plus heureuses que j'aie jamais vécues. C'est au cours de la dernière que l'Amérique entra dans la Guerre mondiale. Nous avons quitté ensemble Dartmouth pour aller dans un camp d'entraînement et nous avons vogué vers la France sur le même transport de troupes.

Assis là, dans la clarté de cette aube du Nord qui grandissait lentement, je repassai en esprit les années qui s'étaient écoulées ensuite... la mort de ma mère, le jour de l'Armistice... mon retour à New

York dans un foyer franchement hostile... le rappel de Jim par son clan... la fin de mes études d'ingénieur des mines... mes voyages en Asie... mon second retour en Amérique et mon enquête pour retrouver Jim... cette expédition en Alaska que nous avions organisée pour la camaraderie et la paix des terres sauvages plus que pour l'or que nous étions censés chercher.

Une longue piste depuis la guerre — dont les deux derniers mois avaient été pour moi les plus heureux. Elle nous avait conduits de Nome dans les toundras volcaniques jusqu'au Koyukuk [1] et enfin à ce petit campement au milieu des sapins, quelque part entre les sources du Koyukuk et du Chandalar, dans les contreforts des monts Endicott encore inexplorés.

Une longue piste... J'avais l'impression que c'est ici que commençait la vraie piste de ma vie.

Un rayon du soleil levant filtra entre les arbres. Jim se redressa sur son séant, regarda dans ma direction et sourit.

— Tu n'as pas beaucoup dormi après le concert, hein ?

— Qu'as-tu fait aux ancêtres ? Ils n'ont pas l'air de t'avoir tenu éveillé longtemps.

— Oh ! ils se sont calmés, répliqua-t-il d'un ton trop dégagé.

Son visage et ses yeux étaient impassibles. Il me voilait sa pensée. Les ancêtres ne s'étaient pas calmés. Il était resté éveillé alors que je le croyais endormi. Je pris aussitôt ma décision. Nous irions vers le sud comme prévu originellement. Je l'accompagnerais jusqu'à Circle. Là, je trouverais un prétexte pour le quitter.

— Nous ne prenons pas la direction du nord, déclarai-je. J'ai changé d'avis.

(1) Le Yukon, selon la terminologie indienne.

— Oui, pourquoi ?

— Je te l'expliquerai quand nous aurons mangé notre petit déjeuner, répliquai-je. (Je ne suis pas doué pour inventer rapidement des mensonges.) Allume le feu, Jim, je vais aller chercher de l'eau au ruisseau.

— Degataga !

Je sursautai. C'est seulement dans les moments de rare épanchement ou de danger qu'il utilisait ce nom secret.

— Degataga, tu vas vers le nord ! Tu iras, quand bien même je devrais marcher devant toi pour que tu me suives... (Il se mit à parler cherokee :) C'est pour sauver ton esprit, Degataga. Marcherons-nous ensemble — en frères de sang ? Ou te faufileras-tu derrière moi... comme un chien tremblant sur les talons du chasseur ?

Le sang me martela les tempes, ma main se porta vers lui. Il recula d'un pas, éclata de rire.

— Voilà qui est mieux, Leif.

Mon accès de colère s'apaisa, ma main retomba.

— D'accord, Tsantawu. Nous partons... vers le nord. Mais ce n'était pas... ce n'était pas à cause de moi que je te disais avoir changé d'avis.

— Je le sais fichtre bien !

Il se mit à allumer le feu. J'allai chercher de l'eau. Nous bûmes du thé noir très fort et mangeâmes le reste de ces échassiers bruns appelés dindes de l'Alaska que nous avions tués la veille. Quand nous eûmes fini, je commençai à parler.

2

L'ANNEAU DU KRAKEN

Voici trois ans, commençai-je, je suis allé en Mongolie avec l'expédition Fairchild. Sa mission était double : elle devait faire, d'une part, une étude minéralogique pour certains groupes financiers britanniques et, d'autre part, des recherches ethnographiques et archéologiques pour le compte du *British Museum* et de l'Université de Pennsylvanie.

Je n'ai jamais eu l'occasion de prouver ma valeur en tant qu'ingénieur des mines. Je devins aussitôt un truchement bénévole, l'amuseur du camp et l'agent de liaison entre nous et les tribus. Ma taille, mes cheveux blonds, mes yeux bleus et ma force fantastique, ma facilité aussi à apprendre des langues étaient pour eux une intarissable source de curiosité. Tartares, Mongols, Bouriates, Kirghiz — tous me regardaient plier des fers à cheval, tordre des barres de fer sur mon genou et accomplir ce que mon père avait coutume d'appeler avec mépris mes tours de cirque.

En fait, c'est exactement ce que je représentais pour eux : un cirque en une seule personne. Mais pas uniquement cela : ils avaient de la sympathie pour moi. Le vieux Fairchild me riait au nez quand je me plaignais de n'avoir pas de temps pour mon travail de technicien. Il répliquait que je valais une douzaine d'ingénieurs des mines, que j'étais l'assurance de l'expédition et que tant que je pourrais continuer mes clowneries ils n'auraient à souffrir d'aucune malveillance. Et ils n'eurent effectivement à se plaindre de rien. C'est la seule expédition de ce genre à ma connaissance où l'on pouvait laisser ses affaires sans surveillance et les retrouver intactes. De plus, nous échappions singulièrement aux pratiques de la gratte et des pots-de-vin.

En un temps record, j'avais assimilé une demi-douzaine des dialectes du pays et je pouvais bavarder et plaisanter avec les hommes des tribus dans leur propre langue. Ce qui produisait un effet bœuf. De temps à autre arrivait une délégation mongole avec deux de leurs lutteurs, de grands gaillards au torse gros comme une barrique, qui devaient se mesurer avec moi. J'appris leurs tours et leur enseignai les nôtres. Nous faisions des concours qui consistaient à soulever leurs petits chevaux et certains de mes amis mandchous m'enseignèrent à me battre avec les deux sabres — un dans chaque main.

Fairchild avait projeté de rester un an mais, comme tout se passait si bien, il décida de prolonger notre séjour. Mes clowneries, me dit-il à sa façon sardonique, étaient indubitablement d'une pérennité à toute épreuve, jamais la science ne retrouverait pareille opportunité dans cette région — à moins que je ne me décide à y rester pour y établir mon règne. Il ne savait pas à quel point il frôlait la prophétie.

Au début de l'été de l'année suivante, nous avons déplacé notre camp d'environ cent cinquante kilomètres en direction du nord. En territoire ouigour. Ce sont des gens étranges, les Ouigours. Ils se croient les descendants d'une grande race qui régnait sur le Gobi quand ce n'était pas un désert mais un paradis terrestre, avec des rivières aux flots abondants, des lacs nombreux et des villes animées. C'est un fait qu'ils diffèrent de toutes les autres tribus et, encore que celles-ci les déciment allégrement quand elles le peuvent, elles les redoutent néanmoins. Ou plutôt redoutent la sorcellerie de leurs prêtres.

Nous avions eu rarement la visite des Ouigours à notre premier camp. Lorsqu'ils venaient, ils restaient à distance. Nous nous trouvions au nouveau camp depuis moins d'une semaine quand une bande d'une vingtaine de cavaliers survint. J'étais assis à l'ombre de ma tente. Ils mirent pied à terre et se dirigèrent droit sur moi. Ils ne prêtèrent attention à personne d'autre. Ils s'arrêtèrent à trois mètres cinquante environ. Trois d'entre eux s'approchèrent de moi et commencèrent à m'examiner. Les yeux de ces trois-là étaient d'un gris-bleu insolite ; le regard de celui qui semblait le chef était singulièrement froid. Ils étaient plus grands, plus robustes que les autres.

Je ne connaissais pas le ouigour. Je les saluai courtoisement en kirghiz. Ils continuèrent leur examen sans répondre. Finalement, ils échangèrent des propos entre eux, hochant la tête comme s'ils étaient arrivés à une conclusion quelconque. Puis le chef s'adressa à moi. En me levant, je vis qu'il ne lui manquait pas beaucoup de centimètres pour égaler mon mètre quatre-vingt-dix. Je lui dis, toujours en kirghiz, que je ne connaissais pas sa langue. Il donna un ordre à ses hommes. Ils encerclèrent ma tente, se tenant comme des sentinelles, la lance plantée en terre, leur sabre impressionnant sorti du fourreau.

Ce que voyant, la colère me monta au nez, mais, avant que j'aie pu protester, le chef se mit à me parler en kirghiz. Il m'assura, avec déférence, que leur visite était entièrement pacifique mais qu'ils préféraient que leur prise de contact avec moi ne soit pas troublée par l'un ou l'autre de mes compagnons. Il demanda si je voulais bien lui montrer mes mains. Je les tendis. Lui et ses deux acolytes se penchèrent sur les paumes qu'ils examinèrent minutieusement, désignant telle marque ou telle intersection de lignes. Cette inspection terminée, le chef appuya son front sur ma main droite.

Puis, à ma stupeur, il se lança sans explication dans ce qui était une leçon de ouigour extrêmement bien faite. Il prit le kirghiz comme langue de comparaison. Il ne parut pas surpris par l'aisance avec laquelle j'assimilai cet enseignement ; en vérité, j'eus l'impression bizarre qu'il considérait cela comme naturel. Ce que je veux dire, c'est qu'il avait moins l'air de m'enseigner une langue nouvelle que de me remettre en mémoire une langue que j'aurais oubliée. La leçon dura une heure entière. Puis il effleura de nouveau son front avec ma main et jeta un ordre au cercle des sentinelles. Le groupe entier se dirigea vers ses chevaux et s'éloigna au galop.

Toute l'aventure avait eu quelque chose d'inquiétant. Le plus inquiétant était ce vague sentiment que mon professeur, si j'interprétais correctement son attitude, avait raison : je n'apprenais pas une langue nouvelle mais une que j'avais oubliée. Il est certain que je n'avais jamais assimilé une langue avec autant de facilité et de rapidité que le ouigour.

Les autres membres de l'expédition étaient perplexes et remplis d'appréhension, naturellement. J'allai aussitôt discuter de cette affaire avec eux. Notre ethnologue était le célèbre professeur David Barr, d'Oxford. Fairchild fut enclin à prendre la chose en plaisantant, mais Barr était bouleversé. Il déclara que la tradition ouigoure veut que leurs ancêtres aient été une race claire, aux cheveux blonds et aux yeux bleus, des hommes grands et forts. Bref, des hommes comme moi. Quelques antiques fresques ouigoures avaient été découvertes et elles représentaient exactement ce type, ce qui prouvait la véracité de la tradition. Toutefois, si les Ouigours actuels étaient effectivement les descendants de cette race, le sang primitif avait dû être mélangé et dilué presque jusqu'à extinction.

Je demandai quel rapport cela avait avec moi ; il répliqua que, selon toute vraisemblance, mes visiteurs me considéraient comme du pur sang de l'antique race. En fait, il ne voyait pas d'autre explication à leur conduite.

Il estimait que leur examen de mes paumes et leur satisfaction évidente devant ce qu'ils y avaient découvert en étaient la preuve.

Le vieux Fairchild lui demanda, ironiquement, s'il essayait de nous convertir à la chiromancie. Barr répliqua, avec froideur, qu'il était un homme de science. En tant que tel, il savait que certaines caractéristiques physiques se transmettent à travers de nombreuses générations par les facteurs héréditaires. Il n'y avait rien d'impossible à ce que certaines particularités dans la disposition des lignes de la main subsistent à travers les siècles. Et réapparaissent dans des cas d'atavisme comme celui que je représentais manifestement.

La tête commençait maintenant à me tourner un peu. Mais Barr avait encore en réserve plusieurs autres arguments qui la firent tourner bien davantage. Il s'était échauffé à la discussion et continua son raisonnement, à savoir que les Ouigours avaient peut-être même parfaitement raison dans ce qu'il avait déduit être leur opinion sur moi. J'étais un retour atavique aux Scandinaves des temps héroïques. Très bien. Aucun doute que l'Æsir, le panthéon des déesses et des dieux nordiques — Odin et Thor, Frigga et Freya, Frey et Loki du feu et tous les autres — représentait des gens qui avaient existé autrefois. Ils avaient indubitablement été les chefs de quelque longue et périlleuse migration. Après leur mort, ils avaient été déifiés, comme d'innombrables héros et héroïnes similaires l'avaient été par d'autres races et d'autres tribus. Les ethnologues s'accordaient à penser que la souche des races nordiques installées dans le nord-est de l'Europe venait d'Asie, comme d'autres Aryens. Leur migration avait dû se produire à une époque qui se situait entre l'an 1000 ou 5000 avant l'ère chrétienne. Et aucune raison scientifique n'interdisait de penser qu'ils venaient de la région désignée actuellement sous le nom de Gobi ou qu'ils étaient cette race blonde que les Ouigours actuels appelaient leurs ancêtres.

Personne, poursuivit-il, ne savait exactement à quel moment le Gobi était devenu un désert — ni quelles causes l'avaient rendu stérile. Certaines régions du grand désert de Gobi et le petit Gobi en totalité pouvaient avoir été fertiles voici seulement deux mille ans. Quel qu'il fût, quelles qu'aient été ses causes, et que son rythme ait été rapide ou lent, ce changement représentait un excellent mobile pour la migration conduite par Odin et les autres dieux qui s'était achevée en colonisation de la Péninsule scandinave. Visiblement, j'étais un retour atavique à mes ancêtres maternels d'il y a mille ans. Aucune raison ne s'opposait non plus à ce que je sois aussi un retour atavique de quelque autre manière identifiable aux Ouigours du passé — s'ils étaient vraiment les ancêtres des Norvégiens.

Mais la conclusion pratique, c'est que j'allais avoir des ennuis. Ainsi que tous les autres membres de notre expédition. Il conseillait instamment de retourner à notre premier camp où nous nous trouverions au milieu de tribus amies. Pour finir, il fit remarquer que, depuis que nous étions venus dans ce site, pas un Mongol, Tartare ou autre indigène avec qui j'avais établi des relations si agréables ne s'était montré. Il s'assit en foudroyant Fairchild du regard et ajouta que ce n'était pas là conseil de chiromancien mais d'un homme de science reconnu pour tel.

Eh bien, s'excusa Fairchild, naturellement, mais il contrecarra Barr sur la question du retour ; nous pouvions rester sans danger quelques jours encore et voir comment tourneraient les choses. Barr remarqua d'un ton morose que, comme prophète, Fairchild ne valait probablement rien, mais qu'il était aussi probable que nous étions surveillés de près et qu'on ne nous laisserait pas battre en retraite, si bien que cela n'avait pas d'importance.

Cette nuit-là, nous avons entendu de lointains roulements de tambours. Ils retentirent presque jusqu'à l'aube, coupés de moments de silence plus ou moins longs, s'adressant à d'autres tambours encore plus éloignés et répondant à leurs questions.

Le lendemain à la même heure, la même troupe survint. Son chef se dirigea vers moi, ignorant comme la veille les autres occupants du camp. Il me salua presque avec humilité. Nous sommes revenus à pied ensemble jusqu'à ma tente. De nouveau, le cordon de sentinelles l'encercla, et ma seconde leçon commença sans préambule. Elle se poursuivit pendant plus de deux heures. Par la suite, tous les jours pendant trois semaines, la même chose se reproduisit. Il n'y eut pas de bavardage de courtoisie, pas de questions oiseuses, pas d'explications. Ces hommes étaient là dans un but défini : m'apprendre leur langue. Ils s'y tenaient admirablement. Brûlant de curiosité, désireux d'aboutir pour savoir le fin mot de l'aventure, je n'élevai pas d'objection, je m'appliquai avec autant de rigueur qu'eux à cette tâche. Cela aussi, ils parurent le prendre comme tout naturel de ma part. En trois semaines, je fus capable de soutenir une conversation en ouigour aussi bien qu'en anglais.

Le malaise de Barr ne faisait que croître :

— Ils vous préparent pour quelque chose ! disait-il. Je donnerai cinq ans de ma vie pour être à votre place. Mais je n'aime pas ça. J'ai peur pour vous. Je crève de peur !

Une nuit, à la fin de la troisième semaine, les tambours battirent jusqu'à l'aube. Le lendemain, mes professeurs ne se présentèrent pas — ni les deux jours suivants. Mais nos ouvriers signalèrent qu'il y avait des Ouigours postés en faction tout autour du camp. Ils avaient peur et il fut impossible de les faire travailler.

L'après-midi du quatrième jour, nous vîmes un nuage de poussière venant du nord qui approchait de nous rapidement. Nous entendîmes bientôt le son des tambours ouigours. Puis une troupe de cavaliers émergea de la poussière. Ils étaient deux ou trois cents, dont les lances scintillaient ; un grand nombre d'entre eux étaient armés de bons fusils. Ils se déployèrent en un vaste demi-cercle devant le camp. Le chef au regard froid qui avait été mon principal instructeur mit pied à terre et s'avança, menant par la bride un magnifique étalon. Un grand cheval, un cheval puissant, bien différent des petits chevaux qu'ils montaient ; une bête capable de supporter aisément mon poids.

Le Ouigour, un genou en terre, me tendit les rênes de l'étalon. Je les pris, d'un geste machinal. Le cheval m'examina, me flaira, posa son nez sur mon épaule. Aussitôt les soldats ouigours brandirent leurs lances en criant un mot que je ne compris pas, puis se jetèrent à bas de leur selle et attendirent.

Le chef se releva. Il sortit de sa tunique un petit cube de jade ancien. Il se laissa de nouveau choir sur un genou pour me tendre le cube. Il semblait compact mais, comme je le pressais entre mes doigts, il s'ouvrit. A l'intérieur, il y avait un anneau. C'était un cercle d'or massif, large et épais. Dedans était sertie une pierre jaune, translucide, de près de quatre centimètres carrés. Et au cœur de la pierre il y avait la silhouette d'un poulpe noir.

Ses tentacules s'étalaient en éventail autour de son corps. Ils donnaient l'impression de chercher à sortir de la pierre jaune. Je voyais même les ventouses à leur extrémité. Le corps n'était pas aussi net. Il était nébuleux comme s'il s'étirait vers le lointain. Le poulpe noir n'avait pas été gravé dans la pierre. Il se trouvait à l'intérieur.

J'éprouvais un curieux mélange de sentiments — de la répulsion et une étrange sensation de familiarité, comme ce tour que nous joue notre esprit et que nous appelons paramnésie, la sensation d'avoir déjà vécu la même chose. Sans réfléchir, je passai la bague sur mon pouce où elle s'enfila parfaitement et la présentai au soleil pour que la lumière traverse la pierre. Aussitôt tous les cavaliers se jetèrent à plat ventre, se prosternant devant elle.

Le capitaine ouigour s'adressa à moi. J'avais eu vaguement conscience qu'il ne cessait de m'observer depuis qu'il m'avait donné ce bloc de jade. J'eus l'impression que son regard exprimait maintenant comme une crainte respectueuse.

— Ton cheval est prêt... (De nouveau il utilisa ce mot inconnu dont la troupe m'avait salué :) Montre-moi ce que tu désires emporter avec toi et tes hommes s'en chargeront.

— Où allons-nous... et pour combien de temps ? questionnai-je.

— Auprès d'un saint homme de ton peuple, répondit-il. Quant à la durée du séjour... lui seul peut le dire.

Cette façon désinvolte de disposer de moi me causa une irritation passagère. Je me demandai aussi pourquoi il parlait de ses hommes et de son peuple comme étant les miens.

— Pourquoi ne vient il pas me trouver ? questionnai-je.

— Il est vieux, répliqua-t-il. Il ne pourrait pas faire le voyage.

Je regardai les cavaliers, maintenant debout à côté de leurs chevaux. Si je refusais de partir, cela signifierait sans aucun doute l'anéantissement du camp au cas où mes compagnons tenteraient, comme il fallait s'y attendre, d'empêcher qu'on m'emmène. D'ailleurs j'étais dévoré de curiosité.

— Il faut que je parle à mes compagnons avant de partir, dis-je.

— S'il plaît à Dwayanu (cette fois, je compris le mot) de dire au revoir à ses chiens, qu'il le fasse.

Il regarda le vieux Fairchild et les autres avec un éclair de mépris dans les yeux.

Ses paroles et son attitude me déplaisaient franchement.

— Attends-moi ici, dis-je d'un ton sec.

Et je m'approchai de Fairchild. Je l'entraînai dans sa tente, Barr et les autres membres de l'expédition nous emboîtant le pas aussitôt. Je leur expliquai ce qui se passait. Barr me prit la main et examina l'anneau. Il siffla entre ses dents.

— Vous ne savez pas ce que c'est ? s'écria-t-il. C'est le Kraken — ce monstre marin mythique, maléfique et supérieurement intelligent des anciens Nordiques. Regardez, il n'a pas huit tentacules, mais douze. Jamais il n'a été représenté avec un nombre inférieur à dix. Il symbolisait le principe qui est hostile à la Vie... pas la Mort exactement, mais plutôt l'Annihilation. Retrouver le Kraken... ici, en Mongolie !

— Ecoutez, chef, dis-je à Fairchild, il n'y a qu'une chose que vous puissiez faire pour m'aider... si j'ai besoin d'aide. C'est de retourner le plus vite possible à l'ancien camp. Prenez contact avec les Mongols et envoyez chercher ce chef qui amenait toujours les grands lutteurs... ils sauront de qui je veux parler. Obtenez de lui, au besoin en lui donnant de l'argent, qu'il convoque au camp le maximum de guerriers. Je reviendrai, mais je reviendrai probablement pourchassé. En dehors de cela, vous êtes tous en danger. Pas pour le moment, peut-être, mais la situation peut prendre une tournure telle que ces gens jugent préférable de vous liquider. Je sais de quoi je parle, chef. Je vous demande de faire cela dans mon intérêt, sinon dans le vôtre.

— Mais ils surveillent le camp... commença-t-il à objecter.

— Ils ne le surveilleront plus après mon départ. Pas pendant un certain temps, tout au moins. Ils vont tous filer avec moi.

Je parlais avec une conviction absolue, et Barr hocha la tête en signe d'approbation.

— Le roi retourne dans son royaume ! dit-il. Tous ses loyaux sujets avec lui. Il n'est pas en danger, tant qu'il se trouve avec eux. Mais... mon Dieu, si seulement je pouvais vous accompagner, Leif ! Le Kraken ! Et la légende ancienne des mers du Sud raconte que la Grande Pieuvre somnole en attendant l'heure où l'envie lui viendra de détruire le monde et tout ce qui y vit. Et à quatre mille huit cents mètres d'altitude le Poulpe Noir est sculpté sur les falaises des Andes ! Les Nordiques... les indigènes des mers du Sud... et les Andins ! Le même symbole... ici !

— Promettez-moi, je vous en prie, insistai-je auprès de Fairchild. Ma vie risque d'en dépendre.

— C'est pratiquement vous abandonner. Cela ne me plaît pas !

— Chef, cette foule vous anéantirait en une minute. Retournez et alertez les Mongols. Les Tartares viendront aussi. Ils détestent les Ouigours. Je reviendrai, n'ayez crainte. Mais je suis prêt à parier n'importe quoi que tous ces types, et plus encore, seront sur mes talons. Quand je reviendrai, il me faudra un mur pour me cacher derrière.

— Nous partirons, dit-il.

Je sortis de cette tente pour me rendre dans la mienne. Le Ouigour au regard froid me suivit. Je pris mon fusil et un automatique, fourrai dans ma poche une brosse à dents et un nécessaire de rasage, puis m'apprêtai à ressortir.

— Y a-t-il quelque chose d'autre ?

Une note de surprise vibrait dans sa question.

— Si j'en ai besoin, je reviendrai le chercher, répliquai-je.

— Pas après que tu te seras... souvenu, fut sa riposte énigmatique.

Côte à côte, nous nous dirigeâmes vers l'étalon noir. Je me hissai sur son dos.

Les cavaliers se rangèrent derrière nous. Leurs lances dressées comme une barrière entre moi et le camp, nous partîmes au galop vers le sud.

3

LE RITE DE KHALK'RU

L'étalon avait adopté un pas de course rythmé et soutenu. Il portait mon poids sans peine. Nous avons dépassé la lisière du désert une heure avant le crépuscule. A notre droite se dressait une chaîne de montagnes basses en grès rouge. Juste devant nous, il y avait un défilé. Nous nous y sommes engagés, avançant avec prudence. Au bout d'une demi-heure environ, nous avons émergé dans une région parsemée de rochers, sur ce qui avait été jadis une large route. Cette route filait tout droit en direction du nord-est vers une autre chaîne de montagnes de grès rouge plus hautes, distantes de quelque huit kilomètres. Nous y sommes parvenus juste à la nuit tombante. Mon guide s'arrêta alors en disant que nous y camperions jusqu'à l'aube. Une vingtaine de cavaliers mirent pied à terre ; les autres poursuivirent leur chemin.

Ceux qui restaient attendirent en me regardant ; ils s'attendaient manifestement à quelque chose. Je me demandai ce que j'étais censé faire ; puis, remarquant que l'étalon était en sueur, je réclamai quelque chose pour le bouchonner, et de quoi lui donner à manger et à boire. C'est apparemment ce qui était escompté. Le capitaine en personne m'apporta les chiffons, le picotin et l'eau pendant que les hommes chuchotaient. Après que le cheval fut rafraîchi, je lui donnai sa ration. Je demandai ensuite des couvertures pour mettre sur son dos, car les nuits étaient froides. Quand j'eus fini, je découvris que le dîner avait été préparé. Je m'assis auprès du feu avec le chef. J'avais faim et, comme d'habitude, chaque fois que je le peux, je mangeai avec voracité. Je posai peu de questions, et comme je n'obtenais pour la plupart que des réponses évasives, faites avec tant d'évidente mauvaise volonté, je ne tardai pas à m'abstenir. Quand le repas fut terminé, j'avais sommeil. Je le dis. On m'apporta des couvertures et je me dirigeai vers l'étalon. J'étalai mes couvertures à côté de lui, me laissai tomber dessus et m'y enroulai.

L'étalon pencha la tête, me flaira doucement, souffla longuement dans mon cou, puis se coucha avec précaution près de moi. Je me déplaçai pour pouvoir appuyer ma tête sur son encolure. J'entendis des chuchotements animés parmi les Ouigours. Je m'endormis.

A l'aube, je fus réveillé. Le petit déjeuner était prêt. Nous sommes repartis sur l'antique route. Elle longeait les montagnes, suivant le lit de ce qui avait été voilà bien longtemps une grande rivière. Sur une partie du trajet, les montagnes de l'est nous protégèrent du soleil. Quand il commença à darder ses rayons directement sur nous, nous fîmes halte à l'ombre d'immenses rochers. Au milieu de l'après-midi, nous étions de nouveau en route. Peu avant le coucher du soleil, nous traversâmes le lit à sec de la rivière par ce qui avait été un pont imposant.

Nous entrâmes dans un autre défilé par où s'était écoulée l'eau depuis longtemps tarie, et nous en sortîmes juste au crépuscule.

L'extrémité de cette gorge était commandée de chaque côté par des forts en pierre. Des douzaines de Ouigours les occupaient. Ils crièrent à notre approche et j'entendis cent fois répété le mot « Dwayanu ».

Les lourdes portes du fort de droite s'ouvrirent. Nous les franchîmes par un passage aménagé sous l'épaisse muraille. Nous traversâmes au trot une vaste enceinte. Nous en sortîmes par des portes semblables.

Cette issue donnait sur une oasis encerclée par les montagnes arides. Elle avait été jadis le site d'une ville importante, car il y avait des ruines partout. Ce qui avait dû être les sources de la rivière s'était réduit à un ruisseau qui se perdait dans les sables non loin de l'endroit où je me tenais. A droite de ce ruisseau, il y avait de la végétation et des arbres ; à gauche, c'était la désolation. La route traversait l'oasis et s'enfonçait dans ce désert. Elle s'arrêtait devant une énorme ouverture carrée aménagée dans la paroi rocheuse à deux kilomètres de là — ou y pénétrait. L'ouverture ressemblait à une porte dans cette montagne, ou à l'entrée de quelque gigantesque tombe égyptienne.

Nous avons continué à cheminer dans la partie fertile. Il y avait là des centaines d'antiques bâtiments de pierre dont certains avaient été l'objet de réparations soigneuses pour les maintenir en bon état. Même ainsi, leur antiquité m'impressionna. Il y avait également des tentes sous les arbres. Et, des bâtiments comme des tentes, jaillissaient des Ouigours — hommes, femmes et enfants. Les guerriers, pour ne citer qu'eux, étaient bien un millier. Au contraire des gardes des forts, ils me regardèrent passer dans un silence respectueux.

Nous nous sommes arrêtés devant un édifice vétuste qui avait peut-être été un palais voici cinq ou six mille ans. Ou un temple. Une colonnade aux formes carrées et trapues ornait sa façade. Des colonnes plus massives flanquaient l'entrée. C'est là que nous avons mis pied à terre. L'étalon et le cheval de mon guide furent emmenés par notre escorte. S'inclinant très bas sur le seuil, mon guide m'invita à entrer.

Je pénétrai dans un vaste vestibule éclairé par des torches d'une espèce de bois résineux, entre deux haies de guerriers armés de lances. Le chef ouigour marchait à côté de moi. Ce vestibule conduisait dans une énorme salle — dont la hauteur de plafond, la largeur et la longueur étaient telles que les flambeaux fixés aux murs en faisaient paraître le centre encore plus sombre. A l'extrémité opposée, il y avait une estrade peu élevée — et sur elle une table de pierre ; autour de cette table siégeaient un certain nombre d'hommes encapuchonnés.

En approchant, je sentis les regards de ces hommes fixés intensément sur moi, et je vis qu'ils étaient treize — six de chaque côté et un assis sur un siège plus important au bout de la table. De hautes torchères de métal étaient placées près d'eux ; il y brûlait une substance qui donnait une belle lumière blanche et stable. J'avançai jusqu'à eux et m'arrêtai. Mon guide ne dit rien. Les autres non plus.

Soudain la lumière se refléta sur l'anneau passé à mon pouce.

L'homme encapuchonné au haut bout de la table se leva en agrippant le bord avec des mains tremblantes qui ressemblaient à des serres desséchées. Je l'entendis murmurer :

— Dwayanu !

Le capuchon glissa en arrière. Je vis un vieux, très vieux visage dont les yeux étaient presque aussi bleus que les miens ; ils étaient remplis de stupeur et d'un espoir ardent. Cela me toucha, car c'était l'expression d'un homme depuis longtemps en proie au désespoir qui voit apparaître un sauveur.

Les autres se levèrent à leur tour, rejetèrent leur

capuchon. Ils étaient tous vieux, mais pas autant que celui qui avait murmuré. Leurs yeux d'une froide teinte gris-bleu m'évaluaient. Le grand prêtre, ce que je supposais être son rang et qui se révéla exact, reprit la parole :

— On me l'avait dit... mais je ne pouvais pas le croire. Veux-tu venir jusqu'à moi ?

Je sautai sur l'estrade et me dirigeai vers lui. Il approcha son vieux visage du mien, cherchant mes yeux. Il toucha mes cheveux. Il fourra la main à l'intérieur de ma chemise et la posa sur mon cœur.

— Laisse-moi voir tes mains, dit-il.

Je les plaçai, paumes en l'air, sur la table. Il les examina avec le même soin minutieux que le chef ouigour. Les douze autres se groupèrent autour de nous, suivirent du regard ses doigts qui désignaient telle ou telle marque. Il souleva une chaîne faite d'anneaux d'or qu'il avait au cou, sortant de dessous sa tunique une grande boîte carrée et plate en jade. Il l'ouvrit. A l'intérieur, il y avait une pierre jaune, plus grosse que celle de mon anneau mais, à part cela, exactement semblable avec le poulpe noir — le Kraken — qui étirait ses tentacules dans ses profondeurs. A côté se trouvaient un petit flacon de jade et un minuscule couteau de jade ressemblant à une lancette. Il prit ma main droite et amena mon poignet au-dessus de la pierre jaune. Il me regarda, regarda les autres avec des yeux où se lisait une anxiété atroce.

— L'ultime épreuve, chuchota-t-il. Le sang !

Il entailla une veine de mon poignet avec le couteau. Le sang s'écoula lentement goutte à goutte sur la pierre. Je m'aperçus alors que celle-ci était légèrement concave. Au fur et à mesure qu'il tombait, le sang s'étalait en mince pellicule depuis le fond jusqu'au bord. Le vieux prêtre souleva le flacon de jade, le déboucha et, au prix de ce qui était visiblement un violent effort de volonté, le tint immobile au-dessus de la pierre jaune. Une goutte de liquide incolore tomba et se mêla à mon sang.

La salle était maintenant plongée dans le silence ; le grand prêtre et ses ministres, qui contemplaient la pierre, semblaient ne plus respirer. Je jetai un coup d'œil au chef ouigour. Il me dévisageait avec un regard brûlant de fanatisme.

Le grand prêtre poussa une exclamation à laquelle les autres firent écho. Je regardai la pierre. La pellicule rose changeait de couleur. Une curieuse étincelle la parcourut ; elle se transforma en une pellicule d'un vert clair et lumineux.

— Dwayanu ! s'écria le grand prêtre d'une voix étranglée.

Se laissant tomber dans son fauteuil, il couvrit son visage de ses mains qui tremblaient. Les autres considéraient alternativement la pierre et moi comme s'ils assistaient à un miracle. Je regardai le chef ouigour. Il était prosterné au pied de l'estrade.

Le grand prêtre découvrit son visage. Il me sembla devenu incroyablement plus jeune, métamorphosé ; ses yeux n'étaient plus tourmentés, désespérés ; ils étaient remplis d'ardeur. Il quitta son siège et m'y fit asseoir.

— Dwayanu, dit-il, de quoi te souviens-tu ?

Je secouai la tête, déconcerté. Sa question me rappelait la riposte du Ouigour au camp.

— De quoi devrais-je me souvenir ? demandai-je.

Ses yeux m'abandonnèrent, se tournèrent vers le visage des autres interrogateurs. Comme s'il leur avait parlé, ils se consultèrent du regard, puis hochèrent la tête. Il referma la cassette de jade et la remit sur sa poitrine. Il prit ma main, tourna le chaton de la bague à l'intérieur de mon pouce et referma ma main dessus.

— Te rappelles-tu... (Sa voix devint le plus faible des murmures :) ... Khalk'ru ?

De nouveau le silence régna dans la grande salle — quasi tangible, cette fois. Je restai assis, plongé dans mes réflexions. Ce nom avait quelque chose de familier. J'avais l'impression irritante que j'aurais dû le connaître ; que si je me concentrais suffisamment je me le rappellerais ; que ce souvenir était juste à la lisière de ma conscience. J'avais aussi le sentiment qu'il impliquait quelque chose de passablement affreux. Quelque chose qu'il valait mieux oublier. J'éprouvais de vagues élans de répulsion associés à une vive hostilité.

— Non, répondis-je.

J'entendis le bruit de respirations subitement relâchées. Le vieux prêtre vint se placer derrière moi et posa ses mains sur mes yeux.

— Te rappelles-tu... ceci ?

Mon esprit parut se brouiller, puis je vis une image aussi nette que si je la regardais les yeux ouverts. Je traversais l'oasis au galop en direction de la haute porte de la montagne. Toutefois, maintenant, ce n'était plus une oasis. C'était une ville avec des jardins et une rivière la parcourait en scintillant. Les montagnes n'étaient plus du grès rouge stérile mais verdoyaient de forêts. Il y avait d'autres gens avec moi, qui galopaient à ma suite — des hommes et des femmes comme moi, blonds et forts. J'étais maintenant près de la porte. D'immenses colonnes de pierre carrées la flanquaient... je descendais de ma monture... un grand étalon noir... j'entrais...

Je ne voulais pas entrer ! Si j'entrais, je me rappellerais... Khalk'ru ! Je me rejetai en arrière... dehors... je sentis des mains sur mes yeux... je levai les miennes et les écartai avec violence... les mains du vieux prêtre. Je quittai d'un bond le fauteuil, frémissant de colère. Je lui fis face. Son expression était bénigne, sa voix douce.

— Bientôt, dit-il, tu te rappelleras davantage !

Je ne répondis pas. Je luttais pour dominer cet accès de rage inexplicable. Evidemment, le vieux prêtre avait tenté de m'hypnotiser ; ce que j'avais vu, c'était ce qu'il avait voulu que je voie. Les prêtres ouigours n'avaient pas acquis pour rien leur réputation de sorciers. Mais ce n'était pas ce qui avait allumé en moi cette colère contre laquelle je devais faire appel à toutes les ressources de mon énergie pour qu'elle ne me rende pas fou furieux. Non, c'était quelque chose en rapport avec ce nom de Khalk'ru. Quelque chose qui se trouvait de l'autre côté du seuil de la montagne, par-delà lequel j'avais failli être entraîné.

— As-tu faim ?

Le brusque passage au domaine pratique dans la question du vieux prêtre me ramena à mon état normal. J'éclatai de rire et lui dis que j'étais affamé, en effet. Et que je commençais à avoir sommeil. J'avais craint que le personnage important que j'étais apparemment devenu soit obligé de dîner avec le grand prêtre. Je fus soulagé quand il me confia au capitaine ouigour. Le Ouigour sortit sur mes talons comme un chien, me couva des yeux comme un chien suit des yeux son maître, et il s'occupa de moi comme un serviteur pendant que je mangeais. Je lui dis que j'aimerais mieux dormir sous une tente plutôt que dans une des maisons de pierre. Alors, son regard étincela et, pour la première fois, il s'exprima autrement que par monosyllabes respectueux.

— Toujours un guerrier ! grommela-t-il d'un ton approbateur.

Une tente fut dressée pour moi. Avant de m'endormir, je jetai un coup d'œil par l'ouverture. Le chef ouigour était accroupi devant la tente qu'encerclait une double rangée de sentinelles postées épaule contre épaule et armées de lances.

De bonne heure le lendemain matin, une délégation des prêtres de second rang vint me chercher. Nous allâmes dans le même bâtiment, mais dans une salle beaucoup plus petite, dépourvue de tout ornement. Le grand prêtre et le reste des autres prêtres étaient déjà là. Je m'attendais à un flot de questions. Il ne m'en posa aucune ; il n'avait apparemment pas la moindre curiosité concernant mes origines — d'où je venais et comment je me trouvais en Mongolie. D'avoir obtenu la preuve que j'étais ce qu'ils espéraient — qui que ce fût — semblait leur suffire. En outre, j'avais l'impression très nette qu'ils étaient désireux de hâter l'accomplissement d'un plan qui avait commencé par mes leçons. Le grand prêtre alla droit au fait.

— Dwayanu, dit-il, nous voulons te remettre en mémoire un certain rite. Ecoute attentivement, observe attentivement, répète fidèlement chaque inflexion, chaque mot.

— Dans quel but ? questionnai-je.

— Cela, tu l'apprendras... commença-t-il. (Puis il reprit d'une voix farouche :) Non ! Je vais te le dire maintenant ! Afin que ce qui est présentement désert redevienne fertile. Afin que les Ouigours retrouvent leur grandeur. Afin que soit expié l'antique sacrilège contre Khalk'ru, dont le fruit a été le désert !

— Qu'ai-je à voir avec cela, moi, un étranger ? demandai-je.

— Nous vers qui tu es venu, répliqua-t-il, n'avons pas assez de l'antique sang pour y réussir. Tu n'es pas un étranger. Tu es Dwayanu — le Libérateur. Tu es issu du sang pur. A cause de cela, toi seul — Dwayanu — peux rompre la malédiction.

Je songeai au ravissement de Barr s'il avait pu entendre cette explication ; quel chant de victoire il cornerait aux oreilles de Fairchild. Je m'inclinai devant le vieux prêtre et lui dis que j'étais prêt. Il ôta de mon pouce l'anneau, enleva de son cou la chaîne et son pendentif de jade et m'ordonna de me dévêtir. Pendant que j'obtempérais, il se dépouilla de sa tunique et les autres l'imitèrent. Un prêtre emporta nos vêtements et revint aussitôt. Je regardai les corps flétris des vieillards qui se tenaient nus comme la main autour de moi et perdis soudain tout désir de rire. Les préparatifs avaient quelque chose de sinistre. La leçon commença.

Ce n'était pas une cérémonie ; c'était une invocation... ou plutôt *l'évocation* d'un Etre, d'une Puissance, d'une Force nommée Khalk'ru. Elle était des plus curieuses, tout comme les gestes qui l'accompagnaient. Elle était manifestement formulée en ouigour archaïque. Bien des mots étaient incompréhensibles pour moi. Elle avait été transmise de génération en génération de grands prêtres depuis la plus haute antiquité, c'était indéniable. Même un chrétien tiède l'aurait considérée comme un blasphème digne de la damnation. J'étais trop intéressé pour songer beaucoup à cet aspect de la question. J'éprouvais à son sujet la même sensation bizarre de familiarité que j'avais ressentie en entendant pour la première fois le nom de Khalk'ru. Sans la répulsion, toutefois. J'étais tout attention. Jusqu'à quel point était-ce la résultante des volontés unies de douze prêtres qui ne me quittaient jamais des yeux, je ne saurais le dire.

Je ne la répéterai pas, je n'en donnerai que les grandes lignes. Khalk'ru est le Commencement-sans-commencement comme il serait la Fin-sans-fin. Il est l'Eternel Vide Obscur. Le Destructeur. Le Dévoreur de vie. L'Annihilateur. Le Dissolvant. Il n'est pas la Mort — la Mort n'est qu'une partie de lui-même. Il est vivant, indéniablement, mais sa qualité de vie est l'antithèse de la Vie telle que nous la connaissons. La Vie est une envahisseuse qui trouble le calme éternel de Khalk'ru. Les dieux et l'homme, les animaux et les oiseaux et toutes autres créatures, la végétation, l'eau, l'air et le feu, le soleil, les étoiles et la lune — tout lui appartient pour qu'il le dissolve en lui-même, le Néant Vivant, si tel est son bon plaisir. Mais il les laisse subsister encore un peu. Qu'importe à Khalk'ru puisqu'à la fin il n'y aura plus que — Khalk'ru ! Qu'il se retire des lieux stériles pour que la vie puisse revenir et les faire refleurir ; qu'il frappe seulement ceux qui sont les ennemis de ses fidèles, afin que ses adorateurs aient la puissance et la gloire et soient la preuve que Khalk'ru est le Grand Tout. Ce n'est qu'un soupir dans l'étendue de son éternité. Que Khalk'ru se manifeste sous la forme de son symbole et prenne ce qui lui est offert comme témoignage qu'il a écouté et consenti.

Il y en avait plus, bien plus, mais c'est l'essentiel. Une prière effrayante, pourtant je n'éprouvai aucune peur — à ce moment-là. A la troisième répétition, je savais tout par cœur. Le grand prêtre me fit réciter encore une fois, puis adressa un signe de tête au prêtre qui avait emporté les vêtements. Celui-ci sortit et revint avec les tuniques — mais pas avec mes habits. A la place, il me présenta un long manteau blanc et une paire de sandales. Je demandai mes habits et m'entendis répondre par le vieux prêtre que je n'en avais plus besoin, que je serais désormais vêtu comme il convenait à mon rang. J'admis que c'était désirable, mais dis que j'aimerais les avoir pour les regarder de temps à autre. A cela il acquiesça.

Ils me conduisirent dans une autre salle. Des tapisseries fanées et délabrées étaient tendues sur ses murs. Elles représentaient des scènes de chasse et de guerre. Il y avait des tabourets et des sièges de forme curieuse en un métal qui était peut-être du cuivre mais pouvait aussi bien être de l'or, un divan large et bas, dans un coin : des lances, un arc et deux sabres, un bouclier et un casque rond en bronze. Tout, excepté les tapis étalés sur les dalles de pierre, avait l'apparence de la plus haute antiquité. Dans cette salle, je fus lavé et rasé avec soin, mes longs cheveux furent retaillés — toilette de cérémonie agrémentée de rites de purification qui, à certains moments, ne laissaient pas d'être quelque peu surprenants.

Ceci terminé, on me donna un sous-vêtement de coton qui m'enveloppait de la pointe des pieds jusqu'au cou. Puis un pantalon long et vague à ceinture qui semblait tissé avec des fils d'or traités par un procédé quelconque pour leur donner la douceur de la soie. Je remarquai avec amusement qu'il avait été soigneusement raccommodé et rapiécé. Je me demandai depuis combien de siècles était mort l'homme qui l'avait porté le premier. Il y avait une longue tunique en forme de blouse dans la même matière ; mes pieds furent glissés dans des cothurnes, des espèces de hautes bottines, dont la broderie compliquée était légèrement usagée.

Le vieux prêtre plaça l'anneau sur mon pouce et se recula pour me contempler avec ravissement. Il ne voyait rien des ravages du temps sur mes habits, c'était évident. J'étais pour lui le splendide personnage du passé pour qui il me prenait.

— Ainsi es-tu apparu quand notre race était puissante, dit-il. Et bientôt, quand elle aura retrouvé un peu de sa grandeur, nous ramènerons ceux qui demeurent encore dans le Pays-dans-l'ombre.

— Le Pays-dans-l'ombre ? répétai-je.

— Il se trouve loin à l'est, de l'autre côté de la Grande Eau, dit-il. Mais nous savons qu'ils demeurent là, ceux de Khalk'ru partis à l'époque du grand sacrilège qui a changé le fécond pays ouigour en désert. Ils seront du sang pur comme toi, Dwayanu, et tu trouveras des compagnes parmi les femmes. Et, le moment venu, nous qui sommes du sang appauvri, disparaîtrons et le pays ouigour sera de nouveau peuplé par l'antique race. (Il s'éloigna brusquement, suivi des autres prêtres. A la porte, il se retourna :) Attends ici, dit-il, jusqu'à ce que je te fasse appeler.

4

LES TENTACULES DE KHALK'RU

J'attendis une heure, pendant laquelle j'examinai le curieux contenu de cette pièce et m'amusai à mimer des assauts avec les deux sabres. En me retournant soudain, je découvris le capitaine ouigour qui m'observait depuis le seuil, ses yeux clairs étincelant.

— Par Zarda ! s'exclama-t-il. Si tu as oublié quelque chose, ce n'est pas l'art du maniement des armes ! Guerrier tu nous a quittés, guerrier tu es revenu !

Il se laissa choir sur un genou, courba la tête.

— Pardon, Dwayanu ! On m'envoie te chercher. Il est temps de partir.

Une exaltation vertigineuse s'empara de moi. Je rejetai les sabres et lui donnai une claque sur l'épaule. Il prit cela comme une accolade. Nous franchîmes le vestibule aux sentinelles armées de lances et parûmes sur le seuil de la haute porte. Un tonnerre d'acclamations s'éleva.

— Dwayanu !

Puis résonnèrent une fanfare de trompettes, un puissant roulement de tambours et le fracas des cymbales.

Devant le palais, des cavaliers ouigours formaient les quatre côtés d'un carré. Ils étaient bien cinq cents, avec des lances scintillantes et des pennons flottant au vent accrochés à leur hampe. A l'intérieur du carré, alignés avec régularité, il y en avait à peu près autant. Au second coup d'œil, je vis que c'étaient des hommes et des femmes vêtus d'habits aussi antiques que les miens et qui miroitaient sous l'éclat violent du soleil comme un immense tapis multicolore tissé de fils de métal. Des étendards et des bannières en lambeaux, portant d'étranges symboles, ondulaient au milieu d'eux. A l'extrémité la plus éloignée du carré, je reconnus le vieux prêtre flanqué de ses assesseurs, habillés de jaune et montés à cheval. Au-dessus d'eux était déployée une bannière jaune et, comme le vent l'étirait, j'y vis dessinée en noir la forme du Kraken. Au delà du carré de cavaliers, des centaines de Ouigours se bousculaient pour m'apercevoir. Comme je restais immobile, clignant des paupières, une autre acclamation se mêla aux tambours ouigours.

« Le roi revient parmi son peuple ! » avait dit Barr. Eh bien, c'était cela.

Un museau doux me poussa. A côté de moi, il y avait l'étalon noir. Je l'enfourchai. Le capitaine ouigour à ma suite, je m'engageai au trot dans l'espace vide aménagé entre les rangs bien alignés. Je les regardai en passant. Tous, hommes et femmes, avaient les yeux clairs, de la même teinte gris-bleu ; tous étaient plus grands que la moyenne de la race. Je me dis que ce devait être les nobles, l'élite des antiques familles, ceux chez qui le sang originel dominait. Leurs bannières déchiquetées arboraient les insignes de leurs clans. Il y avait de l'exultation dans les yeux des hommes. Avant de parvenir à la hauteur des prêtres, j'avais lu de la terreur dans le regard de bien des femmes.

J'arrivai près du vieux prêtre. Le rang de cavaliers s'ouvrit devant nous. Côte à côte, nous nous engageâmes tous les deux par cette faille. Les prêtres de rang inférieur s'y engouffrèrent derrière nous. Les nobles suivirent. Les guerriers ouigours qui s'étaient alignés en file de chaque côté de la cavalcade prirent le trot — les trompettes ouigoures sonnaient, les timbales et les tambours ouigours battaient, les cymbales ouigoures retentissaient en ardentes cadences triomphales.

« Le roi revient... »

Plût au ciel que quelque chose m'ait alors envoyé droit sur les lances ouigoures !

Nous avons traversé au trot la verdure de l'oasis. Nous avons franchi un large pont qui avait été construit à l'époque où le ruisseau était une vaste rivière. Nous avons dirigé les pas de nos chevaux sur l'antique route qui menait au portail de la montagne, distant de guère plus de deux kilomètres. En moi grandit l'exaltation grisante. Je jetai un coup d'œil en arrière sur ma compagnie. Soudain, je me remémorai les pièces et reprises de mon pantalon et de ma tunique. Ma suite était en aussi piètre état. Je me sentis moins royal, mais, aussi, cela m'apitoya. Je vis en eux des hommes et des femmes menés par les fantômes que charriaient les veines de leur sang appauvri, les fantômes d'ancêtres forts qui s'étaient affaiblis en même temps que leur sang, mourant de faim à proportion de cet affaiblissement mais encore assez forts pour réagir contre l'extinction, encore assez forts pour commander à leurs cerveaux et à leur volonté et les conduire vers ce que ces fantômes croyaient capable d'assouvir leur faim, de leur redonner leur vigueur.

Oui, j'avais pitié d'eux. Croire que je pouvais apaiser la faim de leurs fantômes aurait été folie, mais il y avait une chose que je pouvais faire pour eux. Je pouvais leur offrir un spectacle du tonnerre ! Je repassai en esprit le rite que le vieux prêtre m'avait enseigné, répétai mentalement chaque geste.

En levant la tête, je m'aperçus que nous étions au seuil de la porte dans la montagne. Elle était assez large pour que vingt cavaliers y passent de front. Les colonnes trapues, que j'avais vues quand le vieux prêtre avait posé les mains sur mes yeux, gisaient en morceaux à côté. Je n'éprouvais pas, maintenant, la répugnance, la révolte qui m'avaient submergé, alors, à l'idée d'entrer. J'avais hâte d'être à l'intérieur et d'en finir.

Les guerriers se regroupèrent pour former une garde à côté de l'ouverture. Je descendis de cheval et tendis à l'un d'eux les rênes de l'étalon. Le vieux prêtre à mon côté, ses acolytes derrière nous, nous avons franchi le seuil du portail en ruine et pénétré dans la montagne. Le couloir, ou vestibule, était éclairé par des torchères murales dans lesquelles brûlaient les claires flammes blanches. A une centaine de pas de l'entrée s'ouvrait un autre couloir qui formait avec le plus grand un angle d'environ quinze degrés. Le vieux prêtre s'y engagea. Je jetai un coup d'œil en arrière. Les nobles n'étaient pas encore entrés ; je les voyais qui mettaient pied à terre dehors. Nous avons suivi en silence ce couloir sur une distance de trois cents mètres environ. Il donnait dans une petite salle carrée taillée dans le grès rouge, sur le côté de laquelle s'ouvrait une autre porte masquée par de lourdes tapisseries. Dans cette salle, il n'y avait rien à part un certain nombre de coffres en pierre de tailles diverses rangés le long des murs.

Le vieux prêtre en ouvrit un. A l'intérieur se trouvait une boîte dont le bois était grisâtre de vieillesse. Il en souleva le couvercle et y prit deux vêtements jaunes. Il en fit glisser un par-dessus ma tête. Cela ressemblait à une chemise et me tombait jusqu'aux genoux. J'y jetai un coup d'œil ; tissé dedans, m'encerclant de ses tentacules, il y avait le poulpe noir.

Le prêtre enfila l'autre tunique par-dessus sa propre tête. Elle aussi arborait le poulpe, mais seulement sur la poitrine, les tentacules n'encerclaient pas le prêtre. Il se pencha pour prendre dans le coffre un bâton doré, dont l'extrémité était munie de baguettes transversales. De ces baguettes pendaient des boucles où étaient fixées des clochettes dorées.

Des autres coffres, les prêtres de moindre rang avaient extirpé des tambours, instruments d'une curieuse forme ovoïde d'environ quatre-vingt-dix centimètres de long avec des parois latérales en métal rouge mat. Ils s'étaient assis et faisaient rouler sous leurs pouces la peau du tambour afin de la retendre ici ou là, tandis que le vieux prêtre secouait doucement son bâton à sonnailles pour en vérifier le tintement. Ils ressemblaient tout à fait à un orchestre en train de s'accorder. Cela me donna envie de rire ; j'ignorais alors combien le banal peut intensifier le terrible.

Des bruits résonnaient de l'autre côté du seuil masqué par une tapisserie — des frôlements. Trois coups retentirent, comme d'un marteau sur une enclume. Puis le silence. Les douze prêtres franchirent la porte, leur tambour dans les bras. Le grand prêtre me fit signe de le suivre et nous sortîmes derrière eux.

Je me retrouvai dans une immense caverne, creusée à même le roc par la main d'hommes devenus poussière depuis des milliers d'années. Elle proclamait son âge immémorial aussi clairement que si les pierres avaient eu une langue. Elle était plus qu'ancienne, elle était préhistorique. Elle n'avait qu'un éclairage très faible, au point que c'est à peine si je distinguais les nobles ouigours. Sous les bannières de leurs clans, ils se tenaient debout sur le sol de la caverne à une centaine de mètres, le visage levé dans ma direction, car il y avait trois mètres de dénivellation entre eux et moi. La caverne se prolongeait bien loin derrière eux, elle disparaissait dans l'ombre. Je vis que, devant les nobles, le sol s'incurvait largement — tel le creux entre deux longues vagues — et, tel une vague, il remontait du côté opposé en se recourbant, le bord crêté, comme si cette vague de pierre sculptée était une gigantesque lame de ressac prête à déferler sur eux. Cette crête formait le bord de la plate-forme sur laquelle je me tenais.

Le grand prêtre m'effleura le bras. Je tournai la tête vers lui et suivis la direction de son regard.

A trente mètres de moi, il y avait une femme. Elle était nue. Elle n'avait pas atteint depuis longtemps l'âge nubile et devait visiblement devenir bientôt mère.

Ses yeux étaient aussi bleus que ceux du vieux prêtre, ses cheveux étaient châtain-roux, avec des reflets dorés, sa peau était blanc mat. Le sang de la vieille race blonde était fort en elle. En dépit de sa belle attitude fière, ses yeux exprimaient de la terreur et le rythme rapide auquel se soulevait sa gorge pleine confirmait cette terreur.

Elle se tenait dans un léger creux. Autour de sa taille, il y avait un cercle doré d'où tombaient trois chaînes dorées rivées au sol rocheux. Je compris leur objet. Elles l'empêchaient de fuir et, si elle se laissait choir ou tombait, de ramper hors de ce creux. Mais fuir ou ramper pour s'éloigner de quoi ? Certainement pas de moi ! Je la regardai et souris. Ses yeux interrogèrent les miens. L'expression de terreur disparut subitement. Elle me rendit mon sourire avec confiance.

Dieu me pardonne... je lui ai souri et elle m'a fait confiance !

Mon attention fut attirée par un scintillement jaune et un éclair jaillit d'une énorme topaze qui se trouvait au delà de la jeune femme. Du rocher, à une centaine de mètres derrière elle, saillait un énorme fragment de la même matière jaune translucide dont était tirée la pierre de ma bague. On aurait dit le fragment d'une gigantesque vitre brisée. Sa forme était approximativement triangulaire. A l'intérieur se dessinait en noir un tentacule du Kraken. Ce tentacule pendait dans la pierre jaune, séparé du corps monstrueux quand la pierre avait été brisée. Il avait bien quinze mètres de long. Sa face interne était tournée vers moi et, sur toute sa longueur, se voyaient les amas de hideuses ventouses.

Bien sûr, ce n'était pas très beau — mais il n'y avait pas de quoi avoir peur, pensai-je. Je souris de nouveau à la jeune femme enchaînée et croisai encore une fois son regard empreint d'une totale confiance.

Le vieux prêtre m'observait attentivement. Nous avançâmes jusqu'à ce que nous fussions à mi-chemin du bord et de la jeune femme. Les douze prêtres mineurs s'accroupirent le long du rebord de pierre, leur tambour sur les genoux.

Le vieux prêtre et moi faisions face à la jeune femme et au tentacule brisé. Il leva son bâton aux sonnailles dorées et le secoua. De la pénombre de la caverne monta une psalmodie sourde, un chant sur trois thèmes mineurs qui se répétaient sans arrêt et s'entremêlaient.

Il était aussi primitif que la caverne ; c'était la voix même de la caverne.

La jeune femme ne me quittait pas des yeux.

Le chant cessa. Je levai les mains et exécutai les étranges gestes de salutation qui m'avaient été enseignés. J'entamai le rite de Khalk'ru...

Dès les premiers mots, la vieille sensation de familiarité m'envahit — avec quelque chose de plus. Les mots, les gestes étaient automatiques. Je n'avais à faire aucun effort de mémoire ; ils venaient d'eux-mêmes. Je ne voyais plus la jeune femme enchaînée. Je ne voyais que le tentacule noir dans la pierre brisée.

Le rite se poursuivait encore et toujours... est-ce que la pierre ne se dissolvait pas autour du tentacule ?... Bougeait-il, ce tentacule ?

Désespérément, je tentai d'arrêter les mots, les gestes. J'en fus incapable.

Quelque chose de plus fort que moi me possédait, actionnait mes muscles, parlait par ma gorge. J'avais le sentiment d'une puissance inhumaine. Le rite se précipitait vers le point suprême de l'évocation maléfique — maintenant je concevais à quel point elle l'était — et moi j'y étais comme étranger, incapable de l'interrompre.

L'évocation s'acheva.

Et le tentacule frémit... il se tordit... il se tendit vers la jeune femme enchaînée...

Les tambours battirent sur un rythme démoniaque qui alla s'accélérant jusqu'à un crescendo roulant comme le tonnerre...

La jeune femme me regardait toujours... mais la confiance avait disparu de ses yeux. Son visage reflétait l'horreur imprimée sur le mien.

Le tentacule noir bondit en avant !

J'eus la vision brève d'un énorme corps nébuleux d'où se projetaient d'autres tentacules qui se tordaient. Un souffle qui recelait le froid des espaces intersidéraux me frôla.

Le tentacule noir s'enroula autour de la jeune femme...

Elle hurla — d'une voix inhumaine... elle s'effaça... elle fut dissoute... son hurlement s'atténua... son hurlement devint un cri ténu d'agonie... un soupir.

J'entendis un bruit de métal qui tombe à l'endroit où la jeune femme s'était tenue. Le bruit des chaînes et de la ceinture dorée qui la maintenaient tombant — vides — sur le rocher.

La jeune femme avait disparu !

Je restai immobile, paralysé par une horreur comme je n'en avais jamais éprouvée dans le pire cauchemar...

Cette enfant s'était fiée à moi... je lui avais souri, elle avait cru en moi... et j'avais fait venir le Kraken pour qu'il l'anéantisse !

Un remords cuisant, une rage folle rompirent les

chaînes qui m'immobilisaient. Je vis le fragment de pierre jaune en place, le tentacule noir inerte à l'intérieur. A mes pieds gisait le vieux prêtre, prosterné, son corps desséché tout tremblant, ses mains maigres griffant la roche. Les prêtres de second rang étaient allongés à côté de leur tambour, les nobles à plat ventre sur le sol de la caverne — prostrés, humiliés, sourds et aveugles dans l'adoration terrifiée de cette Chose redoutable que j'avais fait venir.

Je courus à la porte masquée d'une tapisserie. Je n'avais qu'un désir — sortir du temple de Khalk'ru. Du repaire du Kraken. M'en éloigner le plus possible. Retourner... retourner au camp — chez moi. Je traversai en courant la petite salle, les couloirs et, toujours courant, parvins au seuil du temple. J'y restai un instant, ébloui par le soleil.

Un tonnerre d'acclamations jaillit de centaines de gorges — puis ce fut le silence. Ma vue s'éclaircit. Elles gisaient là, dans la poussière, prosternées devant moi, les troupes de guerriers ouigours.

Je cherchai des yeux l'étalon noir. Il était à côté de moi. Je sautai sur son dos, lui rendis les rênes. Il s'élança comme un éclair de foudre noire au milieu des soldats prosternés et prit la route de l'oasis. Nous l'avons traversée, cette oasis, au triple galop : j'entrevis vaguement des foules qui couraient en criant. Personne ne tenta de m'arrêter. Personne n'aurait pu enrayer l'élan du grand étalon.

Je fus bientôt près des portes intérieures du fort de pierre par lequel nous étions passés la veille. Elles étaient ouvertes. Leurs gardes me contemplèrent bouche bée. Des tambours se mirent à battre sur un rythme péremptoire, là-bas, du côté du temple. Je me retournai. Il y avait du tumulte à son entrée, une chaotique bousculade. Les guerriers ouigours se précipitèrent sur la large route.

Les portes commencèrent à se fermer. Je poussai l'étalon en avant, fonçant par-dessus les gardes, et entrai dans le fort. J'atteignis les autres portes. Elles étaient fermées. Les tambours battaient plus fort, sur un rythme menaçant, impérieux.

Je repris quelque peu mes esprits. J'ordonnai aux gardes d'ouvrir. Ils me considéraient en tremblant. Mais ils n'obéirent pas. Je sautai à bas de l'étalon et courus à eux. Je levai la main. L'anneau de Khalk'ru scintilla. Ils se jetèrent à mes pieds — mais ils n'ouvrirent pas les portes.

J'avisai sur le mur des outres en peau de chèvre pleines d'eau. J'en saisis une, ainsi qu'un sac de blé. Sur le sol, il y avait une énorme dalle de pierre. Je la soulevai comme s'il s'était agi d'un caillou et la précipitai contre les portes, à l'endroit où les deux battants se rejoignaient. Ils se rompirent. Je jetai l'outre d'eau et le sac de blé en travers de la haute selle et je franchis à cheval les portes brisées.

Le grand étalon vola quasiment comme une hirondelle à l'autre bout du défilé. Nous avons traversé le pont en ruine et galopé dans un bruit de tonnerre sur l'antique route.

Nous atteignîmes l'autre défilé. Je le reconnus à l'amas de rochers. Je regardai en arrière. Rien n'indiquait qu'on me poursuivait. Mais j'entendais encore le roulement affaibli des tambours.

Le crépuscule approchait. Nous avons longé avec précaution le défilé et débouché au bord de la chaîne montagneuse de grès rouge. Forcer l'étalon était cruel, mais je ne pouvais pas me permettre de le ménager. A la tombée de la nuit, nous étions en pays semi-désertique. L'étalon ruisselait de sueur et était las. Pas une fois il n'avait ralenti ou manifesté de la mauvaise humeur. Il avait un cœur vaillant, ce cheval. Je décidai de le laisser reposer coûte que coûte.

Je découvris un endroit abrité derrière quelques hauts rochers. Soudain, je me rendis compte que je portais toujours la tunique jaune de cérémonie. Je m'en dépouillai avec dégoût. Je m'en servis pour bouchonner le cheval. Je le fis boire et lui donnai une partie du blé. Je pris conscience aussi que je mourais de faim et que je n'avais rien mangé depuis le matin.

Je mâchai une poignée de grains que je fis descendre avec une gorgée d'eau tiède. Jusqu'à présent, je n'avais pas l'air d'être poursuivi — et les tambours étaient silencieux. Je me demandais avec inquiétude si les Ouigours ne connaissaient pas un raccourci et n'allaient pas me barrer la route. Je jetai la tunique sur le dos de l'étalon et m'étendis sur le sol. Je n'avais pas l'intention de dormir. Je m'endormis tout de même.

Je me réveillai brutalement. L'aube pointait. Le vieux prêtre et le capitaine ouigour au regard froid me dévisageaient. Ma cachette était cernée par des soldats armés de lances. Le vieux prêtre parla avec douceur.

— Nous ne te voulons pas de mal, Dwayanu. Si ta volonté est de nous quitter, nous ne pouvons pas te retenir. Celui dont Khalk'ru a entendu l'appel n'a rien à craindre de nous. Sa volonté est notre volonté.

Je ne répondis pas. En le regardant, je vis de nouveau ce que j'avais vu dans la caverne — je ne pouvais voir que cela. Il soupira.

— Ta volonté est de nous quitter. Qu'il en soit ainsi !

Le capitaine ouigour ne dit rien.

— Nous avons apporté tes vêtements, Dwayanu, pensant que tu désirerais peut-être partir de chez nous comme tu es venu, déclara le vieux prêtre.

Je me dévêtis et enfilai mes habits. Le vieux prêtre prit mes atours fanés. Il enleva la tunique au poulpe drapée sur l'étalon. Le capitaine s'écria :

— Pourquoi nous quittes-tu, Dwayanu ? Tu as fait notre paix avec Khalk'ru. Tu as déverrouillé les portes. Bientôt le désert fleurira comme autrefois. Pourquoi ne restes-tu pas pour nous conduire dans notre marche vers la grandeur ?

Je secouai la tête. Le vieux prêtre soupira de nouveau.

— Telle est sa volonté ! Qu'elle soit faite ! Mais rappelle-toi, Dwayanu — celui dont l'appel a été entendu par Khalk'ru doit répondre à son tour quand Khalk'ru l'appelle. Et tôt ou tard... Khalk'ru l'appellera.

Il posa ses mains tremblantes sur mes cheveux, sur mon cœur, puis se détourna. Une troupe de lanciers se déploya à sa suite. Ils s'éloignèrent à cheval.

Le capitaine ouigour déclara :

— Nous attendons pour protéger Dwayanu pendant son voyage.

J'enfourchai l'étalon. Nous sommes arrivés au second camp de l'expédition : il était désert. Nous avons poursuivi notre chemin vers le premier camp. A la fin de l'après-midi, nous avons aperçu devant nous une caravane. Comme nous approchions, elle s'arrêta et fit hâtivement des préparatifs de défense. C'était l'expédition — encore en route. J'agitai les mains dans sa direction en appelant.

Je sautai à bas de l'étalon noir et tendis ses rênes au Ouigour.

— Prends-le, dis-je.

Son visage perdit sa sévérité morose, s'éclaira.

— Il sera prêt pour toi quand tu nous reviendras, Dwayanu. Lui ou ses fils, dit-il. (Il porta ma main à son front, s'agenouilla :) Il en sera de même pour nous tous, Dwayanu. Nous serons prêts pour toi, nous ou nos fils. Quand tu reviendras.

Il enfourcha son cheval. Il me fit face avec sa troupe de guerriers. Ils levèrent leurs lances. Une acclamation vibrante retentit.

— Dwayanu !

Ils s'éloignèrent au galop.

Je rejoignis à pied Fairchild et les autres qui m'attendaient.

Je me suis arrangé pour retourner aussitôt que je le pus en Amérique. Je ne voulais qu'une chose — mettre le plus de distance possible entre moi et le temple de Khalk'ru.

Je me tus. Involontairement, ma main chercha le sachet en peau de daim sur ma poitrine.

— Mais à présent, dis-je, il semble que ce ne soit pas si facile de lui échapper. Par les coups sur l'enclume, par ses chants et ses tambours... Khalk'ru m'appelle !

LE LIVRE DU MIRAGE

1

LE MIRAGE

Jim était resté assis sans rien dire, les yeux fixés sur moi, mais de temps à autre j'avais vu le stoïcisme indien déserter son visage. Il se pencha pour poser une main sur mon épaule.

— Leif, dit-il simplement, comment aurais-je pu le deviner ? Pour la première fois, je t'ai vu avoir peur... cela m'a fait mal. Je ne me doutais pas...

De la part de Tsantawu le Cherokee c'était beaucoup.

— Ça va, l'Indien. Pas d'attendrissement, répliquai-je d'un ton bourru.

Il resta un moment sans parler, à jeter des brindilles sur le feu.

— Qu'est-ce que ton ami Barr en a dit ? questionna-t-il soudain.

— Il m'a engueulé, répondis-je. Il m'a engueulé en pleurant à chaudes larmes. Il m'a dit que personne n'avait trahi la science comme moi depuis que Judas avait embrassé Jésus. Il a un talent pour vous sortir des métaphores qui vous piquent au vif. Celle-là m'a blessé au cœur parce que c'est précisément ce que je pensais de moi-même — non pas à l'égard de la science, mais à l'égard de la jeune femme. Je lui avais vraiment donné le baiser de Judas. Barr a dit que j'avais eu la plus belle occasion jamais offerte à l'humanité. J'aurais pu résoudre le mystère du Gobi et de sa civilisation perdue. Je m'étais enfui comme un enfant effrayé par le croque-mitaine. Je n'étais pas seulement atavique de corps, je l'étais d'esprit. J'étais un sauvage blond affolé par mes mômeries. Il a dit que si cette chance lui avait été donnée, il se serait laissé crucifier pour apprendre la vérité. Et il l'aurait fait. Il ne mentait pas.

— Admirablement scientifique, commenta Jim. Mais qu'a-t-il dit de ce que tu avais vu ?

— Que c'était uniquement de la suggestion hypnotique pratiquée par le vieux prêtre. J'avais vu ce qu'il avait voulu que je voie — de même qu'auparavant, par sa volonté, je m'étais vu chevauchant vers le temple. La jeune femme n'avait pas été dissoute. Elle devait se moquer de moi dans la coulisse. Mais si tout était exact de ce que mon esprit ignorant avait pris pour vrai, ma conduite était encore plus impardonnable. J'aurais dû rester, étudier le phénomène et ramener le résultat de mes observations pour que la science les examine. Ce que je lui avais raconté du rite de Khalk'ru n'était que la seconde loi de la thermodynamique exprimée en termes d'anthropomorphisme. La vie est effectivement une intrusion dans le Chaos, le terme étant pris pour décrire l'état primaire, informe, de l'univers. Une invasion. Un accident. Avec le temps, toute l'énergie se changera en chaleur statique, incapable de donner naissance à la moindre vie. Les univers morts flotteront dans le vide illimité. Le vide est éternel, pas la vie. Par conséquent, le vide l'absorbera. Les soleils, les mondes, les dieux, les hommes, toutes choses animées retourneront au vide. Au Chaos. Au Néant. A Khalk'ru. Ou, si mon cerveau atavique préférait ce terme, au Kraken. Il était amer.

— Mais les autres ont vu disparaître la jeune femme, tu dis. Comment l'explique-t-il ?

— Oh ! facilement. C'était de l'hypnotisme collectif... comme les Anges de Mons, les archers fantômes de Crécy et autres hallucinations collectives de la guerre. J'avais été... un catalyseur. Ma ressemblance avec l'ancienne race traditionnelle, la perfection de mon atavisme, ma maîtrise du rite de Khalk'ru, la foi qu'avaient en moi les Ouigours — tout cela avait été l'élément nécessaire pour provoquer l'hallucination collective du tentacule. Manifestement, les prêtres essayaient depuis longtemps d'obtenir un effet avec une drogue où manquait un produit chimique essentiel. Pour une raison quelconque, j'étais ce produit manquant... le catalyseur. Voilà tout.

De nouveau, Jim se plongea dans ses réflexions, en brisant des brindilles.

— C'est une explication rationnelle. Mais tu n'as pas été convaincu ?

— Non, je n'ai pas été convaincu... j'ai vu l'expression de la jeune femme quand le tentacule l'a touchée.

Il se leva, resta debout, les yeux tournés vers le nord.

— Leif, questionna-t-il soudain, qu'as-tu fait de l'anneau ?

Je sortis le petit sac en peau de daim, l'ouvris et lui tendis la bague. Il l'examina avec attention, me la rendit.

— Pourquoi l'as-tu gardée, Leif ?

— Je ne sais pas. (Je glissai l'anneau sur mon pouce.) Je ne l'ai pas rendue au vieux prêtre ; il ne me l'a pas demandée. Oh ! zut ! je vais te dire pourquoi je l'ai gardée... pour la même raison que le Vieux Marin de Coleridge avait l'albatros attaché autour du cou. Pour ne pas oublier que je suis un assassin.

Je rangeai la bague dans le sac en peau et le laissai retomber sur ma poitrine. Du nord arriva un roulement assourdi de tambours. Il ne semblait pas porté par le vent, cette fois. Il paraissait se propager sous terre et mourut dans les profondeurs au-dessous de nous.

— *Khalk'ru !* m'écriai-je.

— Eh bien, ne faisons pas attendre le vieux monsieur, déclara gaiement Jim.

Il s'affaira à boucler les sacs en sifflant. Soudain, il se tourna vers moi.

— Ecoute, Leif, les hypothèses de Barr me paraissent très valables. Je ne dis pas qu'à ta place je les aurais acceptées. Peut-être as-tu raison. Mais je reste de l'avis de Barr jusqu'à ce que les événements, si événements il doit y avoir, prouvent le contraire.

— Parfait ! ripostai-je avec entrain et sans y mettre la moindre intention sarcastique. Puisse ton optimisme se maintenir jusqu'à notre retour à New York, si retour il doit y avoir.

Chargeant nos paquetages et prenant nos fusils, nous sommes partis en direction du nord.

La marche n'était pas difficile, mais il fallait grimper presque constamment. Le terrain s'élevait selon une ligne ascendante dont la pente était parfois d'une raideur à vous couper le souffle. La forêt, plus épaisse et plus haute qu'elle ne l'est généralement à cette latitude, commença à s'éclaircir. L'atmosphère se rafraîchissait de plus en plus. Nous avions parcouru environ vingt-cinq kilomètres quand nous sommes entrés dans une région où les arbres étaient rabougris et clairsemés. A une huitaine de kilomètres devant nous se dressait une chaîne rocheuse et nue de trois cents mètres de haut. Derrière cette chaîne apparaissait un enchevêtrement de montagnes plus hautes, de douze à quinze cents mètres, sans arbres, aux pics couverts de neige et de glace et entaillées par d'innombrables ravins qui étincelaient de blancheur comme des glaciers miniatures. Entre nous et la chaîne la plus proche s'étendait une plaine couverte de fourrés bas d'églantiers, de myrtilles et de raisins d'ours, parée des rouges, des bleus et des verts éclatants du bref été de l'Alaska.

— Si nous campons au pied de ces collines, nous serons à l'abri du vent, dit Jim. Il est 5 heures. Nous devrions y arriver d'ici une heure.

Nous nous sommes mis en route. Des compagnies de perdrix des neiges jaillissaient des buissons comme des fusées brunes ; des pluviers dorés et des courlis sifflaient de tous côtés ; une harde de quelques caribous paissaient à portée de fusil, et partout se promenaient à pas comptés de petites grues au plumage marron. Il était impossible de mourir de faim dans cette région et, après avoir installé notre camp, nous avons soupé comme des rois.

Il n'y eut aucun bruit cette nuit-là — ou, s'il y en eut, nous avons dormi trop profondément pour les entendre.

Le lendemain matin, nous avons discuté de la piste à suivre. La chaîne basse bloquait notre route vers le nord. Elle se prolongeait, en gagnant de la hauteur, aussi bien à l'est qu'à l'ouest. D'où nous étions, elle ne présentait pas de grandes difficultés, pour autant, du moins, que nous pouvions en juger. Nous décidâmes de l'escalader, et nous sommes partis sans nous presser. Elle était plus accidentée qu'il n'y avait paru ; il nous fallut deux heures de tours et de détours pour arriver jusqu'en haut.

Nous avons traversé la crête en direction d'un alignement d'énormes rochers qui formaient comme un mur devant nous. Nous nous sommes faufilés entre deux de ces rochers — et avons reculé en hâte. Nous nous trouvions au bord d'un à-pic qui dominait de plusieurs centaines de mètres une vallée singulière. Elle était cernée par l'enchevêtrement de montagnes couvertes de neige et de glace.

A son extrémité, distante d'une trentaine de kilomètres, se dressait un pic qui ressemblait à une pyramide.

En son centre, du sommet au fond de la vallée, courait un éclair blanc scintillant, indubitablement un glacier remplissant une faille qui divisait la montagne comme si elle avait été fendue en deux par un coup d'épée. La vallée n'était pas large, pas plus de huit kilomètres, estimai-je, en son point le plus vaste. Une vallée longue et étroite, que bouchait à son extrémité opposée le géant fendu par un glacier, limitée sur les côtés par les flancs des autres montagnes qui y plongeaient — à l'exception des quelques endroits où des éboulements s'étaient produits — aussi vertigineusement que l'à-pic au-dessous de nous.

Mais c'est le fond de la vallée qui attira surtout notre attention. Il semblait n'être qu'un immense champ plat couvert de débris de rochers. A l'autre bout, le glacier traversait ces éboulis jusqu'à mi-longueur de la vallée. Il n'y avait aucune trace de végétation dans ces jonchées de caillasses. Il n'y avait pas un atome de verdure sur les montagnes environnantes ; rien que des falaises nues et noires avec leurs failles emplies de glace et de neige. C'était une vallée de la désolation.

— Il fait froid ici, Leif.

Jim frissonna. Il faisait froid — un froid d'une curieuse qualité, un froid immobile, inanimé. Il semblait monter de la vallée pour peser sur nous, comme s'il voulait nous forcer à partir.

— Descendre là-bas ne va pas être commode, dis-je.

— Et marcher non plus quand nous y serons, répliqua Jim. D'où diable proviennent tous ces rochers et qu'est-ce qui les a étalés si à plat que ça ?

— Ils sont probablement tombés de ce glacier quand il a reculé, dis-je. Cela ressemble à une moraine frontale. En fait, tout ce coin a l'air d'avoir été excavé par la glace.

— Tiens-moi par les pieds, Leif. Je vais jeter un coup d'œil.

Il se mit à plat ventre et se propulsa par-dessus bord. Au bout d'une ou deux minutes, je l'entendis appeler et le tirai en arrière.

— Il y a une coulée de roches à quatre cents mètres d'ici sur la gauche, annonça-t-il. Je n'ai pas pu distinguer si elle descendait depuis le haut. Allons-y voir. A ton avis, Leif, quelle est la profondeur de cette vallée ?

— Oh ! quelques centaines de pieds.

— Ce serait plutôt mille, au bas mot. La falaise plonge à perte de vue. Je ne comprends pas ce qui fait paraître le fond tellement proche quand on le regarde d'ici. C'est un drôle d'endroit.

Rendossant nos sacs, nous avons longé l'espèce de rempart que formaient les rochers. Au bout d'un petit moment, nous avons abouti devant une énorme entaille qui se prolongeait au cœur de la crête. Le gel et la glace avaient rongé le roc le long d'une ligne de moindre résistance. Les morceaux de pierre éclatée jonchaient le milieu de l'entaille comme des marches géantes qui descendaient jusqu'au fond de la vallée.

— Il va falloir déposer les sacs pour franchir ça, dit Jim. Qu'est-ce qu'on décide — on les laisse ici pendant qu'on explore ou on les fait rouler devant nous ?

— Emportons-les. Il doit bien y avoir un passage là-bas au pied de la grande montagne.

Nous avons entamé la descente. Nous avions parcouru un tiers du chemin et je me hissais par-dessus l'un des rochers quand j'entendis Jim pousser une exclamation.

Disparu le glacier qui projetait sa langue blanche dans les débris de moraine. Plus de caillasse non plus. Vers son autre extrémité, la vallée était hérissée de vingtaines de pierres noires en forme de pyramide, toutes marquées en leur centre par un sillon blanc étincelant. Elles étaient alignées en rangs espacés avec régularité, comme les dolmens des Druides. Elles occupaient la moitié de la vallée. Çà et là montaient au milieu d'elles des flocons de vapeur blanche, telles des fumées de sacrifices.

Entre elles et nous, battant doucement le pied des falaises noires, s'étendaient les eaux frémissantes d'un lac bleu ! Il occupait le bas bout de la vallée d'un bord à l'autre. Il clapotait contre les arêtes des roches fracassées qui se trouvaient encore loin au-dessous de nous.

Puis quelque chose me frappa dans ces alignements rigoureux de pierres noires.

— Jim ! Ces rochers à forme pyramidale. Tous sont la reproduction exacte à petite échelle de la montagne qui est derrière ! Jusqu'au sillon blanc !

Comme je parlais, un frisson parcourut le lac. Il se répandit au milieu des pyramides noires, les submergeant à moitié, éteignant les fumées sacrificielles. Il recouvrit les pyramides. Un frisson le parcourut de nouveau. Il disparut. A la place du lac, il y avait une fois de plus le sol de la vallée recouvert de blocs erratiques.

Ces transformations donnaient une curieuse impression d'escamotage, comme le numéro d'un maître prestidigitateur. Et c'était bien une espèce de magie. Mais j'avais déjà vu la nature exécuter de semblables tours.

— Sapristi ! m'écriai-je. C'est un mirage !

Jim ne répondit pas. Il contemplait la vallée avec une expression singulière.

— Qu'est-ce que tu as, Tsantawu ? Tu écoutes de nouveau les ancêtres ? Il s'agit simplement d'un mirage.

— Oui ? dit-il. Mais lequel est le mirage ? Le lac... ou les rochers ?

J'étudiai le sol de la vallée. Il avait l'air bien réel. Son aspect bizarrement nivelé s'expliquait par l'hypothèse d'une moraine glaciaire — et aussi le fait de l'altitude où nous nous trouvions par rapport à lui. Quand nous y arriverions, ces rochers nous paraîtraient certainement assez accidentés, j'en aurais juré.

— Voyons, le lac bien sûr.

— Non, dit-il, je pense que ce sont les pierres qui sont un mirage.

— Quelle blague ! Il y a une couche d'air chaud là-bas. Les pierres irradient la chaleur solaire. Cet air froid pèse dessus. C'est une des conditions qui produisent les mirages et c'est ce qu'elle vient de faire pour nous, voilà tout.

— Non, dit-il, ce n'est pas tout.

Il s'adossa au rocher

— Leif, les ancêtres m'en ont dit un peu plus hier soir que je ne t'en ai raconté.

— Je le sais fichtre bien.

— Ils ont parlé d'Ataga'hi. Est-ce que cela te rappelle quelque chose ?

— Rien de rien.

— A moi non plus, ça n'a rien rappelé — sur le moment. Ataga'hi est un lac enchanté dans la partie la plus sauvage des Grandes Smokies, à l'ouest du cours supérieur de l'Ocanaluftee. C'est le lac médecine des animaux de la terre et des airs. Tous les Cherokees savent qu'il se trouve là, encore que peu l'aient vu. Si un chasseur égaré en approche, il ne voit qu'une plaine rocailleuse, sans un brin d'herbe, inhospitalière. Mais en veillant la nuit entière, en jeûnant et en priant, il peut aiguiser sa vue spirituelle. Il contemple alors à l'aube une vaste étendue peu profonde d'eau pourpre, alimentée par des sources jaillissant des hautes falaises d'alentour. Et, dans cette eau, toutes sortes de poissons et de reptiles ; au-dessus, des vols de canards, d'oies et d'autres oiseaux, tandis qu'autour il y a des empreintes de quadrupèdes. Ils viennent à Ataga'hi pour guérir de blessures ou de maladies. Le Grand Esprit a placé une île au centre du lac. Les animaux et les oiseaux blessés ou malades nagent jusqu'à l'île. Quand ils y arrivent, les eaux d'Ataga'hi les ont guéris. Ils remontent sur ses berges parfaitement sains à nouveau. Sur Ataga'hi règne la paix de Dieu. Toutes les créatures sont amies.

— Dis-moi donc, l'Indien, est-ce que tu veux me faire croire que ce lac est ton lac médecine ?

— Je n'ai rien dit de la sorte. J'ai dit que le nom d'Ataga'hi m'est revenu en tête. C'est un endroit qui semble être une platière rocheuse sans un brin d'herbe, inhospitalière. Comme ici. Mais sous cette illusion, il y a... un lac. Nous avons vu un lac. La coïncidence est étrange, voilà tout. Peut-être la platière d'Ataga'hi est-elle un mirage... (Il hésita :) Eh bien, s'il arrive encore une autre chose dont les ancêtres ont parlé, je change d'avis et j'adopte ta version de cette aventure du Gobi.

— C'est le lac qui était le mirage, je te le répète.

Il secoua la tête avec obstination.

— Peut-être. Mais peut-être ce que nous voyons maintenant là-bas est-il aussi un mirage. Peut-être sont-ils l'un et l'autre des mirages. Et, dans ce cas, à quelle profondeur se trouve le vrai sol ? Et est-il possible d'y marcher ?

Il contempla la vallée en silence, sans bouger. Il frissonna et je fus à nouveau conscient de la curieuse intensité du froid. Je me baissai pour ramasser mon sac. J'avais les doigts gourds.

— Eh bien, quel qu'il soit... allons-y voir.

Un frémissement parcourut le sol de la vallée. Il redevint brusquement le lac bleu scintillant. Et tout aussi soudainement se changea encore en blocs erratiques.

Mais pas avant que j'aie cru apercevoir dans ce lac d'illusion — si illusion il y avait — une gigantesque silhouette sombre, d'énormes tentacules que projetait un vaste corps nébuleux... un corps qui semblait reculer à des distances incommensurables... s'estomper dans le vide... comme le Kraken de la caverne de Gobi avait paru s'estomper dans le vide... dans ce vide qui était — Khalk'ru !

Nous avons rampé entre les énormes pans d'éboulis, grimpé par-dessus, glissé de l'autre côté. Plus nous descendions, plus le froid devenait intense. Il y avait quelque chose de calme et d'insidieux qui vous pénétrait jusqu'à la moelle. Parfois, nous laissions rouler les sacs devant nous, parfois nous les traînions à notre suite. Et le froid pénétrait toujours plus sauvagement nos os.

Les fréquents coups d'œil que je jetais au fond de la vallée m'enracinaient de plus en plus dans l'idée qu'il était réel. Tous les mirages que j'avais vus — et en Mongolie j'en avais vu beaucoup — avaient reculé, changé de forme et disparu à mon approche. Le fond de la vallée ne faisait rien de tout cela. Il est vrai que les pierres semblaient se tasser à mesure que nous nous rapprochions, mais j'attribuais cela au changement d'angle de vision.

Nous étions à une trentaine de mètres de la fin de la coulée d'avalanche quand ma certitude commença à vaciller. La marche était devenue particulièrement pénible. L'éboulis avait rétréci. À notre gauche, la roche nue s'étalait jusqu'à la vallée, comme nettoyée par le balai d'un titan. Probablement, un immense pan de roc s'était détaché à cet endroit et s'était pulvérisé en ces fragments qui gisaient entassés en bas. Nous avons obliqué à droite, vers une crête de rochers qui avaient été repoussés de côté par ce même balai de pierre. Nous descendîmes le long de cette crête.

Comme j'étais le plus fort de nous deux, je portais nos fusils, fixés par une lanière sur mon épaule gauche, et j'avais la plus lourde charge. Nous sommes arrivés à un passage extrêmement délicat. La pierre sur laquelle je me tenais bascula soudain sous mon poids. Je fus projeté sur le côté. Le sac me glissa des mains, culbuta et tomba sur la roche lisse. Machinalement, je m'élançai pour le rattraper. La courroie maintenant les deux fusils se rompit. Ils glissèrent à la suite du sac qui s'éloignait.

C'est un de ces concours de circonstances qui vous font croire en un dieu de la malchance. La chose aurait pu se produire n'importe où au cours du voyage sans aucun inconvénient. Et même à ce moment-là, je ne crus pas que cela pouvait en avoir.

— Eh bien, dis-je gaiement, voilà qui m'épargne de les porter. Nous les ramasserons quand nous arriverons au fond de la vallée.

— Si toutefois il y a un fond, corrigea Jim.

Je jetai un coup d'œil à l'éboulis. Les fusils avaient rattrapé le sac et tous trois prenaient maintenant de la vitesse.

— Les voilà qui s'arrêtent, dis-je.

Ils étaient presque à la caillasse du bout.

— Tu parles, qu'ils s'arrêtent ! s'écria Jim. Les voilà partis !

Je me frottai les yeux, regardai à nouveau. Le sac et les fusils qui dévalaient de compagnie auraient dû être arrêtés par la barrière que formaient les cailloux accumulés au bout de la coulée d'avalanche. Mais non, ils avaient disparu.

2

LE PAYS-DANS-L'OMBRE

Un frémissement bizarre s'était produit quand les fusils et le sac avaient atteint le talus de rocs. Puis ils avaient semblé se fondre dedans.

— A mon avis, ils sont tombés dans le lac, dit Jim.

— Il n'y a pas de lac. Ils sont tombés dans une faille. Allons-y...

Il me rattrapa par l'épaule.

— Attends, Leif, fais attention !

Je suivis la direction qu'indiquait son doigt. La barrière de rochers avait disparu. A sa place, la coulée d'avalanche plongeait jusqu'au cœur de la vallée comme une langue de pierre lisse.

— Viens, dis-je.

Nous descendîmes pas à pas en tâtant le terrain. A chaque halte, la plaine encombrée de rocs devenait plus plate, les rochers plus bas. Un nuage passa devant le soleil. Les rochers avaient disparu.

Le sol de la vallée s'étendait à nos pieds tel un désert uni gris ardoise !

La coulée s'arrêtait brusquement à la lisière de ce désert. Les rochers finissaient aussi abruptement à une quinzaine de mètres en avant. Ils donnaient l'impression curieuse d'être alignés sur cette lisière comme des pierres qui auraient été posées alors que le sol était visqueux. Le désert non plus n'avait pas l'air solide ; il donnait aussi une impression de viscosité ; il était traversé d'un frémissement léger mais constant, comme l'ondulation de l'air chaud au-dessus d'une route chauffée par le soleil — pourtant, à chaque enjambée vers le bas, le froid immobile, mordant, augmentait jusqu'à n'être qu'à peine supportable.

Il y avait un passage étroit entre les éboulis et les falaises de droite. Nous nous y sommes faufilés. Nous avons abouti sur une immense dalle plate à la lisière même de l'étrange plaine. Elle n'était ni de roc ni d'eau ; elle offrait plutôt l'apparence d'une mince couche de verre liquide opaque ou encore d'un gaz à demi liquéfié.

Je me suis allongé sur la dalle et j'ai tendu le bras pour la toucher. Je l'ai touchée, effectivement — sans rencontrer de résistance ; je ne sentis rien. Je laissai ma main s'immerger lentement. Je l'aperçus un instant comme si elle était reflétée par un miroir déformant, puis je ne la vis plus du tout. Mais il faisait agréablement chaud là où ma main avait disparu. Le sang gelé commença à picoter dans mes doigts gourds. Je me penchai le plus loin possible par-dessus la pierre et enfonçai mes deux bras presque jusqu'aux épaules. C'était fichtrement bon.

Jim se laissa choir à côté de moi et m'imita.

— C'est de l'air, dit-il.

— Ça y ressemble... commençai-je. (Puis quelque chose s'imposa subitement à moi :) Les fusils et le sac ! Si nous ne les retrouvons pas, quelle déveine !

— Si Khalk'ru existe, déclara Jim, les fusils ne nous aideront pas à lui échapper.

— Tu crois que c'est... (Je me tus, car le souvenir de la forme indistincte aperçue dans le lac d'illusion me revenait.)

— Usunhi'yi, le *Pays-du-crépuscule.* Ton vieux prêtre ne l'avait-il pas appelé le *Pays-dans-l'ombre ?* Cela me paraît correspondre à l'une ou l'autre appellation.

Je restai couché sans rien dire. Si sûr qu'on soit de l'imminence d'une épreuve, on ne peut s'empêcher de ressentir une certaine appréhension quand on sait qu'elle va commencer. Et maintenant je le savais avec clarté et certitude. La longue piste qui s'étirait entre le temple de Khalk'ru dans le désert de Gobi et ce pays de mirage était comme annulée. Je sortais de ce foyer de la puissance de Khalk'ru pour entrer dans celui-ci — où ce qui avait été commencé dans le Gobi devait être achevé. L'ancienne horreur obsédante recommença à m'envahir. Je la combattis.

Je relèverais le défi. Rien sur terre ne pourrait désormais m'empêcher de poursuivre mon chemin. Et avec cette détermination je sentis l'horreur reculer à regret, me quitter. Pour la première fois depuis des années, j'en étais enfin complètement libéré.

— Je veux voir ce qu'il y a là-dessous. (Jim releva ses bras :) Tiens-moi par les pieds, Leif. Je vais me laisser glisser par-dessus le rocher. J'ai tâté le bord et il semble se prolonger un peu plus loin.

— Moi d'abord, dis-je. Après tout, c'est mon expédition.

— Et ça me sera facile de te sortir de là si tu tombes, espèce d'éléphant fait homme ! On y va. Tiens bon.

J'eus tout juste le temps de l'agripper par les chevilles : il rampa par-dessus le bord du rocher et sa tête et ses épaules devinrent invisibles. Il rampait lentement sur la pente rocheuse et avança jusqu'à ce que mes mains, puis mes bras, aient disparu. Il s'arrêta — et de la mystérieuse opacité où il était plongé monta le rugissement d'un rire fou.

Je le sentis se tortiller et essayer d'arracher ses pieds à ma prise. Il se débattit tout le temps que je mis à le ramener sur la dalle. Il réapparut hurlant de ce rire fou. Son visage était cramoisi et ses yeux avaient le brillant de l'ivresse ; en fait, il présentait tous les signes de l'ivrogne en proie à l'hilarité. Mais la rapidité de sa respiration me renseigna sur ce qui s'était produit.

— Respire lentement, lui criai-je dans l'oreille. Respire lentement je te dis.

Comme il continuait à rire et à se débattre pour se dégager, je le maintins à terre d'une main pendant que, de l'autre, je lui fermais la bouche et le nez. Après un instant, il se détendit. Je le lâchai et il se redressa sur son séant en chancelant.

— Des choses tordantes, dit-il d'une voix pâteuse. J'ai vu les figures les plus comiques...

Il secoua la tête, aspira profondément une ou deux fois et se recoucha sur la dalle.

— Que diable m'est-il arrivé, Leif ?

— Tu t'es soûlé à l'oxygène, l'Indien, dis-je. Une belle petite cuite gratuite à l'air chargé d'acide carbonique. Et cela explique pas mal de choses concernant ce pays. Tu es remonté en prenant trois inspirations par seconde, ce qui est caractéristique de l'effet produit par l'acide carbonique. Il agit sur les centres respiratoires du cerveau et accélère la respiration. Tu as absorbé plus d'oxygène que tu pouvais en consommer et cela t'a enivré. Qu'est-ce que tu as vu avant que le monde devienne si drôle ?

— Toi, répliqua-t-il. Et j'ai vu le ciel. C'est comme quand on regarde du fond de l'eau. J'ai regardé en dessous et autour de moi. Un peu au-dessous, il y avait une espèce de couche de brume vert pâle. Je ne distinguais rien à travers. Il fait chaud là-dedans, une bonne chaleur, et il y a comme un parfum d'arbres et de fleurs. C'est tout ce dont j'ai réussi à me rendre compte avant de perdre les pédales. Ah ! oui ! cette falaise continue à descendre. Peut-être pourrons-nous arriver jusqu'en bas — si nous ne mourons pas de rire. Je vais aller me plonger dans ce mirage jusqu'au cou. Bon Dieu ! Leif, je suis glacé !

Je l'examinai avec inquiétude. Ses lèvres étaient bleues, ses dents claquaient. Le passage du chaud au froid faisait son effet, et un effet dangereux.

— D'accord ! m'exclamai-je en me levant. J'irai le premier. Respire lentement, prends de longues inspirations profondes aussi lentement que tu pourras et expire aussi lentement. Tu t'y habitueras vite. Viens.

Je jetai sur mon dos le sac qui nous restait, franchis en crabe le rebord de la dalle, sentis le rocher ferme sous mes pieds et me laissai descendre dans le mirage.

Il y faisait passablement chaud ; presque autant que dans l'étuve d'un bain turc. Je levai les yeux et vis le ciel au-dessus de moi comme un rond bleu, brumeux sur les bords. Puis je vis les jambes de Jim tomber vers moi, son corps formant avec elles un angle invraisemblable. Je le voyais, en fait, comme un poisson voit le pêcheur à la ligne qui patauge dans son étang. Son corps parut se télescoper et il se retrouva accroupi à côté de moi.

— Bon Dieu ! ce que cela fait du bien !

— Ne parle pas, recommandai-je. Assieds-toi simplement ici et exerce-toi à respirer lentement. Imite-moi.

Nous sommes restés là, sans mot dire, pendant une bonne demi-heure. Aucun bruit ne troublait le silence environnant. Il régnait une odeur de jungle, de végétation vigoureuse à croissance rapide et de végétation dépérissant au même rythme ; et il y avait des parfums inconnus, indéfinissables. Je n'apercevais que le cercle de ciel bleu au-dessus et, à trente mètres peut-être au-dessous de nous, la brume vert pâle dont Jim avait parlé. C'était comme une nappe unie de nuages, impénétrable à l'œil. La coulée y pénétrait et disparaissait dedans. Je n'éprouvais pas de gêne, mais nous ruisselions de sueur tous les deux. Je constatai avec satisfaction que Jim respirait lentement et profondément.

— Ça va comme tu veux ? demandai-je finalement.

— A peu près. De temps à autre, il faut que je mette la pédale douce, mais je crois que j'ai attrapé le truc.

— Parfait, dis-je. Nous allons bientôt nous mettre en route. Je ne pense pas que cela devienne pire quand nous descendrons.

— Tu parles comme si tu connaissais le coin. Au fait, Leif, quelle est ton idée là-dessus ?

— C'est assez simple. Bien qu'il n'y ait pas une chance sur des millions que les conditions se reproduisent. Tu as une grande vallée profonde entièrement entourée d'à-pics vertigineux. C'est en réalité un puits. Les montagnes qui l'encerclent sont couturées de glaciers et de torrents glacés ; un flux constant d'air froid souffle dans ce puits, même en été. Immédiatement sous la surface de la vallée, il y a sans doute une activité volcanique, des sources chaudes, etc. Il est possible qu'elle soit la reproduction en miniature de la Vallée des Dix Mille Fumées qui est là-bas, dans l'Ouest. Tout cela produit de l'acide carbonique en quantité. Il existe très probablement une végétation luxuriante qui ajoute encore à cette production. Nous allons pénétrer dans ce qui doit être une petite survivance de l'Ere carbonifère — postérieure de quelque dix millions d'années à son époque. L'air chaud et lourd emplit le puits jusqu'à la hauteur de la couche d'air froid que nous venons de quitter. Le mirage se forme à l'intersection des deux, par suite à peu près des mêmes causes qui provoquent tous les mirages. Depuis combien de temps en est-il ainsi, Dieu seul le sait ! Il y a des coins en Alaska qui n'ont jamais connu d'ère glaciaire — la glace, pour une raison quelconque, ne les a pas recouverts. Quand ce qui est actuellement New York se trouvait sous trois cents mètres de glace, les marécages du Yukon étaient une oasis remplie de toutes sortes d'animaux et de vie végétale. Si cette vallée existait en ce temps-là, nous allons voir d'étranges survivances. Si elle est relativement récente, nous rencontrerons des adaptations également intéressantes. C'est à peu près tout, excepté qu'il doit y avoir une espèce d'exutoire à ce niveau, sans quoi l'air chaud remplirait la vallée entière jusqu'en haut, comme du gaz dans un réservoir. Mettons-nous en route.

— Je commence à espérer que nous retrouverons les fusils, dit Jim d'un ton pensif.

— Comme tu l'as fait remarquer toi-même, ils ne nous seraient d'aucune utilité contre Khalk'ru — quoi ou quel qu'il soit et où qu'il soit, dis-je. Mais ils pourraient nous servir contre les démons qui sont à son service. Guette-les — je parle des fusils.

Nous avons entamé la descente de la coulée de roches vers la nappe de brume verte. La marche n'était pas très pénible. Nous sommes arrivés au niveau de la brume sans avoir vu ni les fusils ni le paquetage. Cette brume ressemblait à un brouillard épais. Nous y avons pénétré, et notre impression s'est vérifiée. La brume nous enveloppa, dense et chaude. Les rochers dégoulinants d'eau étaient glissants et nous devions assurer chacun de nos pas. Par deux fois je crus que c'en était fini de nous. Quelle épaisseur avait cette brume, je n'aurais pu le dire, entre cinquante et cent mètres peut-être — condensation provoquée par les conditions atmosphériques particulières qui donnaient naissance au mirage.

La brume commença à s'atténuer. Elle conservait son étrange teinte verte, mais j'avais idée que c'était un reflet de ce qui se trouvait au-dessous. Soudain, elle s'éclaircit complètement. Nous avons émergé de cette brume sur un front où la coulée de roches avait rencontré un obstacle et s'était accumulée en barrière d'environ trois fois ma hauteur. Nous l'avons escaladée.

Nous vîmes la vallée cachée sous le mirage.

Elle s'étendait à trois cents mètres au moins au-dessous de nous. Elle était baignée d'une clarté verdâtre comme celle qui règne dans un clairière de forêt ombrophile. Cette clarté était à la fois transparente et vaporeuse, transparente où nous nous tenions mais dissimulant les lointains sous des voiles de brume d'un émeraude très pâle. Au nord et de chaque côté, aussi loin que portait mon regard, et se fondant dans ces voiles d'émeraude vaporeux, il y avait un immense tapis d'arbres. Leurs effluves me parvenaient par bouffées, sentant fortement la jungle, chargés de parfums étrangers. A gauche et à droite, les falaises noires tombaient verticalement à la lisière de la forêt.

Jim me saisit par le bras.

— Ecoute !

D'abord ténu, puis devenant de plus en plus retentissant, nous percevions dans le lointain un battement de tambours, de vingtaines de tambours, dans un étrange staccato — aigu, moqueur, goguenard ! Mais ce n'étaient pas les tambours de Khalk'ru ! Il n'y avait rien en eux de ce terrible martèlement de pas qui courent sur un monde creux.

Ils se turent. Comme en réponse, et d'une direction totalement différente, retentit une fanfare de trompettes, menaçante, guerrière. Si des notes de cuivre peuvent maudire, celles-là le faisaient.

De nouveau, les tambours battirent, toujours moqueurs, sarcastiques, provocants.

— Des petits tambours, chuchota Jim. Les tambours de...

Il sauta à bas des rochers et je l'imitai.

La barrière descendait régulièrement vers l'est. Nous avons suivi sa base. Elle se dressait comme un grand mur entre nous et la vallée, bouchant notre vision. Nous n'entendions plus les tambours. Nous descendîmes d'au moins cent cinquante mètres avant que la barrière s'interrompe. A son extrémité, il y avait une autre coulée rocheuse pareille à celle le long de laquelle les fusils et le sac avaient déboulé.

Nous nous sommes arrêtés pour l'étudier. Elle descendait selon un angle d'environ quinze degrés et, si elle n'était pas aussi lisse que l'autre, elle ne présentait que peu de points d'appui.

L'air s'était progressivement réchauffé. Cette température n'avait rien d'insupportable ; il y avait en elle une curieuse vie picotante, une exhalaison de la forêt envahissante ou de la vallée même, pensai-je. Elle me donnait une sensation de vitalité exubérante, téméraire, une exaltation enivrante. Le sac était devenu une charge pénible. Si nous devions franchir ce passage rocheux, je pouvais difficilement le garder sur le dos. Je l'enlevai.

— Lettre d'introduction ! m'écriai-je en l'envoyant glisser sur la pierre.

— Respire lentement et à fond, pauvre idiot ! dit Jim qui se mit à rire.

Ses yeux brillaient ; il avait l'air heureux d'un homme qui s'est débarrassé d'un fardeau de crainte et de doute. Il avait, en fait, l'expression qui avait été la mienne quand j'avais relevé le défi de l'inconnu voici peu de temps. Et cela m'intrigua.

Le sac, dans sa glissade, exécuta un petit bond et disparut hors de vue. Manifestement, la coulée de roches ne descendait pas jusqu'en bas de la vallée, ou bien, si elle descendait, elle continuait selon un angle plus aigu à l'endroit où le sac avait disparu.

Je m'allongeai avec prudence sur le roc incliné et commençai à descendre à plat ventre. Jim me suivit. Nous en avions franchi les trois quarts quand je l'entendis pousser un cri. Puis il tomba et son corps me heurta dans sa chute. Je le rattrapai d'une main, ce qui rompit mon équilibre précaire. Nous avons dévalé la pente et sommes tombés dans le vide. Je ressentis un choc violent et perdis subitement conscience.

3

LE PETIT PEUPLE

Je revins à moi pour découvrir Jim en train de pratiquer sur ma personne la respiration artificielle. J'étais étendu sur quelque chose de moelleux. Je remuai avec précaution les jambes, puis me mis sur mon séant. Je regardai autour de moi. Nous nous trouvions sur un talus de mousse — ou plutôt dedans, car les cimes des mousses dépassaient ma tête d'au moins trente centimètres. Quelle mousse montée exagérément en herbe ! pensai-je en l'examinant avec ahurissement. Je n'avais jamais vu de mousse aussi haute. Avais-je rapetissé ou étaitelle réellement si énorme ? Au-dessus de moi, il y avait trente mètres de falaises presque verticales.

— Eh bien, nous y voici, dit Jim.

— Comment avons-nous abouti là ? demandai-je, tout étourdi.

Il désigna la falaise.

— Nous sommes tombés de là. Nous avons heurté une corniche. Ou plus exactement, c'est toi qui l'as heurtée. J'étais par-dessus. Elle nous a fait rebondir sur ce délicieux matelas de mousse épaisse. J'étais toujours sur le dessus. Voilà pourquoi je te pompe de l'air dans les poumons. Navré, Leif, mais si les choses s'étaient passées dans l'ordre inverse, tu aurais certainement dû continuer tout seul ton pèlerinage. Je n'ai pas ta résistance !

Il rit. Je me levai et inspectai les alentours. Le lit de mousse géante sur lequel nous avions atterri formait un monticule entre nous et la forêt. Au bas de la falaise s'empilaient les débris de l'éboulement qui avait creusé le couloir d'avalanche. Je regardai ces rochers et frissonnai. Si nous étions tombés dessus, nous n'aurions plus été qu'un amas d'os brisés et de chair meurtrie. Je me tâtai. J'étais intact.

— Oh ! l'Indien ! tout se passe toujours pour le mieux, dis-je d'un ton pénétré.

— Bon Dieu ! Leif ! tu m'as fait peur pendant un moment ! (Il se retourna vivement :) Regarde la forêt !

Le monticule de mousse avait la forme d'un énorme ovale renflé, cerné jusqu'au pied des falaises par des arbres gigantesques. Ils avaient une certaine ressemblance avec les séquoias de Californie et étaient aussi élevés. Leurs cimes se perdaient dans les airs ; leurs énormes troncs étaient des colonnes sculptées par des titans. Sous leurs ombrages croissaient de gracieuses fougères, grandes comme des palmiers, et de curieux conifères au tronc mince comme des bambous, avec des écailles rouges et jaunes. Au-dessus, tombant des troncs et des branches des arbres, il y avait des lianes, des bouquets de fleurs et des chandeliers de lis ; d'étranges arbres symétriques, dont l'extrémité des branches sans feuilles s'ornait de calices de fleurs comme si c'étaient des candélabres ; des carillons de clochettes se balançaient dans les ramures et il y avait de longues cordes et des guirlandes de petites fleurs en étoile blanches, roses et de tous les bleus des mers tropicales. Des abeilles y plongeaient. De grandes libellules, toutes en corselet laqué de vert et de rouge, jetaient des éclairs dans leur constant va-et-vient. Et des ombres mystérieuses traversaient la forêt, comme l'ombre des ailes de gardiens invisibles qui faisaient une ronde.

Ce n'était pas une forêt de l'Ere carbonifère, du moins comme celles que j'avais vues reconstituées par la science. C'était une forêt d'enchantement. Des parfums entêtants s'en exhalaient. Et, malgré son étrangeté, elle n'était pas non plus sinistre ou menaçante. Elle était très belle.

— Le bois des dieux ! dit Jim. Il peut vivre n'importe quoi dans un endroit comme ça ! N'importe quoi de ravissant...

Ah ! Tsantawu mon frère... si seulement cela avait été vrai !

Je me bornai à remarquer :

— Ça va être le diable pour la traverser !

— C'est ce que je pensais, répliqua-t-il. Peut-être le mieux serait-il de suivre la ligne des falaises. Il est possible que nous trouvions un passage plus commode un peu plus loin. De quel côté — la droite ou la gauche ?

Nous avons lancé une pièce de monnaie en l'air. Le sort désigna la droite. J'aperçus notre sac à quelques pas de là et allai le ramasser. La mousse cédait sous le pied autant qu'un matelas à double ressort. Je me demandai comment elle était venue là et j'en conclus que quelques arbres géants avaient dû être abattus par l'avalanche et que la mousse avait poussé sur leurs débris pourrissants. Je lançai le sac sur mes épaules et nous nous mîmes en marche, plongés à mi-corps dans cette végétation spongieuse, en direction des falaises.

Nous les avons longées pendant quinze à seize cents mètres. Parfois la forêt se rapprochait si près que nous avions du mal à suivre le pied de la falaise. Puis le paysage commença à changer. Les arbres géants reculèrent. Nous entrâmes dans un fourré composé des immenses fougères. A l'exception des abeilles et des libellules laquées, il n'y avait aucun signe de vie dans la végétation exubérante. Nous avons débouché de la fougeraie dans une petite prairie extrêmement singulière. Elle avait presque l'air d'un essart. Les côtés étaient bordés par la fougeraie, la forêt se dressait comme une palissade à une extrémité ; à l'autre il y avait un escarpement vertical dont la face noire s'étoilait de larges fleurs blanches en forme de coupe, qui pendaient de courtes lianes rougeâtres à l'apparence assez repoussante de serpents et dont je supposais que les racines étaient fixées dans les crevasses du rocher.

Ni arbres ni fougères d'aucune sorte ne poussaient dans la prairie. Elle était tapissée d'une herbe dentelée dont les pointes s'ornaient de fleurettes bleues minuscules. De la base de la falaise montait un mince voile de vapeur qui s'élevait doucement dans les airs et nimbait les corolles blanches en forme de coupe.

Une source chaude, avons-nous conclu. Nous nous sommes approchés pour l'examiner.

Nous avons entendu un gémissement — de désespoir, d'angoisse...

Comme la plainte d'un enfant torturé, au cœur brisé — et pourtant ce cri n'était pas tout à fait humain mais pas non plus tout à fait animal. Il provenait de la falaise, de quelque part derrière les nuages de vapeur. Nous nous arrêtâmes court, l'oreille tendue. Le gémissement recommença, il avait quelque chose qui vous remuait jusqu'au tréfonds, et cette fois il ne cessa plus. Nous courûmes à la falaise. Le rideau de vapeur à sa base était dense. Nous l'avons contourné pour atteindre l'extrémité opposée.

Au pied de l'escarpement s'étalait une nappe d'eau longue et étroite, comme une sorte de petit ruisseau fermé. Ses eaux étaient noires et couvertes de bulles. C'est des bulles que provenait la vapeur. D'un bout à l'autre de cette nappe bouillonnante, sur la face du roc noir, courait une corniche d'un mètre de large. Au-dessus, espacées à intervalles réguliers, des niches étaient taillées dans la falaise — pas plus grandes que des berceaux.

Dans deux de ces niches, à moitié dedans et à moitié sur la corniche, gisaient ce qui paraissait au premier coup d'œil être deux enfants. Ils étaient étendus sur le dos, leurs petites mains et leurs petits pieds fixés sur la pierre par des crampons de bronze. Leur chevelure flottait le long de leur corps ; ils étaient entièrement nus.

Je me rendis compte alors que ce n'étaient pas des enfants. C'étaient des adultes — un homme et une femme de petite taille. La femme avait tourné la tête et contemplait l'autre pygmée. C'est elle qui gémissait. Elle ne nous voyait pas. Elle ne le quittait pas du regard. Il gisait tout raide, les paupières closes. Sur sa poitrine, à l'endroit du cœur, il y avait une tache de corrosion noire, comme si de l'acide était tombé dessus.

Quelque chose bougea sur l'à-pic juste au-dessus de lui. Une des fleurs blanches en forme de coupe se trouvait là. Etait-ce elle qui avait remué ? Elle pendait à trente centimètres au-dessus de la poitrine du nain et sur ses pistils écarlates s'agglomérait lentement une goutte de ce que je pris pour du nectar.

C'était bien la fleur dont le mouvement avait attiré mon attention ! Je vis trembler la liane rougeâtre. Elle se propulsa lentement deux centimètres plus bas sur le rocher en se tordant comme une bouche qui tenterait de faire tomber la goutte en formation. Et la bouche-fleur était exactement au-dessus du cœur du petit homme et de la corrosion noire sur sa poitrine.

Je montai sur l'étroit passage en corniche et, levant le bras, je saisis la liane et l'arrachai. Elle se tortilla dans ma main à la façon d'un serpent. Ses racines se cramponnèrent à mes doigts. Telle une tête de serpent, la fleur se dressa comme pour me mordre. Son pourtour était épais et charnu, on aurait dit une bouche blanche et ronde. La goutte de nectar tomba sur ma main — une douleur atroce me tarauda, me remonta le bras comme une flamme. Je précipitai dans l'eau bouillonnante la liane qui se tordait en tous sens.

Il y avait une autre de ces lianes rampantes juste au-dessus de la petite femme. Je l'arrachai comme je l'avais fait pour l'autre. Celle-là aussi essaya de me mordre avec sa tête de fleur, mais ou bien elle n'avait pas de ce terrible nectar dans sa coupe, ou bien elle me manqua. Je l'envoyai rejoindre l'autre.

Je me penchai sur le petit homme. Ses yeux étaient ouverts ; il dardait sur moi un regard irrité. Comme sa peau, ses yeux étaient jaunes, bridés, mongols. Ils paraissaient n'avoir pas de pupille et ils n'étaient pas entièrement humains ; comme le gémissement de sa compagne. Ils exprimaient la souffrance et ils exprimaient une haine inexpiable. Son regard dévia vers mes cheveux et je vis la stupeur remplacer la haine.

La douleur qui m'irradiait la main et le bras était presque intolérable. Elle me fit comprendre ce que devait souffrir le pygmée. J'arrachai les crampons qui l'enchaînaient. Je soulevai le petit homme et le passai à Jim. Il ne pesait pas plus qu'un enfant nouveau-né.

Je brisai les crampons de la dalle où gisait sa compagne. Il n'y avait ni haine ni peur dans ses yeux. Ils étaient remplis d'étonnement et de ce qui était indéniablement de la gratitude. Je l'emportai et la déposai près de son compagnon.

Je me retournai pour regarder l'à-pic de roc noir. Un mouvement l'animait du haut en bas : les cordons rougeâtres des lianes se tordaient, les fleurs blanches se balançaient, soulevaient et abaissaient leurs calices.

C'était assez horrible...

Le petit homme restait étendu en silence, ses yeux jaunes allant alternativement de moi à Jim. La femme parlait, par syllabes perlées comme un chant d'oiseau. Elle s'élança soudain à travers la prairie et pénétra dans la forêt.

Jim contemplait le pygmée doré comme un homme plongé dans un rêve. Je l'entendis murmurer :

— Le *Yunwi Tsundi!* Le Petit Peuple ! C'était donc vrai ! Entièrement vrai !

La petite femme sortit en courant du taillis de fougères. Elle avait les mains pleines de feuilles épaisses aux multiples nervures. Elle me jeta un coup d'œil, comme pour s'excuser. Elle se pencha sur son compagnon. Elle pressa quelques feuilles au-dessus de sa poitrine. Une sève laiteuse coula d'entre ses doigts sur la tache où elle forma une pellicule. Le petit homme se raidit et gémit, se détendit et resta immobile.

La petite femme me prit la main. A l'endroit tou ché par le nectar, la peau était devenue noire. Elle pressa dessus le jus des feuilles. Une douleur auprès de laquelle les tourments endurés avant n'étaient rien me lancina le bras et la main. Puis, presque instantanément, la souffrance disparut.

Je regardai la poitrine du petit homme. La corrosion noire s'était effacée. Il y avait une cicatrice, comparable à une brûlure d'acide, rouge et normale. Je regardai ma main. Ell était enflammée, mais le noir n'y était plus.

La petite femme s'inclina devant moi. Le petit homme se leva. Il examina mes yeux et parcourut du regard ma grosse carcasse. J'observai la montée de la suspicion et le retour de la haine. Il dit quelque chose à sa compagne. Elle répondit assez longuement, désignant la falaise, ma main enflammée et leurs chevilles et poignets à tous deux. Le petit homme me fit signe, me demanda par gestes de me pencher vers lui. J'obtempérai. Il effleura mes cheveux blonds ; il passa ses doigts minuscules au travers. Il mit la main sur mon cœur puis posa la tête sur ma poitrine pour écouter ses battements.

Sa petite main me frappa sur la bouche. Ce n'était

pas un coup ; je devinai que c'était une caresse.

Le petit homme me sourit et trilla. Je n'y compris rien et secouai la tête dans un geste d'impuissance. Il regarda Jim et trilla une autre question. Jim lui parla en cherokee. Ce fut le tour du petit homme de secouer la tête. Il s'adressa de nouveau à sa compagne. Je saisis nettement le mot *ev-ah-li* dans les sonorités de chant d'oiseau. Elle hocha la tête.

Nous indiquant par signes de les suivre, ils s'engagèrent en courant à travers la prairie, en direction de la fougeraie. Comme ils étaient petits ! Ils me venaient à peine à hauteur de la cuisse. Ils étaient merveilleusement formés. Leurs longs cheveux étaient châtains, fins et soyeux ; ils flottaient derrière eux pareils à un voile arachnéen.

Ils couraient comme des cerfs miniatures. Nous avions du mal à suivre leur train. Quand ils eurent atteint la fougeraie vers laquelle nous nous étions dirigés, ils ralentirent l'allure. Nous pénétrâmes toujours plus avant au milieu des fougères géantes. Je n'y voyais pas de sentier, mais les pygmées dorés connaissaient le chemin.

Nous sortîmes de la fougeraie. Devant nous s'étendait une vaste prairie gazonnée couverte des fleurettes bleues que nous avions déjà vues, dont le tapis allait jusqu'au bord d'une rivière étrange, une rivière entièrement blanche comme du lait ; au-dessus de sa surface tranquille flottaient des tourbillons de brume opalescente. A travers ces panaches de brouillard, j'entrevis des plantes vertes sans relief par-delà l'autre berge de la rivière blanche — et des escarpements verts.

Le petit homme s'arrêta. Il approcha son oreille du sol. D'un bond, il replongea au milieu des fougères en nous faisant signe de le suivre. Au bout de quelques minutes, nous sommes arrivés devant une tour de guet à moitié en ruine. Son entrée était béante. Les pygmées s'y glissèrent et nous appelèrent du geste.

A l'intérieur de la tour, un escalier aux marches de pierres branlantes conduisait à son sommet. Les deux petits êtres les gravirent d'un pas léger, avec nous sur leurs talons. Il y avait en haut de la tour une petite salle éclairée par la lumière verte filtrant à travers les fentes de ses parois de pierre. Je regardai par une de ces fissures vers la pelouse bleue et la rivière blanche. J'entendis le martèlement sourds de sabots de chevaux et des voix de femmes qui modulaient un chant en mineur ; ces bruits se rapprochaient de plus en plus.

Une femme traversa la pelouse bleue. Elle montait à califourchon une grande jument noire. Elle portait, comme un capuchon, la tête d'un loup blanc. La peau couvrait ses épaules et son dos. Sur cette fourrure argentée tombaient ses cheveux ramenés en deux épaisses tresses d'un roux flamboyant. Sa gorge haute et ronde était nue et, au-dessous, les pattes du loup blanc étaient agrafées comme une ceinture. Ses yeux, de la couleur du bleuet, étaient très écartés sous un large front bas. Sa peau avait la blancheur du lait avivée d'une légère touche de rose. Sa bouche aux lèvres charnues et rouges était à la fois sensuelle et dure.

C'était une femme vigoureuse, presque aussi grande que moi. Elle ressemblait à une Walkyrie et, comme ces messagères d'Odin, elle portait sur sa selle, retenu par un bras, un corps. Mais ce n'était pas la dépouille d'un guerrier mort qu'elle avait ramassé pour le conduire au Walhalla, c'était une jeune femme. Une femme dont les bras étaient étroitement ligotés contre son corps par de solides lanières, dont la tête penchait avec l'abandon du désespoir sur sa poitrine. Je ne pouvais voir son visage ; il était dissimulé par le voile de ses cheveux. Mais cette chevelure était rousse et sa peau aussi claire que celle de la femme qui la tenait.

Au-dessus de la tête de la Femme-Louve volait un faucon blanc comme neige, qui plongeait, décrivait des cercles et avançait au même rythme qu'elle.

Derrière elle chevauchaient une dizaine d'autres femmes jeunes et musclées, à la peau rosée et aux yeux bleus, aux cheveux couleur de cuivre, couleur de rouille, couleur de bronze, nattés autour de leur tête ou pendant en longues tresses sur leurs épaules. Elles avaient la poitrine nue, une jupe et des brodequins. Elles portaient de longues lances minces et de petites targes rondes. Et elles aussi ressemblaient à des Walkyries, chacune pareille à une vierge guerrière de l'Æsir. Tout en avançant, elles chantaient doucement, en sourdine, une étrange mélopée.

La Femme-Louve et sa captive disparurent derrière un vallonnement de la prairie. Les femmes qui chantaient suivirent le même chemin et disparurent à leur tour.

Les ailes du faucon jetaient un éclair d'argent comme il planait en cercle, plongeait, planait, se laissait choir de nouveau. Puis lui aussi disparut.

4

EVALIE

Les pygmées dorés sifflèrent ; leurs yeux jaunes flambaient de haine.

Le petit homme me toucha la main, émit de rapides syllabes pareilles à des trilles en montrant l'autre côté de la rivière blanche. Il me disait clairement qu'il fallait la traverser. Il s'arrêta, l'oreille au guet. La petite femme descendit en courant les marches rompues. Le petit homme gazouilla avec colère, bondit vers Jim, lui martela les jambes à coups de poing comme pour le secouer et s'élança à la suite de sa compagne.

— Secoue-toi, l'Indien ! m'écriai-je avec impatience. Ils veulent qu'on se dépêche.

Il hocha la tête, comme un homme qui chasse les dernières brumes d'un rêve.

Nous dévalâmes l'escalier en ruine. Le petit homme nous attendait ; ou tout au moins il n'avait pas disparu, car, s'il nous attendait, il le faisait d'une manière extraordinaire. Il dansait dans un petit cercle, agitant les bras et les mains curieusement, et trillait une mystérieuse mélodie sur quatre notes, sans cesse répétée selon une progression variable. Sa compagne était invisible.

Un loup hurla. D'autres loups lui répondirent d'un point plus éloigné de la forêt fleurie — comme une meute de chasse dont le chef a trouvé la piste.

La petite femme sortit en courant du taillis de fougères ; le petit homme cessa de danser. Elle avait les mains pleines de menus fruits pourpres qui ressemblaient à du raisin muscat. Le petit homme désigna la rivière blanche, puis ils s'élancèrent dans le taillis protecteur de la fougeraie. Nous suivîmes. Nous traversâmes la fougeraie, puis la prairie bleue. Nous nous arrêtâmes sur la berge de la rivière.

Le hurlement du loup résonna de nouveau, les autres lui répondirent — plus près cette fois.

Le petit homme sauta sur moi en pépiant frénétiquement ; il enroula ses jambes autour de ma taille et s'efforça de m'arracher ma chemise. La femme trillait à l'intention de Jim en agitant dans ses mains les grappes de fruits pourpres.

— Ils veulent qu'on enlève nos vêtements, dit Jim. Ils veulent qu'on le fasse vite.

Nous nous sommes déshabillés précipitamment. Il y avait une crevasse dans la berge, j'y ai enfoncé le sac. Nous avons enroulé nos chaussures dans nos habits, attaché une courroie autour et jeté le tout par-dessus notre épaule.

La petite femme lança une poignée de fruits pourpres à son compagnon. Elle demanda par gestes à Jim de se baisser et, quand il eut obéi, elle écrasa les baies sur sa tête, ses mains, sa poitrine, ses cuisses et ses pieds. Le petit homme me soumit au même traitement. Ces fruits avaient une odeur bizarrement poivrée qui me fit monter les larmes aux yeux.

Je me redressai et regardai dans la direction de la rivière blanche.

Une tête de serpent fendit sa surface laiteuse ; une seconde émergea, puis une autre encore. Elles avaient la grosseur de celle de l'anaconda — ou eunecte — et étaient couvertes d'écailles d'un beau vert émeraude. Elles étaient surmontées d'une crête épineuse verte qui se prolongeait le long du dos et apparaissait quand les serpents ondulaient dans l'eau blanche. L'idée de plonger dans cette eau ne me disait franchement rien, mais j'avais maintenant compris pourquoi nous avions été enduits — et que les pygmées dorés ne nous voulaient assurément aucun mal. Et je me dis avec tout autant de certitude qu'ils savaient ce qu'ils faisaient.

Le hurlement des loups recommença, non seulement beaucoup plus proche, mais encore de la direction où avait disparu la troupe de femmes.

Le petit homme plongea dans l'eau après m'avoir fait signe de l'imiter. J'obéis et j'entendis le faible plouf de sa compagne et celui, bruyant, de Jim. Le petit homme jeta un coup d'œil en arrière vers moi, hocha la tête et se mit à nager comme une anguille, à une vitesse que je trouvai difficile d'égaler.

Les serpents à crête ne nous molestèrent pas. Une fois, je sentis un glissement d'écailles sur mes reins ; une autre fois, je m'ébrouai pour m'éclaircir la vue et j'aperçus l'un d'eux qui nageait à mon côté, s'amusant à marcher de conserve avec moi, faisant la course, ou du moins il en avait l'air.

L'eau était tiède, aussi tiède que le lait auquel elle ressemblait, et curieusement portante. A cet endroit, la rivière avait près de trois cents mètres de large. J'en avais parcouru la moitié quand j'entendis un cri aigu et sentis des ailes battre contre ma tête. Je me retournai et lançai des coups de poing en l'air pour écarter ce qui m'attaquait.

C'était le faucon blanc de la Femme-Louve qui planait, se laissait choir, remontait, me fustigeait à coups de rémiges !

J'entendis un appel lancé de la berge, d'un contralto sonore comme une cloche, vibrant, impérieux — en ouigour archaïque :

— Reviens ! Reviens, le Blond !

Je pivotai sur moi-même pour voir. Le faucon cessa de m'attaquer. Sur l'autre rive, il y avait la Femme-Louve sur sa grande jument noire, tenant toujours d'une main la captive. Les yeux de la Femme-Louve brillaient comme des étoiles de saphir, sa main libre était levée en un geste impératif.

Et tout autour d'elle, la tête baissée, dardant sur moi des yeux aussi verts que les siens étaient bleus, il y avait une meute de loups blancs comme neige !

— Reviens ! cria-t-elle encore.

Elle était très belle, cette Femme-Louve. Il n'aurait pas été pénible de lui obéir. Mais non... ce n'était pas une Femme-Louve. Qui était-elle ? Un mot ouigour se présenta à mon esprit, un mot ancien que je n'aurais même pas cru connaître. Elle était la Salur'da — la Sorcière. Et, en même temps, cet ordre qu'elle donnait fit flamber en moi un vif mécontentement. Qui était-elle — cette Salur'da — pour me commander ? Moi, Dwayanu, qui, dans les temps anciens depuis longtemps plongés dans l'oubli, l'aurais fait fouetter avec des scorpions pour une telle insolence !

Je me soulevai bien haut au-dessus de l'eau blanche.

— Retourne à ton antre, Salur'da ! criai-je. Est-ce que Dwayanu vient à ton appel ? Quand moi je te convoquerai, alors veille à obéir !

Elle me regarda, la stupeur éclatant dans ses yeux ; le bras vigoureux qui tenait la captive relâcha sa prise si bien que la jeune femme faillit choir du pommeau de selle de la jument. Je fendis l'eau avec vigueur vers l'autre rive.

J'entendis la Sorcière siffler. Le faucon qui tournait en cercle autour de ma tête poussa un cri et s'en alla. J'entendis les loups blancs gronder ; j'entendis le martèlement des sabots de la jument noire qui traversait au galop la prairie bleue. J'atteignis la berge et l'escaladai. Je ne me suis retourné qu'une fois. Sorcière, faucon et loups blancs — tous avaient disparu.

Dans mon sillage, les serpents à tête émeraude, à cimier d'émeraude, nageaient, se tordaient sur eux-mêmes, plongeaient.

Les pygmées dorés avaient gravi la berge.

— Qu'est-ce que tu lui as dit ? demanda Jim.

— C'est à la Sorcière d'obéir à mon appel, pas à moi de répondre au sien, répliquai-je — et je me demandai en même temps ce qui m'avait incité à formuler cete riposte.

— Toujours très... Dwayanu, hein, Leif ? Qu'est-ce qui a déclenché en toi le phénomène, cette fois ?

— Je ne sais pas. (Le ressentiment inexplicable contre cette femme était toujours aussi violent et, parce que je ne le comprenais pas, irritant au plus haut point :) Elle m'a commandé de revenir et une petite fusée s'est enflammée dans mon cerveau. Puis je... j'ai eu l'impression de savoir qui elle était et que son ordre était pure insolence. Je le lui ai dit. Ce que je disais m'a surpris autant qu'elle. C'est comme si quelqu'un avait parlé à ma place. C'est comme... — j'hésitai — eh bien, c'est comme lorsque j'avais entamé ce maudit rite et que j'avais été incapable de m'arrêter.

Il hocha la tête, puis se mit à enfiler ses vêtements. Je l'imitai. Ils étaient trempés. Les pygmées nous regardaient nous insérer péniblement dedans avec un amusement non déguisé. Je remarquai que la vive rougeur entourant la blessure sur la poitrine du petit homme avait pâli et, encore que la blessure même fût à vif, elle n'était que superficielle et commençait déjà à se cicatriser. Je jetai un coup d'œil à ma main ; la rougeur avait presque disparu et seule une légère sensibilité marquait l'endroit où le nectar était tombé.

Quand nous eûmes lacé nos bottes, les pygmées dorés s'éloignèrent en trottinant, tournant le dos à la rivière pour se diriger vers une ligne de collines distantes d'environ quinze cents mètres. La vaporeuse clarté verte les masquait à demi, comme elle avait masqué entièrement la vallée dans la direction du nord quand nous l'avions aperçue pour la première fois. Au début, pendant la moitié du trajet, le terrain était plat et couvert de cette herbe à fleurettes bleues. Puis les fougères firent leur apparition, de plus en plus hautes. Nous avons croisé une piste à peine plus large qu'une coulée de cerf qui serpentait jusqu'à une fougeraie plus épaisse. Nous nous y sommes engagés.

Nous n'avions rien mangé depuis l'aube, et je songeai avec regret au sac que j'avais laissé en arrière. Néanmoins, j'ai été dressé à faire bonne chère quand je le peux et à m'en passer philosophiquement quand il le faut. Aussi ai-je resserré d'un cran ma ceinture et tourné la tête vers Jim qui marchait sur mes talons.

— Faim ? questionnai-je.

— Non. Trop occupé à réfléchir.

— L'Indien... qu'est-ce qui a fait revenir la beauté rousse ?

— Les loups. Tu ne les a pas entendus hurler à son intention ? Ils ont trouvé notre piste et l'ont avertie.

— Je l'avais pensé... mais c'est incroyable ! Bon Dieu !... alors, c'est une sorcière.

— Pas à cause de cela. Tu oublies ton Mowgli et ses compagnons gris. Les loups ne sont pas difficiles à dresser. Mais n'empêche que c'est une sorcière tout de même. Ne te retiens pas d'être Dwayanu quand tu auras affaire à elle, Leif.

Les petits tambours recommencèrent à battre. Seulement quelques-uns d'abord, puis en nombre de plus en plus grand jusqu'à ce qu'ils fussent des centaines. Cette fois, les cadences étaient vives, gaies, marquant un rythme dansant qui faisait fuir la lassitude. Ils ne semblaient pas éloignés. Mais maintenant les fougères étaient plus hautes que nous et si serrées qu'on ne voyait rien au travers ; le sentier étroit serpentait au milieu d'elles comme un cours d'eau sinueux.

Les pygmées pressèrent l'allure. La piste émergea soudain des fougères et le couple s'immobilisa. Devant nous, le terrain se relevait en pente brusque sur cent ou cent vingt mètres. La pente, sauf sur la largeur du sentier, était recouverte de haut en bas par un enchevêtrement d'épaisses lianes vertes cloutées sur toute leur longueur par de terribles épines de sept ou huit centimètres — des chevaux de frise naturels qu'aucun être vivant ne pouvait franchir. Au bout du sentier se dressait une tour de pierre trapue ; des pointes de lances y scintillaient.

Dans la tour, un tambour au son aigu battit une séquence qui était indiscutablement un signal d'alarme. Aussitôt les tambours joyeux se turent. La même séquence aiguë fut reprise et répétée de point en point, diminuant d'intensité avec l'éloignement ; je me rendis compte alors que la pente était comme une immense fortification circulaire, avançant en courbe vers la palissade sans faille des fougères géantes et se repliant à notre droite jusqu'à la lointaine façade verticale de la falaise noire. De bout en bout, elle était couverte de buissons d'épines.

Le petit homme gazouilla à l'adresse de sa compagne, puis monta vers la tour. Il fut rejoint par un flot d'autres pygmées qui en sortaient. La petite femme resta avec nous ; elle hochait la tête, souriait et nous tapotait les genoux pour nous rassurer.

Un autre tambour, à moins que ce fût un trio de tambours, se mit à battre dans la tour. Je pensai qu'ils étaient trois parce que leur refrain était sur trois notes différentes, caressant et, néanmoins, portant loin. Ils chantaient un mot, un nom, ces tambours, aussi clairement que s'ils avaient eu une bouche, le nom que j'avais distingué dans les trilles des pygmées...

Ev-ah-li... Ev-ah-li... Ev-ah-li... Encore et encore. Les tambours des autres tours se taisaient.

Le petit homme nous fit signe. Nous avançâmes, évitant avec peine les épines. Nous avons atteint le bout du sentier, au pied de la petite tour. Une vingtaine de pygmées se portèrent à notre rencontre pour nous barrer le passage. Aucun n'était plus grand que celui que j'avais sauvé des fleurs blanches. Tous avaient la même peau dorée, les mêmes yeux jaunes qui avaient quelque chose d'à demi animal ; comme les siens, leurs cheveux étaient longs et soyeux et tombaient presque jusqu'à leurs pieds minuscules. Ils portaient un pagne torsadé fait d'une étoffe qui semblait être du coton ; ils avaient autour de la taille de larges ceintures d'argent, perforées comme de la dentelle selon des dessins compliqués. Leurs lances étaient des armes redoutables en dépit de leur fragilité apparente, avec de longues hampes taillées dans une espèce de bois noir, avec des fers de trente centimètres en métal rouge et barbelés de la pointe à la base comme un hameçon pour pêcher le muskellunge, le brochet des Grands Lacs. Ils avaient en bandoulière des arcs noirs avec de longues flèches barbelées de la même façon ; et dans leurs ceintures de métal étaient passés de minces couteaux en forme de faucille, comme des cimeterres de gnomes.

Ils restaient plantés là à nous dévisager tels des gamins. Ils me faisaient éprouver l'impression qu'avait dû ressentir Gulliver chez les Lilliputiens. Par ailleurs, il y avait en eux un petit quelque chose qui m'ôtait tout désir de les inciter à utiliser leurs armes. Ils considéraient Jim avec curiosité et intérêt, sans la moindre trace d'hostilité.

Ils me regardaient avec de petits visages qui devenaient durs et farouches. C'est seulement quand leurs yeux remontèrent vers mes cheveux blonds que je vis l'étonnement et le doute atténuer la suspicion, mais pas un instant ils ne détournèrent la pointe des lances dirigées sur moi.

Ev-ah-li... Ev-ah-li... Ev-ah-li... chantaient les tambours.

Un roulement dans le lointain leur répondit et ils se turent.

J'entendis de l'autre côté de la tour une voix douce et basse qui trillait les syllabes du Petit Peuple, si pareille à un chant d'oiseau...

Puis... j'aperçus Evalie.

Avez-vous regardé une branche de saule qui se balance au printemps au-dessus de quelque clair étang sylvestre, ou un bouleau svelte dansant avec le vent dans quelque bois ou hallier secret ? Ou encore les fugitives ombres vertes dans la clairière de quelque épaisse forêt qui sont comme des dryades à demi tentées de se montrer ? C'est à tout cela que j'ai pensé quand elle s'est avancée vers nous.

C'était une jeune femme brune, une grande jeune femme. Ses yeux étaient marron sous de longs cils noirs, de ce brun clair des torrents de montagne en automne ; ses cheveux étaient noirs, de ce noir de jais qui, dans certains éclairages, prend un reflet bleu foncé. Son visage était petit avec des traits qui n'étaient évidemment ni classiques ni réguliers — les deux lignes égales des sourcils se rejoignaient presque au-dessus de son nez, petit et droit ; sa bouche était large mais joliment dessinée et sensible. Au-dessus de son front large et bas, les cheveux bleu-noir tressés formaient une couronne. Sa peau avait la couleur de l'ambre clair. Comme du bel ambre poli, elle luisait sous la tunique lâche et pourtant plaquée sur elle qui la vêtait jusqu'aux genoux, transparente et fine comme une toile d'araignée argentée. Autour de ses hanches était noué le pagne blanc du Petit Peuple. Au contraire des pygmées, ses pieds étaient chaussés de sandales.

Mais c'est sa grâce qui vous coupait le souffle quand on la regardait, la longue ligne fluide de la cheville à l'épaule, délicate et mobile comme la courbe de l'eau qui passe sur le flanc lisse d'un rocher, la grâce liquide d'une ligne qui chantait à chaque mouvement.

C'est cela — et la vie qui brûlait en elle comme

la flamme verte de la forêt vierge quand les caresses plus chaudes de l'été remplacent les baisers du printemps. Je comprenais maintenant pourquoi les Grecs de l'Antiquité croyaient aux dryades, aux naïades, aux néréides — à l'âme féminine des arbres, des ruisseaux, des cascades, des fontaines et de l'Océan.

Je n'aurai pas su dire quel âge elle avait — elle était de cette beauté païenne qui échappe au temps.

Elle examina ma personne, mes vêtements, mes bottes, avec une perplexité manifeste ; elle jeta un coup d'œil à Jim, hocha la tête comme pour signifier qu'il n'avait rien d'inquiétant ; puis se retourna vers moi pour m'étudier. Les petits guerriers avaient formé le cercle autour d'elle, la lance en arrêt.

Le petit homme et sa compagne s'étaient avancés. Ils parlèrent tous les deux à la fois, désignant ma poitrine, ma main et mes blonds cheveux. La jeune femme rit, attira contre elle la naine et couvrit sa bouche d'une main. Le petit homme continua ses trilles et son gazouillis.

Jim avait écouté avec une attention profonde mêlée de surprise chaque fois que la jeune femme prenait la parole. Il me saisit par le bras.

— C'est le cherokee qu'ils parlent ! Ou quelque chose d'approchant. Ecoute... il y avait un mot, cela sonnait comme *Yun'wini'gski* — cela signifie *mangeurs d'hommes*. Littéralement : « Ils mangent les gens »... si j'ai bien entendu. Tiens ! regarde !... il montre comment la liane rampait sur la falaise.

La jeune femme se remit à parler. J'écoutai attentivement. Le débit rapide et les trilles rendaient la compréhension difficile, mais je discernai des sons qui me paraissaient familiers — et bientôt j'entendis une combinaison que je reconnus indéniablement.

— C'est une sorte de langue mongole, Jim. Je viens de capter un mot qui signifie « serpent d'eau » dans une douzaine de dialectes différents.

— Je sais. Elle a appelé le serpent *ana'nada* et les Cherokees disent *inadu*. Mais c'est de l'indien, pas du mongol.

— C'est peut-être les deux. Les dialectes indiens sont d'origine mongole. Peut-être est-ce l'antique langue mère. Il faudrait pouvoir l'amener à parler plus lentement et à modérer un peu les trilles.

— Il n'est pas impossible que tu aies raison. Les Cherokees se disent « le plus ancien des peuples » et appellent leur langue « le premier langage »... attends !...

Il s'avança, la main levée ; il prononça le mot qui, en cherokee, signifie aussi bien « ami » que « celui qui vient dans de bonnes intentions ». Il le répéta à plusieurs reprises. L'étonnement et la compréhension se peignirent dans le regard de la jeune femme. Elle prononça le terme comme Jim, puis se tourna vers les pygmées et le répéta à leur intention — je le distinguais maintenant très bien à travers les trilles et les gazouillis. Les pygmées se rapprochèrent, tournant vers Jim des yeux étonnés. Il déclara, avec lenteur :

— Nous venons du dehors. Nous ne connaissons rien de ce pays. Nous ne connaissons personne ici.

Il dut répéter plusieurs fois avant qu'elle comprenne. Elle le considéra gravement, puis me dévisagea d'un air dubitatif — mais comme quelqu'un qui ne demanderait qu'à croire. Elle répondit d'une voix hésitante :

— Mais Sri — elle désigna le petit homme — a dit que dans l'eau il a parlé la langue du mal.

— Il parle de nombreuses langues, répliqua Jim, qui se tourna vers moi. Dis-lui quelque chose. Ne reste pas là comme une bûche à la contempler. Cette fille est intelligente — et nous sommes dans le pétrin. Ta tête ne revient pas du tout aux nains, Leif, en dépit du service que tu leur as rendu.

— Le fait de m'être servi de cette langue est-il plus étrange que celui de me servir maintenant de la tienne, Evalie ? dis-je.

Je lui posai ensuite la même question dans deux des plus anciens dialectes mongols que je connaissais. Elle m'examina, pensive.

— Non, dit-elle finalement, non, car moi aussi je la parle un peu, et je n'en suis pas plus mauvaise pour autant.

Et soudain elle sourit et trilla un ordre aux gardes. Ils abaissèrent leurs lances en me regardant avec un peu de l'intérêt amical qu'ils avaient témoigné à Jim. A l'intérieur de la tour, les tambours commencèrent à battre une charge joyeuse. Comme sur un signal, les autres tambours invisibles, que l'alarme aiguë avait fait taire, reprirent leur gai tambourinage.

La jeune femme nous appela du geste. Entourés par les petits guerriers, nous passâmes à sa suite entre une herse d'épines et la tour.

Nous étions entrés dans le Pays du Petit Peuple et d'Evalie.

LE LIVRE D'ÉVALIE

1

LES HABITANTS DU MIRAGE

La lumière verte qui éclairait le Pays-dans-l'ombre s'assombrissait comme s'assombrit une forêt verte au crépuscule. Le soleil devait avoir plongé depuis longtemps derrière les pics encerclant le sol illusoire qui était le ciel du Pays-dans-l'ombre. Ici, pourtant, la clarté diminuait lentement comme si elle ne dépendait pas entièrement du soleil, comme si le pays avait une luminosité personnelle.

Nous étions assis à côté de la tente d'Evalie. Elle était plantée sur une butte ronde non loin de l'entrée du gîte qu'elle occupait dans la falaise. Tout le long du pied de la montagne, les gîtes du Petit Peuple s'ouvraient par de minuscules failles que personne de plus grand qu'eux ne pouvait franchir pour s'introduire dans les grottes qui étaient les demeures de ces nains, leurs laboratoires, leurs ateliers, leurs entrepôts et leurs greniers, leurs forteresses imprenables.

Des heures s'étaient écoulées depuis que nous avions traversé, à la suite d'Evalie, la plaine située entre la tour de guet et sa tente. Les pygmées dorés avaient jailli de partout, curieux comme des enfants, babillant et trillant, questionnant Evalie, transmettant dans leur gazouillis ses réponses à leurs voisins les plus éloignés. Encore maintenant, ils formaient un cercle autour de la butte, des douzaines de petits hommes et de petites femmes, qui nous dévisageaient avec leurs yeux jaunes, pépiaient et riaient. Dans les bras des femmes, il y avait des bébés pareils à des poupées minuscules — comme étaient pareils à des poupées plus grandes les autres enfants groupés autour d'elles.

D'une qualité enfantine, leur curiosité était vite satisfaite ; ils retournaient à leurs occupations et à leurs jeux. D'autres, dont la curiosité n'était pas encore apaisée, prenaient leur place.

Je les regardai danser sur l'herbe unie. Ils évoluaient en cercle au rythme entraînant de leurs tambours. Il y avait d'autres mamelons dans la plaine, des buttes plus hautes ou plus petites que celle où nous nous trouvions, et toutes aussi rondes et symétriques. Autour et dessus, les pygmées dorés dansaient au battement des petits tambours.

Ils nous avaient apporté des pains de taille réduite, du lait et des fromages curieusement sucrés mais comestibles, et d'étranges fruits et melons au goût délicieux. J'avais honte du nombre de plats que j'avais vidés. Les petits êtres qui me regardaient n'avaient fait qu'en rire — et pressé les femmes d'en apporter d'autres. Jim déclara en riant :

— C'est la nourriture des Yunwi Tsundi que tu manges. Des aliments de fée, Leif ! Tu ne pourras plus jamais manger la nourriture des humains !

Je regardai Evalie, sa beauté couleur d'ambre et de vin. Ma foi, j'étais prêt à croire qu'Evalie avait été nourrie d'autre chose que des aliments du commun des mortels.

J'examinai la plaine pour la centième fois. La

pente sur laquelle se dressaient les tours trapues était un immense demi-cercle dont chaque extrémité touchait les falaises noires. Elle devait enclore, estimai-je, plus de cinq mille hectares. Au delà des lianes épineuses, il y avait les taillis de fougères géantes ; derrière, de l'autre côté de la rivière, j'apercevais les grands arbres. Si des forêts poussaient de ce côté-ci, je n'en voyais aucune indication. Non plus que de ce qui pouvait exister comme autres formes de vie. Il y avait quelque chose dont on devait se garder, certainement, sinon comment expliquer les fortifications et les ouvrages de protection ?

Quoi qu'elle puisse être d'autre, cette terre que défendaient les pygmées dorés paraissait un petit paradis avec ses champs de céréales, ses vergers, ses vignes, ses baies et ses prés verts.

Je réfléchis à ce qu'Evalie nous avait raconté d'elle-même, prenant soin de formuler dans un registre plus grave et sur un mode plus lent les syllabes trillées du Petit Peuple pour les transformer en vocables qui nous soient compréhensibles. C'était une langue ancienne qu'elle parlait — dont les racines plongeaient plus profondément dans le sol du Temps qu'aucune autre de ma connaissance, mis à part le ouigour archaïque. Je découvris de minute en minute que je l'assimilais avec une aisance grandissante, toutefois pas aussi rapidement que Jim. Il avait même esquissé quelques trilles à la grande joie des pygmées. Mais ce qui est encore plus important, ils l'avaient compris. Chacun de nous pouvait suivre la pensée d'Evalie mieux qu'elle ne pouvait suivre la nôtre.

Quel endroit avait quitté le Petit Peuple pour venir au Pays-dans-l'ombre ? Et où avait-il appris cette langue antique ? Je me posai la question et me dis qu'autant valait demander comment il se fait que les Sumériens, dont la grande cité est appelée dans la Bible l'Ur des Chaldéens, parlaient une langue mongole. Eux aussi étaient une race de petite taille, maîtresse en étranges sorcelleries, observatrice des étoiles. Et nul ne sait d'où ils sont venus quand ils se sont installés en Mésopotamie avec leur science en plein épanouissement. L'Asie est l'antique Mère et nul ne peut dire à combien de races elle a donné naissance, qu'elle a vues ensuite tomber en poussière.

La transformation de la langue en ce gazouillis d'oiseau chez le Petit Peuple, je pensais en avoir trouvé la raison. D'évidence, plus petite est la gorge, plus aigus sont les sons qu'elle produit. Sauf dans le cas de phénomènes, jamais on ne voit d'enfant avec une voix de basse. Le plus grand des petits hommes ne dépassait pas la taille d'un enfant de six ans. Forcément, ils ne pouvaient pas proférer les notes gutturales et plus basses ; ils avaient donc dû leur substituer d'autres sons. La réaction naturelle, quand on ne peut pas donner une note dans l'octave inférieure, c'est de l'émettre dans l'octave supérieure. C'est ce qu'ils avaient fait et, avec le temps, c'était devenu cette espèce de coda en trilles et gazouillis sous laquelle persistait cependant la structure fondamentale.

Evalie nous avait dit qu'elle se rappelait une grande maison de pierre. Elle croyait se souvenir d'une vaste étendue d'eau. Elle se remémorait un pays couvert de bois qui était devenu « blanc et froid ». Il y avait un homme et une femme... puis il n'y avait plus eu que l'homme... et le reste était brouillé. Tout ce qu'elle se rappelait vraiment bien, c'était le Petit Peuple... elle avait oublié ce qu'il avait pu y avoir d'autre — jusqu'à notre arrivée. Elle se rappelait le temps où elle avait la même taille que les petits hommes... et sa terreur quand elle avait commencé à les dépasser. Les petits hommes, les *Rrrllyas* (je ne peux guère mieux rendre phonétiquement la prononciation), l'aimaient ; ils lui obéissaient. Ils l'avaient nourrie, habillée et instruite, en particulier la mère de Sri que j'avais arrachée à la Fleur de Mort. Que lui avait-elle enseigné ? Elle nous regarda bizarrement et se contenta de répéter : « Elle m'a instruite. » Quelquefois elle dansait avec le Petit Peuple et quelquefois elle dansait pour lui — de nouveau, elle eut cette curieuse expression réservée, presque amusée. C'est tout. Combien de temps s'était-il écoulé depuis qu'elle avait cessé d'être aussi menue que le Petit Peuple ? Elle ne le savait pas — cela faisait très, très longtemps. Qui l'avait nommée Evalie ? Elle l'ignorait.

Je l'examinai, sans en avoir l'air. Rien en elle ne donnait d'indication sur sa race. Une enfant trouvée, pensai-je, voilà ce qu'elle doit être, et l'homme et la femme dont elle a le vague souvenir étaient son père et sa mère. Mais qu'étaient-ils eux-mêmes — de quel pays ? Pas plus que ses lèvres, ses yeux ni ses cheveux, son teint ou la forme de son corps ne donnaient d'indication là-dessus.

Elle était plus « enfant substituée » que moi. Une enfant du Mirage ! Nourrie avec des aliments provenant du marché des farfadets !

Redeviendrait-elle une femme comme les autres, me demandai-je, si je l'emportais hors du Pays-dans-l'ombre ?...

Je sentis l'anneau peser sur ma poitrine comme un bloc de glace.

L'emporter loin d'ici ! Il fallait d'abord affronter Khalk'ru... et la Sorcière !

Le crépuscule vert se fit plus sombre ; de grandes lucioles commencèrent à allumer des lanternes de topaze claire dans les arbres fleuris ; une petite brise s'en vint par-dessus les taillis de fougères, chargée des parfums de la forêt lointaine. Evalie soupira.

— Tu ne me quitteras pas, Tsantawu ?

S'il l'entendit, il n'en marqua rien. Elle se tourna vers moi.

— Tu ne me quitteras pas, Leif ?

— Non ! m'écriai-je.

Et je crus entendre les tambours de Khalk'ru

étouffer les tambours joyeux du Petit Peuple sous leur roulement qui ressemblait à un rire moqueur.

Le crépuscule vert était devenu obscurité, une obscurité lumineuse comme si la lune brillait derrière un voile de nuages. Les pygmées dorés avaient fait taire leurs tambours joyeux ; ils entraient dans leurs gîtes de la falaise. Des tours éloignées provenait le tap-tap-tap des tambours des sentinelles, qui se chuchotaient des messages par-dessus les pentes couvertes d'épines. La clarté des lucioles faisait penser à des lanternes de lutins en train de faire une ronde ; de grands papillons aux lumineuses ailes argentées volaient à côté de nous comme des avions miniatures.

— Evalie, demanda Jim, le Yunwi Tsundi — le Petit Peuple — depuis combien de temps est-il installé ici ?

— Depuis toujours, Tsantawu... ou du moins on le dit.

— Et les autres... les femmes rousses ?

Nous l'avions déjà interrogée à propos de ces femmes et elle n'avait pas répondu, elle avait tranquillement détourné la conversation, mais maintenant elle répliqua sans hésiter :

— Ce sont des Ayjirs — c'était Lur la Magicienne qui portait la peau de loup. Elle règne sur les Ayjirs avec Yodin le Grand Prêtre et Tibur, Tibur le Rieur, Tibur le Forgeron. Il n'est pas aussi grand que toi, Leif, mais il est plus large d'épaules et de buste — et il est fort... fort ! Je vous parlerai des Ayjirs. Jusqu'ici, c'était comme si une main était appliquée sur mes lèvres... ou était-ce mon cœur ? Mais maintenant la main a disparu.

» Le Petit Peuple dit que les Ayjirs sont arrivés ici à cheval voilà très, très, très longtemps. A cette époque, les Rrrllyas possédaient la terre des deux côté de la rivière. Ils étaient nombreux, ces Ayjirs, très nombreux. Bien plus que maintenant, avec beaucoup d'hommes et de femmes, alors qu'à présent, il y a surtout des femmes et peu d'hommes. Ils sont venus comme s'ils fuyaient d'un pays lointain, c'est ce que les petits hommes disent que leurs pères leur ont raconté. Ils étaient conduits par un... par un... je n'ai pas de mot pour le dire ! Cela a un nom, mais ce nom je ne veux pas le prononcer... non, même pas mentalement ! Cela a une forme aussi... je l'ai vu sur les bannières qui flottent aux tours de Karak... et il est sur la poitrine de Lur et de Tibur quand ils...

Elle frissonna et se tut. Un papillon de nuit argenté se posa sur sa main ; ses ailes brillantes palpitaient. Elle le souleva avec douceur jusqu'à ses lèvres et souffla dessus pour le faire s'envoler.

— Tout ceci, les Rrrllyas — que vous appelez le Petit Peuple — ne le savaient pas encore. Les Ayjirs se reposèrent. Ils se mirent à bâtir Karak et à creuser dans la falaise leur temple à... à ce qui les avait conduits ici. Ils bâtirent précipitamment d'abord, comme s'ils craignaient d'être poursuivis ; mais, personne ne survenant, ils ralentirent le rythme de leurs constructions. Ils auraient voulu transformer mes petits hommes en serviteurs, en esclaves. Les Rrrllyas ne se laissèrent pas faire. Il y eut la guerre. Les petits hommes se postèrent à l'affût autour de Karak et, quand les Ayjirs approchèrent, ils les tuèrent ; car les petits hommes connaissent toute... toute la vie des plantes, et ils savent ce qu'il faut faire pour que leurs lances et leurs flèches tuent immédiatement ceux qu'elles ne font même qu'effleurer. Et ainsi beaucoup d'Ayjirs ont péri.

» Finalement, une trêve fut décidée. Non pas parce que le Petit Peuple était vaincu, car il ne l'était aucunement. Pour une autre raison. Les Ayjirs étaient rusés ; ils posèrent des pièges pour les petits hommes et en attrapèrent un certain nombre. Puis voici ce qu'ils firent : ils les transportèrent dans leur temple et les sacrifièrent à... à ce qui les avait conduits ici. Ils les menèrent sept par sept dans leur temple et ils obligèrent le septième de chaque groupe à assister au sacrifice puis le relâchèrent pour qu'il aille raconter aux Rrrllyas ce qu'il avait vu.

» Le premier, ils n'ont pas voulu le croire, si atroce était le récit de ce sacrifice — mais alors survinrent un second, puis un troisième et un quatrième qui firent le même récit. Alors grands furent le dégoût, la peur et l'horreur qui saisirent le Petit Peuple. Un pacte fut conclu. Le Petit Peuple demeurerait de ce côté-ci de la rivière ; les Ayjirs auraient l'autre. En échange, les Ayjirs jurèrent par ce qui les avait conduits que jamais plus un seul membre du Petit Peuple ne serait donné en sacrifice à... ça. S'il y en avait un qui était surpris dans le territoire des Ayjirs, il serait tué... mais pas par le Sacrifice. Et si un Ayjir fuyait Karak, venait chercher refuge au milieu des Rrrllyas, ceux-ci devraient tuer le fugitif. Tout cela à cause de cette grande horreur, le Petit Peuple l'accepta. Nansur fut rompu, afin que personne ne puisse traverser — Nansur qui enjambait Nanbu, la rivière blanche, fut rompu. Tous les bateaux des Ayjirs comme ceux des Rrrllyas furent détruits et il fut convenu qu'il n'en serait plus construit. Puis, comme précaution supplémentaire, le Petit Peuple prit les dalan'usa et les mit dans Nanbu afin que nul ne puisse franchir ses eaux. Et ainsi en a-t-il été... depuis très, très, très longtemps.

— Dalan'usa, Evalie... tu veux parler des serpents ?

— Tlanusi... les sangsues, corrigea Jim.

— Les serpents ? Ils sont inoffensifs. Je pense que tu ne te serais pas arrêté pour parler à Lur si tu avais vu une dalan'usa, Leif ? dit Evalie, presque d'un ton moqueur.

J'enregistrai cette énigme pour plus ample investigation.

— Les deux que nous avons trouvés sous les Fleurs de Mort, ils avaient rompu la trêve ?

— Ils ne l'ont pas rompue. Ils savaient ce qui les attendait s'ils étaient découverts et ils étaient prêts à payer le prix. Il y a des plantes qui poussent de l'autre côté de Nanbu la Blanche — et d'autres choses dont les petits hommes ont besoin — qu'on ne trouve pas par ici. Alors ils traversent Nanbu à la nage pour les récolter — les dalan'usa sont leurs amies — et ce n'est pas souvent qu'ils se laissent surprendre. Mais aujourd'hui Lur pourchassait une fugitive qui essayait de gagner Sirk. Elle a croisé leur piste, les a acculés et les a étendus sous les Fleurs de Mort.

— Qu'avait donc fait la jeune femme ? Elle est des leurs.

— Elle avait été désignée pour le Sacrifice. N'as-tu pas vu ? Elle est *taluli*... enceinte... mûrissant pour... pour...

Sa voix s'étrangla. Un frisson glacé me parcourut.

— Bien sûr, vous ignorez tout cela, reprit-elle. Et je ne veux plus en parler... pour le moment. Si Sri et Sra avaient découvert la jeune femme avant qu'eux-mêmes le soient, ils l'auraient escortée au milieu des dalan'usa, comme ils l'ont fait pour vous ; et elle serait restée ici jusqu'à ce que vînt le temps où elle devait passer... hors d'elle-même. Elle aurait passé dans son sommeil, en paix, sans souffrance... et quand elle se serait réveillée, ç'aurait été loin d'ici... peut-être sans aucun souvenir... libre. C'est ainsi que le Petit Peuple qui aime la vie fait partir ceux qui doivent... être expédiés.

Elle déclara ceci tranquillement avec un regard clair, dépourvu d'inquiétude.

— Et il y en a beaucoup qui sont... expédiés... comme ça ?

— Pas beaucoup, puisque peu réussissent à échapper aux dalan'usa... mais beaucoup tentent leur chance.

— Des hommes aussi bien que des femmes, Evalie ?

— Est-ce que les hommes peuvent enfanter ?

— Qu'est-ce que tu veux dire par là ? demandai-je plutôt rudement, car il y avait eu dans cette question quelque chose qui m'avait piqué au vif.

— Je ne veux pas te l'expliquer maintenant, répliqua-t-elle. D'ailleurs, les hommes sont peu nombreux à Karak, comme je te l'ai dit. Des enfants qui naissent, pas un sur vingt est un garçon. Ne me demande pas pourquoi, car je ne le sais pas.

Elle se leva, nous contempla rêveusement.

— Cela suffit pour ce soir. Vous dormirez dans ma tente. Demain, vous en aurez une personnelle et le Petit Peuple vous creusera un gîte dans la falaise, à côté du mien. Et vous viendrez sur le Nansur rompu pour regarder Karak... et vous verrez Tibur le Rieur, puisqu'il vient toujours de l'autre côté du Nansur quand j'y suis. Vous verrez tout cela demain... ou le jour suivant... ou un autre jour. Qu'importe, puisque tous les jours sont à nous, ensemble. N'est-ce pas ?

Et de nouveau Jim ne répondit pas.

— Oui, Evalie, dis-je.

Elle nous sourit, d'un air ensommeillé. Elle tourna les talons et s'éloigna d'un pas léger vers l'ombre plus épaisse sur la falaise qui était le seuil de sa grotte. Elle se fondit dans cette ombre, disparut.

2

SI ON SAVAIT UTILISER TOUTES LES RESSOURCES DE SON CERVEAU

Les tambours des nains postés en sentinelles résonnaient à petit bruit, se transmettant leurs messages tout le long de l'escarpe arrondie qui s'étendait sur des kilomètres. Et soudain la nostalgie poignante du Gobi s'empara de moi. Je ne sais pas pourquoi, mais sa carcasse stérile et brûlante, balayée par le sable et le vent, m'inspirait plus de désir qu'aucun corps de femme. Cela ressemblait à une violente attaque de mal du pays. Je n'arrivais pas à la surmonter. En désespoir de cause, je pris la parole.

— Tu fais une drôle de tête, l'Indien.

— Tsi-Tsa'lagi — je te l'ai dit — je suis un Cherokee pur sang.

— Tsantawu... c'est moi, Degataga, qui te parle maintenant.

Je m'étais exprimé en cherokee. Il répliqua :

— Qu'est-ce que mon frère désire savoir ?

— Qu'est-ce donc que les voix des morts ont chuchoté cette nuit où nous avons dormi sous les sapins ? Qu'as-tu reconnu être vrai par les trois signes qu'elles t'ont indiqués ? Je n'ai pas entendu les voix, frère, et pourtant, d'après le rite du sang, ce sont mes ancêtres autant que les tiens et j'ai le droit de connaître leurs paroles.

— Ne vaut-il pas mieux laisser l'avenir se dérouler sans prêter attention à la frêle voix des morts ? répondit-il. Qui peut être sûr que les voix des fantômes disent la vérité ?

— Tsantawu pointe sa flèche dans une direction mais ses yeux regardent dans une autre. Un jour il m'a traité de chien qui rampe derrière les talons du chasseur. Comme visiblement il est toujours de cet avis...

— Non ! non ! Leif ! s'exclama-t-il, abandonnant la langue de sa tribu. Je veux seulement dire que je ne sais pas si c'est la vérité. Je sais comment Barr qualifierait cela — des appréhensions normales inconsciemment traduites en termes de superstitions raciales. Les voix — appelons-les comme cela, en tout cas — ont dit qu'un grand danger se trouvait dans le Nord. L'esprit qui était dans le Nord les détruirait à tout jamais si je tombais entre ses mains. Eux et moi serions « comme si nous n'avions jamais été ». Il y a entre la mort ordinaire et cette mort une différence extraordinaire que je n'ai pas comprise. Mais les voix la connaissaient, elles. Je devais avoir la preuve qu'elles disaient la vérité par trois signes : par Ataga'hi, par Usunhi'yi et par le Yunwi Tsundi. Si je rencontrais les deux premiers, je pourrais encore retourner en arrière. Mais si je poursuivais mon chemin jusqu'au troisième... alors il serait trop tard. Les voix me supplièrent — et c'est ce qui est particulièrement intéressant, Leif — de ne pas les laisser dissoudre.

— Dissoudre ! répétai-je. Mais c'est exactement le mot que j'ai employé. Et cela des heures après.

— Oui, voilà pourquoi j'ai eu froid dans le dos en l'entendant. Tu ne peux pas me blâmer d'avoir été un peu préoccupé quand nous sommes arrivés devant le plateau encombré de blocs erratiques qui était comme Ataga'hi, et plus encore quand nous nous sommes trouvés devant la coïncidence du Pays-dans-l'ombre, qui est à peu près l'équivalent d'Usunhi'yi, le Pays-du-crépuscule. C'est ce qui m'a fait dire que si nous rencontrions le troisième, le Yunwi Tsundi, j'adopterais ton interprétation plutôt que celle de Barr. Nous l'avons rencontré. Et si tu trouves que tout cela n'est pas une raison suffisante pour faire une drôle de tête, comme tu dis, eh bien ! qu'est-ce qu'il te faut ?

Jim dans les chaînes dorées... Jim menacé par le tentacule de cette Puissance noire qui rampe, rampe vers lui... mes lèvres étaient sèches et raides.

— Pourquoi ne m'as-tu rien dit ? Jamais je ne t'aurais laissé continuer !

— Je sais. Mais tu serais revenu sur tes pas, hein ! vieux ?

Je ne répondis pas. Il rit :

— Comment pouvais-je être sûr avant d'avoir vu tous les signes ?

— Mais elles n'ont pas dit que tu serais... dissous ? (Je me cramponnais à ce fétu de paille.) Elles ont seulement dit qu'il y avait du danger ?

— Uniquement.

— Qu'est-ce que je devrais faire ?... Jim... je te tuerais de ma propre main avant de laisser t'arriver à toi ce que j'ai vu se produire dans le Gobi

— Si tu le peux, répliqua-t-il — et je vis qu'il regrettait sa riposte.

— Si je le peux ? Qu'est-ce qu'ils t'ont dit sur moi... ces maudits ancêtres ?

— Pas un maudit renseignement, rétorqua-t-il avec entrain. Je n'ai jamais prétendu qu'ils aient dit quoi que ce soit. J'ai fait ce simple raisonnement que si nous persistions et que je sois en danger, tu y serais aussi. C'est tout.

— Jim... ce n'est pas tout. Qu'est-ce que tu caches ?

Il se leva, me dominant de toute sa taille.

— D'accord. Ils ont dit que même si l'Esprit ne se saisit pas de moi, je ne reviendrai jamais. Maintenant, tu sais tout.

J'eus la sensation qu'un fardeau m'était enlevé.

— Eh bien, dis-je, ce n'est pas si terrible. Quant au fait de ne jamais revenir... il en sera ce qu'il doit être. Une chose est certaine... Si tu restes ici, moi aussi.

Il hocha la tête d'un air absent. Je passai à une autre question qui m'avait intrigué.

— Le Yunwi Tsundi, Jim, qui était-ce ? Tu ne m'as rien dit de lui que je me rappelle. Quelle est la légende ?

— Oh ! le Petit Peuple. (Il s'accroupit à côté de moi avec un rire léger, sa préoccupation envolée :) Les petits hommes habitaient au pays cherokee quand les Cherokees y sont venus. C'est une race de pygmées, comme ceux qui vivent en Afrique et en Australie de nos jours. Seulement ils n'étaient pas noirs. Ces petits hommes d'ici répondent à leur description. Bien sûr, les tribus ont un peu brodé. Elles les disaient cuivrés de teint et hauts seulement de soixante centimètres. Ceux-ci ont la peau dorée et ont bien en moyenne quatre-vingt-dix centimètres. Remarque qu'ils ont pu pâlir un peu ici et grandir. A part cela, ils correspondent aux récits — longs cheveux, corps parfait, tambours et le reste.

Puis Jim expliqua ce qu'était le Petit Peuple. Il habitait des grottes, principalement dans la région qui était maintenant le Tennessee et le Kentucky. C'étaient des êtres terrestres, adorateurs de la vie et — comme tels — parfois outrageusement rabelaisiens. Ils étaient en bons termes avec les Cherokees, mais restaient strictement entre eux et on les voyait rarement. Ils aidaient fréquemment ceux qui se perdaient dans les montagnes, en particulier les enfants. Quand ils venaient au secours de quelqu'un et le ramenaient dans leurs grottes, ils l'avertissaient de ne jamais en révéler l'emplacement, sinon il mourrait. Et, selon les légendes, s'il le faisait, cela ne manquait pas. Quand on mangeait leur nourriture, on devait prendre des précautions en revenant dans sa tribu et ne recommencer à absorber ses aliments habituels que graduellement, sans quoi on mourait aussi.

Les petits hommes étaient susceptibles. Si quelqu'un les suivait dans les bois, ils lui jetaient un sort, si bien qu'il perdait pendant des jours le sens de l'orientation. Ils étaient habiles à travailler le bois et le métal et si un chasseur trouvait dans la forêt un couteau, une tête de flèche ou tout autre menu objet, avant de les ramasser il devait dire : « Petit Peuple, j'ai envie de prendre ceci. » S'il ne le demandait pas, il ne tuait plus jamais de gibier et une autre infortune le frappait. Une infortune qui désolait son épouse.

Ils étaient gais, les petits hommes, et ils passaient la moitié de leur temps à danser et à jouer du tambour. Ils en avaient de toutes espèces : des tambours qui faisaient tomber les arbres, des tambours qui apportaient le sommeil, des tambours qui conduisaient à la folie, des tambours qui parlaient et des tambours de tonnerre. Les tambours de tonnerre rendaient le son même de l'orage et, quand le Petit Peuple s'en servait, un véritable orage ne tardait pas à se déchaîner parce qu'ils ressemblaient si bien à la réalité qu'ils réveillaient les orages et qu'un ou deux de ces orages accouraient toujours pour bavarder avec ce qu'ils croyaient être un membre de la famille tonnante en promenade...

Je me souvins du roulement d'orage qui avait suivi l'invocation ; je me demandai si ce n'était pas le défi du Petit Peuple à Khalk'ru...

— J'ai une ou deux questions à te poser, Leif.

— Vas-y, l'Indien.

— Qu'est-ce que tu te rappelles exactement de... Dwayanu ?

Je ne répondis pas aussitôt ; c'est la question que je redoutais depuis que j'avais interpellé la Sorcière sur la berge de la rivière blanche.

— Si tu y réfléchis, parfait ! Si tu cherches un moyen de te dérober à ma question, non ! Ce que je veux, c'est une réponse franche !

— Est-ce que tu crois que suis cet ancien Ouigour réincarné ? Dans ce cas, tu as peut-être une idée de l'endroit où je me trouvais pendant les milliers d'années écoulées entre cette époque-là et l'actuelle.

— Ah ! toi aussi tu t'es creusé la cervelle à ce sujet ? Non, ce n'est pas à la réincarnation que je pensais. Encore que nous en sachions si peu que je n'écarterais pas entièrement cette éventualité. Mais il existe une explication plus rationnelle. Voilà pourquoi je te demande... que te rappelles-tu de Dwayanu ?

Je résolus d'être d'une franchise totale.

— D'accord, Jim, dis-je, c'est précisément la question qui me hante depuis trois ans en même temps que Khalk'ru. Si je ne trouve pas la réponse maintenant, je retournerai au Gobi la chercher — en admettant que je puisse sortir d'ici. Quand j'étais dans l'oasis, dans cette salle où j'attendais la convocation du vieux prêtre, je me suis parfaitement rappelé qu'elle avait été celle de Dwayanu. Je reconnaissais le lit et je reconnaissais l'armure et les armes. Je regardais un des casques en métal et je me suis rappelé que Dwayanu — ou moi — avait reçu un coup de massue terrible lorsqu'il le portait. Je l'ai décroché et il y avait une bosselure à l'endroit précis où je me souvenais d'avoir été touché. Je me rappelais les sabres et je me suis souvenu que Dwayanu — ou moi — avait l'habitude d'en manier un plus lourd de la main gauche. Eh bien, il y en avait un plus lourd que l'autre. Et aussi, quand je me bats, je me sers mieux de mon poing gauche que du droit. Ces souvenirs, ou ce que cela peut être d'autre, me revenaient par éclairs. Pendant un moment j'étais devenu Dwayanu en même temps que moi, examinant avec un intérêt amusé des objets familiers... et la minute d'après je n'étais plus que moi et je me demandais, sans amusement, ce que tout cela signifiait.

— Oui. Quoi encore ?

— Eh bien, je n'ai pas été entièrement sincère au sujet du rite, dis-je avec embarras. Je t'ai raconté que tout s'est passé comme si une autre personne avait pris possession de mon esprit et procédé à la célébration de ce rite. C'est vrai, en un sens, mais — Dieu me pardonne ! — j'ai eu tout le temps conscience que cette autre personne était... moi ! Comme si j'étais deux êtres et un seul à la fois. C'est difficile à expliquer... tu sais comme on dit une chose tout en en pensant une autre. Suppose que tu puisses dire une chose et en penser deux autres à la fois. Voilà. Une partie de moi était révoltée, horrifiée, terrifiée. L'autre pas le moins du monde ; elle se savait puissante et jouissait d'exercer ce pouvoir — et elle commandait à ma volonté. Mais les deux étaient... moi. Clairement et nettement... moi. Bon Dieu ! mon vieux !... Si j'avais vraiment cru qu'il y avait quelqu'un, quelque chose, en dehors de moi, crois-tu donc que j'éprouverais autant de remords ? Non, c'est parce que je sais que c'était moi, la partie de moi-même qui reconnaissait le heaume et les sabres, que je me suis tourmenté depuis à ce point-là.

— Rien d'autre ?

— Si ! Des rêves.

Il se pencha et questionna d'une voix brève :

— Quels rêves ?

— Des rêves de batailles... des rêves de festins... un rêve de guerre contre des hommes blonds, d'un champ de bataille près d'une rivière, de flèches volant en nuages au-dessus de nos têtes... de corps à corps au cours desquels je brandis une arme pareille à un énorme marteau contre de grands hommes blonds que je sais me ressembler... des rêves de villes flanquées de tours que je traverse et où des femmes à la peau blanche et aux yeux bleus jettent des guirlandes sous les sabots de mon cheval... Quand je m'éveille, ces rêves sont vagues, vite oubliés. Mais j'ai toujours conscience que pendant que je rêvais ils étaient clairs, nets... réels comme la vie.

— Est-ce ainsi que tu as su que la Femme-Louve était une sorcière ? Par ces rêves ?

— Peut-être, mais je ne m'en souviens pas. Je sais seulement que je l'ai subitement reconnue pour ce qu'elle était... moi ou l'autre moi-même.

Il resta un moment assis sans rien dire.

— Leif, questionna-t-il, dans ces rêves, participes-tu au service de Khalk'ru ? Est-ce que tu fais quoi que ce soit qui ait rapport à son culte ?

— Je suis sûr que non. Je m'en souviendrais, parbleu ! Je ne rêve même pas du temple du Gobi.

Il hocha la tête comme si j'avais confirmé une de ses pensées, puis il garda si longtemps le silence que la nervosité me gagna.

— Eh bien, vieil homme-médecine des Tsa'lagi, quel est le diagnostic ? Réincarnation, possession ou simple folie ?

— Leif, tu n'avais jamais eu ce genre de rêves avant d'aller dans le Gobi ?

— Non.

— Bon. J'essaie de voir les choses comme Barr et de juger d'après ma propre matière grise. Voici le résultat. Je crois que tout ce que tu m'as raconté est le fait de ton vieux prêtre. Il t'avait sous son contrôle quand tu t'es vu aller à cheval vers le temple de Khalk'ru — et que tu as refusé d'y entrer. Tu ignores ce qu'il a pu te suggérer d'autre à ce moment-là, et ordonné à ta conscience claire d'oublier quand tu te réveillerais. C'est un simple tour d'hypnotisme. D'ailleurs, il a eu une seconde occasion de t'influencer. Pendant que tu dormais, ce soir-là. Est-ce que tu sais s'il n'est pas venu te faire d'autres suggestions ? Manifestement, il voulait croire que tu es Dwayanu. Il voulait que *tu te souvien-*

nes mais, ayant été échaudé une première fois, il n'a pas voulu que tu te rappelles ce qui se passait avec Khalk'ru. Cela expliquerait pourquoi tu as rêvé des fastes, de la gloire et autres choses agréables, mais pas des choses déplaisantes. C'est un vieux monsieur plein de sagesse — tu le dis toi-même. Il en savait assez sur ta psychologie pour prévoir que tu reculerais devant une des phases du rite. C'est ce que tu as fait — mais il t'avait bien endoctriné. L'ordre posthypnotique au subconscient a aussitôt opéré. Tu n'as pu t'empêcher de continuer. Bien que ta conscience ait été éveillée, en pleine possession de soi, elle n'a eu aucun contrôle sur ta volonté. Je crois que c'est ce que Barr dirait. Et j'incline à penser comme lui. Que diable ! il y a des drogues qui vous font cet effet-là ! Pas besoin de recourir à la métempsycose, aux démons ou à n'importe quel truc médiéval pour trouver une explication.

— Oui, répliquai-je avec espoir mais sans conviction. Et la Sorcière ?

— Quelqu'un qui lui ressemblait dans tes rêves, mais que tu auras oublié. Je crois que l'explication, c'est ce que je viens d'exposer. Et dans ce cas, Leif, je suis inquiet.

— Là, je ne te comprends plus, dis-je.

— Non ? Eh bien, réfléchis. Si toutes ces choses qui t'intriguent viennent de suggestions faites par le vieux prêtre... que t'a-t-il suggéré d'autre ? Visiblement, il avait connaissance de ce pays-ci. Suppose qu'il ait prévu la possibilité que tu le découvres. Que veut-il que tu fasses après l'avoir trouvé ? Quoi qu'il en soit, tu peux parier toutes tes chances de sortir d'ici que c'est implanté profondément dans ton subconscient. Bon, ceci étant une déduction raisonnable, quelle sera donc ta conduite quand tu entreras en contact plus étroit avec ces dames rousses que nous avons vues et avec les rares heureux personnages qui partagent leur paradis ? Je n'en ai pas la moindre idée — et toi non plus. Si ce n'est pas là une chose qui vaut la peine qu'on s'en inquiète, trouve-m'en une autre. Viens... allons nous coucher.

Nous entrâmes dans la tente. Nous y étions déjà venus avec Evalie. A ce moment-là, elle était vide à l'exception d'un amas de fourrures moelleuses et d'étoffes soyeuses dans un coin. Maintenant, il y avait deux couches semblables. Nous nous sommes déshabillés dans la pénombre vert pâle et nous nous sommes couchés. Je regardai ma montre.

— 10 heures, remarquai-je. Combien de mois se sont écoulés depuis ce matin ?

— Au moins six. Si tu m'empêches de dormir, je te tords le cou. Je suis épuisé.

Moi aussi, j'étais fatigué, mais je restai longtemps à réfléchir. Je n'étais pas tellement convaincu par le raisonnement de Jim, si plausible qu'il fût. Non pas que je fusse persuadé d'être demeuré endormi dans quelques limbes interstellaires pendant des siècles. Ni d'avoir jamais été cet antique Dwayanu. Il existait une troisième explication, bien qu'elle ne me plût pas mieux que celle de la réincarnation — et elle offrait tout autant d'éventualités déplaisantes que celle de Jim.

Récemment, un éminent médecin et psychologue américain disait avoir découvert que l'homme moyen n'utilise qu'un dixième de son cerveau ; et les savants lui donnent généralement raison. Les plus grands penseurs, les génies, tels Léonard de Vinci et Michel-Ange, en utilisent peut-être un dixième de plus. Celui qui userait de toutes les ressources de son cerveau pourrait être le maître de la Terre — mais n'en aurait probablement aucune envie. Le cerveau humain est un monde dont un cinquième au maximum est exploré.

Qu'y a-t-il dans la *terra incognita* du cerveau... dans les huit dixièmes inexplorés ?

Eh bien, pour commencer, il s'y trouve peut-être une réserve de souvenirs ancestraux, de souvenirs remontant à l'ère des ancêtres velus, simiesques, qui ont précédé l'homme, remontant même au delà — jusqu'à ces créatures munies de nageoires qui ont rampé hors des mers primitives pour commencer la marche vers l'homme — et, plus loin encore, à leurs ancêtres qui ont bataillé et se sont multipliés dans les océans bouillonnants à l'époque où sont nés les continents.

Des millions et des millions d'années de souvenirs ! Quel réservoir de connaissances si seulement la conscience de l'homme pouvait y puiser !

Ce n'est pas plus incroyable que de penser que la mémoire physique de la race puisse être contenue dans les deux uniques cellules qui déclenchent le cycle de la naissance. Elles recèlent toutes les complexités du corps humain — cerveau et nerfs, muscles, os et sang. En elles aussi sont ces traits que nous appelons héréditaires — les ressemblances familiales, non seulement de visage et de corps, mais aussi de pensées, d'habitudes, de sentiments, de réactions à l'environnement : le nez du grand-père, les yeux de l'arrière-grand-mère, l'irascibilité du trisaïeul, son caractère morose et le reste. Si tout cela est contenu dans les quarante huit bâtonnets microscopiques des cellules génétiques que les biologistes appellent chromosomes, minuscules dieux mystérieux de la naissance qui déterminent dès l'origine quel mélange d'ancêtres sera tel garçon ou telle fille, pourquoi ne pourraient-ils pas véhiculer aussi les expériences accumulées, les souvenirs de ces ancêtres ?

Quelque part dans le cerveau humain, il y a peut-être une section d'enregistrements, chacun finement gravé de sillons de souvenirs, qui attendent simplement que l'aiguille de la conscience les parcoure pour les rendre intelligibles.

Peut-être la conscience s'y pose-t-elle de temps à autre pour les déchiffrer. Peut-être quelque tour de la nature permet-il à un petit nombre d'entre nous d'y puiser dans une certaine mesure.

Si c'est vrai, cela expliquerait bien des mystères.

Les voix fantomales de Jim, par exemple. Ma propre facilité déconcertante pour apprendre les langues étrangères.

Supposons que je descende en droite ligne de ce Dwayanu. Que, dans ce monde inconnu de mon cerveau, ma conscience, qui est mon moi actuel, puisse atteindre, et atteigne effectivement, ces souvenirs de ce qui était Dwayanu. Ou que ces souvenirs se réveillent et remontent au niveau de ma conscience claire. A ce moment-là — Dwayanu s'éveillerait et vivrait. Et je serais à la fois Dwayanu et Leif Langdon !

Qui sait si le vieux prêtre n'était pas au courant de la chose ? Si — par des mots, des rites et par la suggestion, comme Jim le disait — il était parvenu jusqu'à cette *terra incognita* et avait éveillé ces souvenirs qui étaient Dwayanu ?

Ils étaient forts, ces souvenirs. Ils n'avaient pas été totalement endormis ; sans quoi je n'aurais pas si vite appris le ouigour... ni ressenti ces étranges et désagréables sensations de déjà vu avant même d'avoir rencontré le vieux prêtre...

Oui, Dwayanu était fort. Et j'avais l'intuition qu'il était impitoyable. J'avais peur de Dwayanu — de ces souvenirs qui avaient été jadis Dwayanu. Je n'avais pas le pouvoir de les évoquer, je n'avais pas le pouvoir de les maîtriser. Par deux fois, ils avaient dominé ma volonté, ils m'avaient écarté.

Que se passerait-il s'ils devenaient plus forts ?

Que se passerait-il s'ils envahissaient tout mon Moi ?

3

LES TAMBOURS DU PETIT PEUPLE

Par six fois, le jour vert du Pays-dans-l'ombre s'était obscurci en ce clair crépuscule qui était sa nuit sans que j'entende parler ni ne voie rien de la Sorcière ou de ceux qui demeuraient de l'autre côté de la rivière blanche. Cela avait été six jours et six nuits d'un vif intérêt. Nous avions parcouru avec Evalie toute l'étendue de la plaine que gardaient les pygmées dorés ; et nous nous étions promenés seuls, à notre guise, parmi eux.

Nous les avions regardés travailler et se distraire, nous les avions écoutés jouer du tambour et nous avions assisté avec émerveillement à leurs danses — des danses si compliquées, si extraordinaires, qu'elles ressemblaient plus à de complexes harmonies chorales qu'à des pas et des gestes. Quelquefois, les petits hommes dansaient en groupe d'une douzaine, et c'était alors comme une simple chanson. Mais parfois ils dansaient par centaines, enlacés, sur une des vingt pelouses gazonnées réservées à la danse ; et c'était alors comme des symphonies transposées en mesures chorégraphiques.

Ils dansaient toujours au son de leurs tambours ; ils n'avaient pas d'autre musique et ils n'en avaient pas besoin non plus. Les tambours du Petit Peuple étaient de nombreuses formes et dimensions, couvrant dix octaves et produisant non seulement les demi-tons de notre propre gamme, mais aussi des quarts, des huitièmes de ton et même des gradations encore plus subtiles qui affectaient curieusement l'auditeur — en tout cas, elles produisaient cet effet sur moi. L'étendue de leur diapason allait de la basse la plus grave de l'orgue au soprano aigu. De certains, les pygmées jouaient avec les pouces et les doigts, des autres avec la paume ou encore avec des baguettes. Il y avait des tambours qui chuchotaient, des tambours qui bourdonnaient, des tambours qui riaient, des tambours qui chantaient.

Danses et tambours, mais surtout les tambours, évoquaient d'étranges pensées, d'étranges tableaux ; ces tambours battaient aux portes d'un autre monde — et, de temps à autre, les entrouvraient assez pour permettre d'apercevoir de fugitives images mystérieusement belles, mystérieusement troublantes.

Il devait y avoir entre quatre et cinq mille petits hommes dans les quelque trente-deux kilomètres de plaine fertile et cultivée que protégeait leur rempart ; combien demeuraient en dehors, je n'avais aucun moyen de le savoir. Il existait environ une vingtaine de petites colonies, nous dit Evalie. C'étaient comme des comptoirs de chasse ou de mine d'où provenaient les fourrures, les métaux et les autres produits que façonnait la tribu selon les besoins du Petit Peuple. Au pont de Nansur, il y avait un fort avec une solide garnison. D'après ce que je pus apprendre d'Evalie, une espèce d'équilibre naturel les maintenait à un nombre à peu près constant ; ils atteignaient vite la maturité et leur existence était brève.

Evalie nous parla de Sirk, la cité de ceux qui avaient fui le Sacrifice. D'après sa description, c'était une place forte imprenable, adossée aux falaises, ceinte de remparts ; des sources chaudes jaillissaient au pied de ses murs et formaient des douves infranchissables. Un état de guerre permanent régnait entre les habitants de Sirk et les loups blancs de Lur qui étaient à l'affût dans la forêt environnante, montant la garde pour intercepter ceux qui fuyaient Karak et venaient se réfugier à Sirk. J'eus l'impression qu'il y avait des rapports furtifs entre Sirk et les pygmées dorés, que peut-être l'horreur que tous avaient du Sacrifice et la révolte de ceux de Sirk contre les adorateurs de Khalk'ru formaient un lien entre eux. Et que, lorsqu'ils le pouvaient, les petits hommes les aidaient et se seraient même joints à eux s'il n'y avait pas eu l'antique terreur de ce qui se produirait s'ils rompaient le pacte conclu par leurs ancêtres avec les Ayjirs.

C'est une réflexion d'Evalie qui me le fit penser.

— Si tu avais tourné de l'autre côté, Leif — et si tu avais échappé aux loups de Lur — tu serais arrivé à Sirk. Et il aurait pu en résulter un grand changement, car les gens de Sirk t'auraient accueilli à bras ouverts, et qui sait ce qui se serait ensuivi une fois que tu aurais été à leur tête. Et alors mon Petit Peuple n'aurait pas...

Elle s'était interrompue et avait refusé de terminer sa phrase en dépit de mes instances. Aussi lui ai-je dit qu'il y avait trop de « si » dans cette affaire et que j'étais satisfait de la façon dont les dés étaient tombés. Cela lui fit plaisir.

J'ai vécu une expérience que Jim ne partagea pas. Sa signification, je ne la compris pas sur le moment. Les petits hommes étaient, comme je l'ai dit, des adorateurs de la vie. C'était toute leur foi et croyance. Çà et là dans la plaine se dressaient de petits cairns, en fait des autels sur lesquels étaient déposés — sculptés dans le bois, la pierre ou l'ivoire — les anciens symboles de la fertilité ; quelquefois en exemplaire unique, quelquefois par paires et parfois aussi sous une forme ressemblant curieusement au symbole des anciens Egyptiens — la croix ansée, la *crux ansata* qu'Osiris, dieu de la Résurrection, porte à la main et dont il effleure dans la Salle des morts les âmes qui ont subi toutes les épreuves et mérité l'immortalité.

Cette expérience m'advint le troisième jour. Evalie m'ordonna de l'accompagner, seul. Nous avons suivi le sentier bien entretenu qui longeait le pied des falaises où les pygmées avaient leurs gîtes. Les petites femmes aux yeux d'or sortaient la tête pour nous regarder et trillaient à l'adresse de leurs enfants-poupées quand nous passions. Des groupes d'anciens, tant hommes que femmes, vinrent en dansant à notre rencontre et nous emboîtèrent le pas. Chacun d'eux portait une espèce de tambour que je n'avais pas encore vu. Ils n'en jouaient pas, ils ne parlaient pas non plus ; groupe après groupe, ils se rangeaient derrière nous, en silence.

Au bout d'un moment, je remarquai qu'il n'y avait plus de gîtes creusés dans la montagne. Une demi-heure après, nous contournâmes une saillie des falaises en forme de bastion. Nous étions à la lisière d'une petite prairie tapissée de mousse, fine et douce comme un tapis de soie. La prairie devait avoir dans les cent cinquante mètres de large et à peu près autant en longueur. En face de moi se dressait un autre bastion. C'était un demi-cercle taillé dans la paroi à pic comme par le coup de ciseau à lame arrondie d'un sculpteur. A l'autre extrémité de la prairie, il y avait ce qu'au premier coup d'œil je pris pour un énorme bâtiment à coupole. Je vis ensuite que c'était une excroissance de la falaise.

Dans le rocher rond s'ouvrait une entrée ovale, guère plus grande qu'une porte ordinaire. Comme je restais immobile, intrigué, Evalie me saisit par la main et m'entraîna vers cette porte. Nous l'avons franchie.

Le rocher en coupole était creux.

C'était un temple du Petit Peuple — je le compris, bien sûr, dès que j'eus passé le seuil. Ses parois en pierre de teinte vert glauque s'incurvaient d'un seul jet vers le haut. Il ne faisait pas sombre à l'intérieur du temple. Le dôme de pierre avait été percé par l'aiguille d'une dentellière et la lumière affluait par des centaines d'ouvertures. Les murs la captaient et la réfractaient par les milliers d'angles des cristaux que contenait la pierre. Le sol, qui représentait une surface d'un hectare environ, était recouvert par la mousse épaisse et douce, qui, faiblement lumineuse, ajoutait à l'étrange clarté pellucide.

Evalie m'entraîna en avant. Au centre exact de la salle, il y avait une dépression pareille à une énorme coupe. Entre elle et moi se dressait un des symboles en forme de croix ansée, trois fois haut comme un homme de grande taille. Il était poli et luisait comme s'il avait été taillé dans quelque énorme cristal améthyste. Je jetai un coup d'œil derrière moi. Les pygmées qui nous avaient suivis entraient en foule par le porche ovale.

Ils se pressèrent derrière nous quand Evalie me prit de nouveau la main et me conduisit vers la croix. Elle tendit le doigt et je me penchai pour regarder dans la coupe.

Je vis le Kraken !

Il était là, étalé au fond de la coupe, ses tentacules noirs déployés en éventail autour de son corps dilaté, ses énormes yeux noirs plongeant dans les miens un regard indéchiffrable.

L'horreur de naguère m'envahit à nouveau. Je reculai d'un bond en jurant.

Les pygmées s'agglutinaient autour de mes genoux et me dévisageaient intensément. Je savais que mon horreur était peinte sur ma figure. Ils se mirent à triller avec excitation, en s'adressant des signes de tête et en gesticulant. Evalie les observait avec gravité, puis je vis son visage s'éclairer comme si elle était soulagée.

Elle me sourit et désigna encore une fois la coupe. Je me forçai à regarder. Je vis alors que la forme qu'elle contenait avait été habilement sculptée. Les terribles yeux insondables étaient d'une gemme noire comme jais. A travers chacun des tentacules longs de quinze mètres avait été enfoncée une *crux ansata* qui l'immobilisait comme un pieu et une croix ansée plus grande transperçait le corps monstrueux.

Je compris le symbole : la Vie enchaînant l'ennemi de la Vie ; le rendant impuissant ; l'emprisonnant par l'antique et secret symbole sacré de cela même qu'il tentait de détruire. Et la haute croix ansée le surveillait et montait la garde tel le dieu de la Vie.

J'entendis les tambours gazouiller, bruire, battre impétueusement. Le tempo allait sans cesse se précipitant. Il avait quelque chose de triomphal — le triomphe de vagues conquérantes qui déferlent, le triomphe du vent qui souffle en liberté ; et il y avait aussi la paix et la certitude de la paix — comme le gazouillis des cascatelles chantant leur conviction qu'elles couleront à jamais, le bruissement des vaguelettes au milieu des joncs de la berge et le chuchotement de la pluie qui apporte la vie à toute la verdure de la Terre.

Evalie se mit à danser autour de la croix d'améthyste, décrivit lentement un cercle au son de la musique gazouillante, bruissante et chuchotante des tambours. Elle était l'esprit de cette chanson qu'ils jouaient, l'esprit de toutes ces choses qu'ils célébraient.

Par trois fois elle en fit le tour. Elle vint à moi en dansant, me prit encore par la main et m'entraîna au-dehors, de l'autre côté du portail. De derrière nous, comme nous le franchissions, monta un roulement continu de petits tambours qui n'avait plus rien d'un gazouillis, d'un bruissement ou d'un chuchotis — il retentissait avec un son de défi, de triomphe.

Mais de cette cérémonie ou de ses raisons, ou du temple lui-même, elle se refusa à prononcer un mot par la suite en dépit de mes questions.

Et il nous restait encore à monter sur le pont de Nansur pour contempler l'enceinte fortifiée de Karak.

« Demain », disait-elle — et quand le lendemain était venu elle disait... « demain ». En me répondant, elle abaissait sur ses yeux bruns ses longs cils et me regardait par-dessous, bizarrement ; ou bien elle m'effleurait les cheveux et répliquait qu'il y avait beaucoup d'autres demains et que peu importait lequel nous choisirions pour y aller puisque Nansur ne s'envolerait pas. Elle y mettait une espèce de répugnance à laquelle je ne comprenais rien. Et, jour après jour, sa beauté et sa douceur tissaient autour de mon cœur une toile dont je commençais à me demander si elle ne pourrait pas devenir un bouclier contre l'emprise de ce que je portais sur ma poitrine.

Mais les petits hommes conservaient toujours leurs doutes à mon égard, nonobstant la cérémonie du temple, c'était évident. Jim, ils l'avaient adopté ; ils gazouillaient, trillaient et riaient avec lui comme s'il était un des leurs. On ne peut pas dire qu'ils ne se montraient pas polis et cordiaux avec moi, mais ils me tenaient à l'œil. Jim pouvait prendre leurs enfants grands comme des poupées et jouer avec eux. Les mères n'aimaient pas que j'en fasse autant et le signifiaient sans ambiguïté. Je reçus une confirmation directe de leurs sentiments à mon sujet ce matin-là.

— Je vais te quitter pour deux ou trois jours, Leif, annonça-t-il quand nous eûmes fini le petit déjeuner.

Evalie était partie d'un pas léger sur un appel de ses petits amis.

— Me quitter ! Je le regardai bouche bée de stupeur. Qu'est-ce que tu racontes ? Où vas-tu ?

Il rit.

— Voir les tlanusi — qu'Evalie appelle les dalan'usa — les grosses sangsues. Les sentinelles dont elle nous a parlé et que les pygmées ont chargées de garder la rivière quand le pont a été détruit.

Elle ne les avait plus mentionnées depuis et je les avais complètement oubliées.

— Qu'est-ce que c'est, l'Indien ?

— C'est précisément ce que je vais chercher. Elles ressemblent à la grande sangsue de Tlanusi'yi. Les tribus disaient qu'elle était rouge avec des raies blanches et grosse comme une maison. Le Petit Peuple ne va pas jusque-là. Il dit seulement qu'elles sont grosses comme toi.

— Ecoute-moi, l'Indien... je t'accompagne.

— Oh ! que non !

— J'aimerais bien savoir pourquoi ?

— Parce que les petits hommes ne te laisseront pas faire. Ecoute-moi donc, vieux... la vérité, c'est qu'ils n'ont pas entièrement confiance en toi. Ils sont polis et ils ne voudraient pour rien au monde faire de la peine à Evalie, mais... ils préféreraient de beaucoup se passer de toi.

— Tu ne m'apprends rien, répliquai-je.

— Non, mais voici quelque chose de nouveau. Un groupe qui était parti chasser à l'autre extrémité de la vallée est revenu hier. L'un d'eux s'est souvenu qu'au dire de son grand-père, quand les Ayjirs étaient arrivés à cheval dans le pays, ils avaient des cheveux blonds comme les tiens. Pas roux comme maintenant. Cela les a bouleversés.

— Je trouvais bien aussi qu'ils m'observaient de fichtrement près depuis ces dernières vingt-quatre heures, dis-je. C'est cela la raison, n'est-ce pas ?

— C'est la raison, Leif. Ils en ont conçu de l'inquiétude. Et c'est aussi la raison de cette expédition pour chercher les tlanusi. Ils vont augmenter la garde de la rivière. Cela implique une espèce de cérémonie, à ce que j'ai compris. Ils veulent que je les accompagne. J'estime qu'il vaut mieux y aller.

— Est-ce qu'Evalie est au courant ?

— Bien sûr. Et elle ne te laisserait pas partir même si les pygmées étaient d'accord.

Jim se mit en route vers midi avec une centaine de pygmées. Je lui adressai un joyeux au revoir. Si Evalie fut intriguée de me voir accepter le départ de Jim avec autant de calme et de m'abstenir de la questionner, elle ne le montra pas. Mais elle fut très silencieuse ce jour-là et ne parla, la plupart du temps, que par monosyllabes, d'un air absent. Une ou deux fois, je la surpris à me dévisager avec une curieuse perplexité. Et une fois où je lui avais pris la main, elle frémit, se pencha vers moi, puis se dégagea avec irritation. Et une fois où elle avait renoncé à ses manières boudeuses pour s'appuyer contre mon épaule, je dus faire un violent effort sur moi-même pour ne pas la serrer dans mes bras.

Le pire, c'est que je ne trouvais aucun argument valable pour ne pas le faire. Une voix chuchotait dans ma tête que, si je le désirais, pourquoi m'en priverais-je ? Et, en dehors de ce chuchotement, il y avait d'autres choses qui sapaient ma résistance. La journée avait été bizarre même pour ce pays bizarre. L'air était lourd comme si un orage menaçait. Les parfums entêtants de la forêt lointaine avaient plus de force, s'imposaient voluptueusement, étourdissaient. Les voiles vaporeux qui masquaient l'horizon avaient épaissi ; dans le Nord, ils avaient presque la couleur de la fumée, et ils approchaient lentement mais irrésistiblement.

Nous étions assis, Evalie et moi, à côté de sa tente. Elle rompit un long silence.

— Tu es triste, Leif... pourquoi ?

— Non pas triste, Evalie... je m'interroge, simplement.

— Moi aussi, je m'interroge. Est-ce sur le même sujet ?

— Comment le saurais-je, moi qui ne connais rien de ton esprit ?

Elle se leva d'un mouvement brusque.

— Tu aimes regarder les forgerons. Allons-y !

Je redressai la tête, frappé par la colère contenue dans sa voix. Ses sourcils froncés formaient une ligne droite au-dessus d'yeux brillants, presque dédaigneux.

— Pourquoi es-tu fâchée, Evalie ? Qu'est-ce que j'ai fait ?

— Je ne suis pas fâchée et tu n'as rien fait. (Elle tapa du pied :) Je dis que tu n'as... rien fait ! Allons voir les forgerons.

Elle s'éloigna. Je me levai d'un bond et la suivis. Qu'avait-elle donc ? J'avais fait quelque chose qui l'avait irritée, c'est certain, mais quoi ? Bah ! je l'apprendrais tôt ou tard. Et j'aimais en effet regarder travailler les forgerons. Debout près de leurs petites enclumes, ils forgeaient les couteaux recourbés comme des faucilles, les têtes de flèche et les pointes de lance, ou modelaient les boucles d'oreilles et les bracelets d'or pour leurs minuscules compagnes.

Tink-a-tink ! tink-a-tink ! cling-clang ! cling-a-tink !... chantaient leurs petits marteaux.

Ils se tenaient devant leur enclume comme des gnomes, à part qu'ils n'étaient pas difformes. C'étaient des hommes en miniature, parfaitement conformés, dont la peau avait un reflet d'or dans la lumière qui déclinait ; leur longue chevelure était enroulée autour de leur tête, leurs yeux ambrés restaient rivés sur l'objet qu'ils travaillaient. J'oubliai Evalie et sa colère et les contemplai comme toujours avec fascination.

Tink-a-tink ! cling-clang ! clink...

Les petits marteaux s'immobilisèrent en l'air ; les petits forgerons s'étaient figés sur place. Du nord accourait le bourdonnement d'un vaste gong, un coup hardi qui semblait résonner au-dessus de nos têtes. Un autre suivit, puis un autre et un autre encore. Une rafale de vent gémit sur la plaine, l'air s'assombrit, les voiles de fumée vaporeuse frissonnèrent et se rapprochèrent.

Au fracas des gongs succéda un chant puissant, entonné par de nombreuses voix ; le chant avançait et reculait, s'enflait et s'amenuisait selon que le vent forçait et tombait, forçait encore pour retomber selon un rythme cadencé. Sur tous les remparts, les tambours des sentinelles battirent l'alarme.

Les petits forgerons laissèrent choir leur marteau et coururent aux gîtes. Toute la plaine était en émoi, bouillonnait du mouvement des pygmées dorés qui couraient vers les falaises ou l'escarpe arrondie pour y renforcer les garnisons.

A travers le chant puissant, le son d'autres tambours se fit entendre. Je le reconnus... c'était le roulement des cymbales ouigoures, les tambours de guerre. Et je reconnus le chant — c'était le chant de guerre, l'hymne de combat des Ouigours.

Non, pas des Ouigours... pas les pauvres diables aux vêtements rapiécés à la tête desquels j'avais quitté l'oasis !

Le chant de guerre de l'ancienne race ! La grande race... l'Ayjire !

La vieille race ! La mienne !

Je connaissais ce chant — oui, je le connaissais bien ! Que de fois je l'avais entendu au temps jadis... quand je marchais au combat... *Par Zarda des Lances altérées... par Zarda dieu des guerriers, l'entendre à nouveau est aussi délicieux que boire pour un assoiffé !*

Le sang me battait dans les oreilles... j'ouvris la bouche pour entonner ce chant à pleine gorge...

— Leif ! Leif ! Que se passe-t-il ?

Les mains d'Evalie étaient sur mes épaules, me secouaient. Je dardai sur elle un regard furieux, sans comprendre, sur le moment. J'éprouvai une curieuse perplexité mêlée de colère. Qui était cette fille brune qui m'empêchait de partir pour la guerre ? Et soudain l'obsession me quitta. Elle me laissa tremblant, ébranlé comme par quelque bref orage de l'esprit. Je posai les mains sur celles qui tenaient mes épaules et leur contact me ramena à la réalité. Je vis de la stupeur dans les yeux d'Evalie — et un peu de crainte. Autour de nous, un cercle de petits hommes me contemplait.

Je m'ébrouai, haletai à la recherche de ma respiration.

— Leif ! Que se passe-t-il ?

Avant que j'aie pu répondre, chant et tambours furent noyés dans un grondement d'orage. Coups de tonnerre sur coups de tonnerre retentissaient et se répercutaient au-dessus de la plaine, repoussant, anéantissant les sons venus du nord — tonnant plus fort qu'eux, roulant par-dessus, les dispersant.

Je regardai autour de moi avec égarement. Tout le long des falaises, les pygmées dorés, par vingtaines, battaient de hauts tambours qui leur venaient jusqu'à la taille. C'est de ces tambours que provenaient les grondements, les éclatements et les détonations assourdissantes accompagnant l'éclair de la foudre qui tombe et les réverbérations tonitruantes qui suivent.

Les Tambours du Tonnerre du Petit Peuple !

Les tambours battaient, battaient toujours, et pourtant, à travers l'écran de toute leur gamme de roulements, les rythmes du chant de guerre et des autres tambours perçaient... comme des coups de lance... comme un piétinement de chevaux et d'hommes en marche... *par Zarda, la vieille race avait conservé sa force...*

Un cercle des petits hommes dansait autour de moi. Une autre ronde s'y joignit. Derrière eux, je vis Evalie qui m'observait avec de grands yeux surpris. Et autour d'elle s'était campé un autre cercle de pygmées dorés, les flèches pointées, les cimeterres à la main.

Pourquoi me regardait-elle ?... Pourquoi les armes des petits hommes me visaient-elles ?... Et pourquoi dansaient-ils ? C'était une danse étrange... cela vous donnait sommeil de la regarder... qu'était-ce que cette léthargie qui m'envahissait ?... Dieu ! que j'avais sommeil ! Tellement sommeil que mes oreilles percevaient à peine les Tambours du Tonnerre... tellement sommeil que je n'entendais rien d'autre... tellement sommeil...

Je me rendis vaguement compte que j'étais tombé à genoux, puis à plat ventre, sur le doux gazon... puis je dormis.

Je m'éveillai, tous les sens en alerte. Les tambours battaient autour de moi. Non pas les Tambours du Tonnerre mais des tambours qui chantaient, des tambours qui palpitaient et chantaient selon un rythme étrange et joyeux qui fit courir mon sang à la même cadence et en accord avec sa gaieté. Ces notes chantantes et palpitantes agissaient sur moi comme de minuscules coups de fouet qui me ranimaient, me réchauffaient, m'insufflaient une vitalité exubérante.

Je me levai d'un bon. J'étais sur un tertre élevé, rond comme un sein de femme. Sur toute la plaine, il y avait des lumières, de petits foyers ardents, autour des minuscules autels des pygmées. Et des tambours qui battaient. Autour des foyers et des autels, les pygmées dansaient et bondissaient comme l'incarnation de petites flammes de vie dorées. Encerclant le tertre où je me tenais, une triple ronde de nains, hommes et femmes, serpentait, s'enroulait, ondulait.

Leur danse et le refrain des tambours ne faisaient qu'un.

Une douce brise parfumée soufflait sur le tertre. Elle bourdonnait au passage — et son chant était parent de la danse et du tambour. La file se déroulait vers l'extérieur, tournait, s'enroulait sur elle-même, revenait, tournait : les pygmées dorés dansaient autour du tertre. Et toujours en rond, dans un sens puis dans l'autre, ils tournaient autour des autels qu'environnait un cercle de feu.

J'entendis une voix douce et basse qui chantait sur la même cadence la même chanson que les tambours, qui chantait la danse du Petit Peuple.

Près de moi, il y avait un autre tertre semblable au mien — ils se dressaient au-dessus de la plaine comme deux seins de femme. Lui aussi était encerclé par les nains dansant.

A son sommet chantait et dansait Evalie.

Son chant était l'âme du chant des tambours et de la danse — sa danse était la sublimation de l'un et de l'autre. Elle dansait sur le tertre — sans ceinture ni voiles arachnéens, vêtue seulement du manteau soyeux et ondoyant de ses cheveux noirs à reflets bleus.

Elle me fit signe et elle m'appela — un appel lancé d'une voix haute et douce.

Le souffle du vent odorant me poussa vers elle quand je descendis en courant de mon tertre.

Les pygmées qui dansaient s'écartèrent pour me livrer passage. Le battement des tambours s'accéléra ; leur chant monta d'une octave.

Evalie descendit en dansant à ma rencontre... elle était près de moi, ses bras autour de mon cou, ses lèvres pressées contre les miennes...

Les tambours battirent plus vite. Mes pulsations s'accordèrent à leur rythme.

Les deux rondes de petites flammes de vie jaunes se rejoignirent. Elles devinrent un seul cercle tournoyant qui nous poussa en avant. Elles tourbillonnaient sans trêve autour de nous, nous entraînant toujours plus avant au rythme des tambours. Je cessai de penser — la pulsation des tambours, le chant des tambours, la danse-chant s'étaient emparés de moi.

Cependant j'avais encore conscience que le vent odorant nous poussait toujours, caressant, murmurant, riant.

Nous arrivions devant un seuil ovale. Les tresses soyeuses et parfumées d'Evalie volèrent dans le vent et me caressèrent. Plus loin et derrière nous, les tambours chantaient. Et le vent nous pressait toujours de continuer...

Brise et tambours nous firent franchir le seuil du roc en forme de dôme.

Ils nous avaient conduits dans le temple du Petit Peuple...

La mousse tendre luisait... la croix d'améthyste brillait...

Les bras d'Evalie se nouaient autour de mon cou... je la serrai contre moi... le contact de ses lèvres sur les miennes était celui du doux feu secret de vie...

Le silence régnait dans le temple du Petit Peuple. Leurs tambours s'étaient tus. Diffuse était la clarté de la croix ansée dressée au-dessus du puits du Kraken.

Evalie remua et cria dans son sommeil. J'effleurai ses lèvres et elle s'éveilla.

— Que se passe-t-il, Evalie ?

— Leif, mon bien-aimé... je rêvais qu'un faucon blanc essayait de me plonger son bec dans le cœur !

— Ce n'était qu'un rêve, Evalie !

Elle frissonna ; elle se souleva et se pencha sur moi si bien que sa chevelure enveloppa nos visages.

— Tu as chassé le faucon... mais alors un loup blanc est survenu... qui a sauté sur moi.

— Ce n'était qu'un rêve, Evalie — brillante flamme de mon cœur.

Elle se courba un peu plus vers moi sous la tente de ses cheveux, sa bouche près de la mienne.

— Tu as chassé le loup. Et je voulais t'embrasser mais une tête s'est interposée entre les nôtres...

— Une tête, Evalie ?

Elle chuchota :

— Celle de Lur ! Elle s'est moquée de moi... alors tu es parti avec elle... et je suis restée seule...

— Voilà bien un rêve mensonger ! Dors, bien-aimée.

Elle soupira. Il y eut un long silence ; puis, d'une voix somnolente :

— Qu'est-ce donc que tu portes autour de ton cou, Leif ? Quelque chose qu'une femme t'a donné et à quoi tu tiens ?

— Rien qui vienne d'une femme, Evalie, crois-moi.

Elle m'embrassa... et dormit.

Fou que j'étais de ne pas l'avoir mise au courant à ce moment-là, dans l'ombre de l'antique symbole... Fou que j'étais, je n'ai rien dit.

4

SUR LE PONT DE NANSUR

Quand nous sommes sortis du temple, au matin, une cinquantaine d'anciens, hommes et femmes, nous attendaient patiemment au-dehors. J'ai pensé que c'étaient les mêmes qui m'avaient suivi dans le rocher en dôme quand j'y étais entré la première fois.

Les petites femmes entourèrent Evalie. Elles avaient apporté des voiles et l'en enveloppèrent de la tête aux pieds. Evalie s'éloigna au milieu d'elles sans me dire un mot ou me jeter un coup d'œil. Cela se fit d'une façon très cérémonieuse ; elle avait tout à fait l'air d'une jeune mariée emmenée par ses demoiselles d'honneur miniature quelque peu avancées en âge.

Les petits hommes se groupèrent autour de moi. Sri était du nombre. J'en fus heureux, car, quels que fussent les doutes des autres à mon égard, j'étais sûr que lui n'en avait aucun. Ils m'ordonnèrent de les suivre et j'obéis sans discuter.

Il pleuvait et l'atmosphère avait à la fois l'humidité et la chaleur propres à la jungle. Le vent soufflait par rafales régulières, rythmées, comme la veille au soir. Cela ressemblait moins à de la pluie qu'à une condensation de l'air ambiant en larges gouttes, sauf quand survenait une bourrasque, alors la pluie tombait en lignes presque horizontales. L'air était comme un vin parfumé. J'avais envie de chanter et de danser. Le tonnerre grondait tout autour — pas le tonnerre des tambours, le vrai, celui de l'orage.

J'étais seulement vêtu d'un pantalon et d'une chemise. J'avais délaissé mes bottes qui me montaient au genou pour des sandales. Il ne me fallut guère plus d'une minute pour être trempé jusqu'aux os. Nous arrivâmes près d'une mare d'eau fumante ; nous y avons fait halte. Sri me dit de me déshabiller et de m'y plonger.

L'eau était très chaude et revigorante ; je me mis à barboter et je me sentis aller de mieux en mieux. Je me dis que, quelles que fussent les arrière-pensées des petits hommes quand ils m'avaient poussé dans le temple en compagnie d'Evalie, ils avaient été exorcisés de la peur que je leur inspirais — du moins pour le moment. Mais je croyais avoir deviné ce qu'ils avaient en tête. Ils soupçonnaient que Khalk'ru exerçait un certain pouvoir sur moi, comme sur le peuple auquel je ressemblais. Peut-être seulement dans une très petite mesure, mais indéniable quand même. Alors le remède, puisqu'ils ne pouvaient pas me tuer sans briser le cœur d'Evalie, était de m'enclouer comme ils l'avaient fait pour le Kraken qui est le symbole de Khalk'ru. Ils m'avaient enchaîné avec Evalie.

Je sortis de l'eau plus pensif que je ne m'y étais plongé. Ils drapèrent un pagne autour de moi, avec des plis et des nœuds bizarres. Puis ils se mirent à triller, gazouiller, rire et danser.

Sri s'était chargé de mes habits et de ma ceinture. Comme je ne tenais pas à les perdre, je l'ai suivi de près. Nous n'avons pas tardé à nous arrêter devant la grotte-gîte d'Evalie.

Au bout d'un moment, il y eut un grand brouhaha, des chants et des roulements de tambours, puis Evalie parut, entourée d'une foule de petites femmes qui dansaient. Elles la conduisirent vers l'endroit où j'attendais. Puis hommes et femmes s'éloignèrent en dansant.

Ce fut tout. La cérémonie, si c'en était une, était finie. Pourtant je me sentis on ne peut plus marié.

Je baissai les yeux pour regarder Evalie. Elle leva la tête vers moi, l'air grave. Ses cheveux n'étaient plus libres mais astucieusement tressés autour de sa tête, de ses oreilles et de son cou. Plus de draperies enveloppantes : elle portait le petit tablier des matrones pygmées et les voiles argentés arachnéens. Elle rit, me prit par la main et nous entrâmes dans la grotte.

Le lendemain, à la fin de l'après-midi, nous entendîmes une fanfare de trompettes résonner tout près. Elles sonnèrent fort et longtemps comme pour appeler quelqu'un. Nous sommes sortis sous la pluie pour mieux écouter. Je remarquai que le vent avait sauté du nord à l'ouest et soufflait avec puissance et régularité. J'avais fini par apprendre que l'acoustique était bizarre au Pays du Mirage et que déterminer la distance qui nous séparait des trompettes était impossible. Elles se trouvaient sur l'autre berge de la rivière, bien sûr, mais à quelle distance de la rivière était la pente fortifiée des pygmées, cela je l'ignorais. Il y eut un certain remue-ménage sur le rempart, mais pas d'affolement.

Puis une dernière sonnerie de trompettes retentit, rauque et ironique. Elle fut suivie d'un éclat de rire moqueur rendu encore plus irritant du fait que c'était un rire humain. Il me tira d'un seul coup de mon indifférence. Je vis rouge.

— Cela, dit Evalie, c'est Tibur. Je suppose qu'il

est allé à la chasse avec Lur. Je crois qu'il riait... de toi, Leif.

Elle avait relevé son nez délicat d'un air dédaigneux, mais elle me regardait flamber de colère avec un sourire malicieux au coin des lèvres.

— Ecoute, Evalie, qui est-ce au juste, Tibur ?

— Je te l'ai dit. C'est Tibur le Forgeron et il gouverne les Ayjirs avec Lur. Il vient toujours quand je monte sur Nansur. Nous avons bavardé ensemble... souvent. Il est très fort... oh ! d'une force !

— Oui, dis-je encore plus agacé. Et pourquoi Tibur va-t-il là-bas quand tu y es ?

— Voyons, parce qu'il me désire, bien sûr, répliqua-t-elle tranquillement.

Mon aversion pour Tibur le Rieur augmenta.

— Il ne rira pas si jamais j'ai une chance de l'attaquer, marmonnai-je.

— Qu'est-ce que tu dis ? demanda-t-elle.

Je traduisis, de mon mieux. Elle hocha la tête et commença une phrase. Soudain je vis ses pupilles se dilater, ses yeux s'emplir de terreur. J'entendis un bruissement d'ailes au-dessus de moi.

Un grand oiseau était sorti de la brume. Il planait à quinze mètres au-dessus de nous et nous dévisageait avec des yeux jaunes au regard sinistre. Un grand oiseau, un oiseau blanc...

Le faucon blanc de la Sorcière !

Je repoussai vivement Evalie dans la grotte et observai l'animal. Il décrivit par trois fois un cercle puis, avec un cri, remonta à grands coups d'ailes dans les bancs de brume et disparut.

J'entrai retrouver Evalie. Elle était tapie sur le lit de fourrures. Elle avait dénoué ses cheveux qui ruisselaient sur ses épaules et la voilaient comme un manteau. Je me penchai sur elle et les écartai. Elle pleurait. Elle mit ses bras autour de mon cou et m'attira tout contre elle. Je sentais son cœur battre comme un tambour près du mien.

— Evalie, mon aimée — il n'y a pas de quoi avoir peur.

— Le... faucon blanc, Leif !
— Ce n'est qu'un oiseau.
— Non... Lur l'a envoyé.
— Quelle bêtise, mon amour aux cheveux noirs. Les oiseaux volent à leur fantaisie. Celui-ci chassait... ou bien il a perdu son chemin dans le brouillard.
Elle secoua la tête.
— Mais, Leif... j'ai rêvé d'un faucon blanc...
Je resserrai mon étreinte et, au bout d'un instant, elle se dégagea et me sourit. Mais le reste de la journée ne se passa pas précisément dans la gaieté. Et, pendant la nuit, ses rêves furent troublés. Elle se cramponnait à moi, pleurait et murmurait dans son sommeil.

Jim revint le lendemain. J'avais un peu appréhendé son retour. Qu'allait-il penser de moi ? J'avais eu tort de me tracasser. Il ne se montra nullement surpris quand je le mis au courant. Puis je m'avisai que les pygmées avaient naturellement dû communiquer entre eux avec leurs tambours et en avaient discuté avec lui.
— Parfait, dit Jim quand j'eus fini. Si tu ne sors pas d'ici, c'est la meilleure solution pour vous deux. Si tu pars, tu emmèneras Evalie avec toi... ou bien la laisseras-tu ?
Cela me piqua au vif.
— Ecoute, l'Indien... Voilà des façons de parler que je n'admets pas ! Je l'aime.
— D'accord, je vais m'exprimer autrement. Est-ce que Dwayanu l'aime ?
Cette question me fit l'effet d'une gifle. Pendant que je rassemblais mes idées pour répondre, Evalie sortit en courant, se jeta au cou de Jim. Il lui tapota l'épaule et l'étreignit en frère aîné. Elle me regarda, vint à moi et, m'abaissant la tête vers elle, m'embrassa aussi mais pas tout à fait de la même manière.
Je regardai Jim par-dessus la tête d'Evalie. Je me

rendis subitement compte qu'il avait l'air épuisé et hagard.

— Ça va, Jim ?

— Oui. Seulement un peu fatigué. J'ai... vu des choses.

— Que veux-tu dire ?

— Eh bien... (Il hésita :) Eh bien, les tlanusi, les grosses sangsues, pour commencer. Jamais je n'y aurais cru si je ne les avais vues, et si je les avais vues avant que nous plongions dans la rivière, j'aurais choisi de préférence les loups qui, en comparaison, sont d'inoffensives tourterelles.

Il me raconta qu'ils avaient campé ce soir-là à l'autre extrémité de la plaine.

— Ce pays est plus grand que nous ne le pensions, Leif. C'est certain, car j'ai parcouru plus de kilomètres que cela n'aurait été possible s'il avait eu seulement les dimensions que nous lui avions attribuées avant de traverser le mirage. Celui-ci devait fausser la perspective... il nous a induits en erreur.

Le lendemain, ils avaient traversé des bois et de la jungle, des cannaies et des marécages. Ils avaient abouti finalement à un marais couvert de vapeur. Un sentier surélevé le traversait. Ils s'étaient engagés sur ce sentier et avaient fini par en croiser un autre qui le coupait à angle droit. A l'endroit où les deux chaussées se rencontraient, un vaste tertre circulaire et légèrement arrondi émergeait du marais. C'est là que les pygmées avaient fait halte. Ils avaient allumé des feux qu'ils avaient alimenté avec des fagots et des feuilles. Ces foyers dégageaient une fumée dense et odorante qui se répandit lentement sur le marais. Une fois les feux bien flambants, les pygmées commencèrent à tambouriner — sur un rythme curieusement syncopé. Au bout de quelques minutes, Jim avait vu quelque chose bouger dans le marais, près du tertre.

— Il y avait un rang de pygmées entre moi et le bord, dit-il, quand j'aperçus ce qui sortait, j'en fus content. D'abord, la boue se souleva, puis surgit ce que je pris pour le dos d'une énorme limace rouge. Cette limace se redressa et rampa sur la terre ferme. C'était bien une sangsue et pas autre chose, mais j'en fus malade et plus qu'un peu. C'est sa dimension qui me faisait cet effet. Elle avait plus de deux mètres de long et elle gisait là, aveugle et palpitante, bouche bée, écoutant les tambours et inhalant cette fumée odorante. Puis une autre émergea, et une autre encore. Au bout d'un moment, elles étaient une centaine groupées en demi-cercle, leurs têtes sans yeux toutes tournées vers nous — aspirant la fumée, palpitant au rythme des tambours.

» Plusieurs pygmées se levèrent, ramassèrent des branches incandescentes dans le foyer et s'éloignèrent par la chaussée transversale en jouant du tambour. Les autres étouffèrent les feux. Les sangsues rampèrent à la suite des porteurs de torches. Les autres pygmées leur emboîtèrent le pas, poussant ce troupeau devant eux. Je restai à l'arrière-garde. Nous avons avancé jusqu'à la berge de la rivière. Ceux qui étaient en tête cessèrent de battre du tambour. Ils jetèrent leurs branches incandescentes et fumantes dans l'eau, où ils précipitèrent des poignées de baies écrasées — pas celles dont Sri et Sra nous avaient enduits. Des baies rouges. Les grosses sangsues franchirent la berge en se tortillant et plongèrent dans la rivière, attirées, je suppose, par la fumée et l'odeur des baies. En tout cas, elles ont plongé — de la première à la dernière.

» Nous sommes revenus sur nos pas et nous avons quitté le marais. Notre camp a été établi à sa lisière. Toute cette nuit-là, les pygmées ont fait parler les tambours. Ils l'avaient déjà fait la veille et ils étaient mal à l'aise. J'ai pensé qu'ils étaient toujours tracassés par la même inquiétude qu'au moment du départ. Ils devaient être au courant de ce qui se préparait, mais ils ne m'en ont rien dit à ce moment-là. Hier matin, cependant, ils étaient gais et insouciants. J'ai compris que quelque chose avait dû se produire — qu'ils avaient reçu sans doute de bonnes nouvelles pendant la nuit. Ils étaient si bien disposés qu'ils m'ont dit ce qui les rendait tellement joyeux. Pas dans les mêmes termes que toi, mais le sens était le même... (Il eut un petit rire :) Ce matin, nous avons rassemblé une centaine d'autres tlanusi et nous les avons mises là où le Petit Peuple estime qu'elles rendront le plus service. Puis nous avons pris le chemin du retour — et me voici.

— Oui, dis-je avec méfiance. Et c'est tout ?

— Pour ce soir, en tout cas, répliqua-t-il. J'ai sommeil. Je vais aller me coucher. Toi, accompagne Evalie et laisse-moi tranquille jusqu'à demain.

Je le laissai dormir, résolu à découvrir le lendemain matin ce qu'il ne m'avait pas dit. A mon avis, le voyage et les sangsues ne me paraissaient pas suffire pour justifier son air hagard.

Mais, le lendemain matin, je n'y pensai plus.

Pour commencer, quand je me suis réveillé, Evalie avait disparu. J'allai à la tente chercher Jim. Il n'y était pas. Les petits hommes avaient depuis longtemps déserté les falaises et étaient au travail ; ils travaillaient toujours le matin — l'après-midi et le soir, ils jouaient, battaient du tambour et dansaient. Ils me dirent qu'Evalie et Tsantawu étaient en conseil avec les anciens. Je retournai à la tente.

Peu après Evalie et Jim me rejoignirent. Elle était blême et il y avait de l'affolement dans ses yeux. Ils étaient brouillés de larmes aussi. Par-dessus le marché, elle était à cran. Jim s'efforçait de son mieux d'avoir l'air gai.

— Qu'est-ce qui se passe ? questionnai-je.

— Tu vas devoir faire un petit tour, dit Jim. Tu avais envie de voir le pont de Nansur, n'est-ce pas ?

— Oui, répliquai-je.

— Eh bien, c'est là que nous allons. Mieux vaut mettre tes habits de voyage et tes bottes. Si la piste ressemble à celle que je viens de parcourir, tu en auras besoin. Le Petit Peuple peut se glisser à travers n'importe quoi, mais nous ne sommes pas bâtis sur le même modèle.

Je les examinai, déconcerté. Oui, j'avais souhaité voir le pont de Nansur — mais pourquoi le fait de devoir nous y rendre provoquait-il chez eux une réaction si bizarre ? Je m'approchai d'Evalie et tournai son visage vers le mien.

— Tu as pleuré, Evalie. Qu'est-ce qui ne va pas ?

Elle secoua la tête, se dégagea de mon étreinte et entra dans la grotte. Je la suivis. Penchée sur un coffre, elle en sortait des mètres et des mètres de voiles. Je l'attirai en arrière en la faisant pivoter sur elle-même et la soulevai jusqu'à ce que ses yeux soient à la hauteur des miens.

— Qu'est-ce qui ne va pas, Evalie ?

Une idée me frappa. Je posai Evalie par terre.

— Qui a suggéré cette promenade au pont de Nansur ?

— Le Petit Peuple... les anciens... je m'y suis opposée. Je ne voulais pas que tu y ailles... ils disent qu'il le faut...

— Il faut que j'y aille ? (L'idée se précisait :) Alors toi, tu n'as pas besoin de venir... ni Tsantawu. A moins que tu ne choisisses ?

— Qu'ils essaient donc de m'empêcher de t'accompagner !

Elle tapa du pied avec fureur.

L'idée se précisait de façon éclatante et je com mençai à éprouver une certaine irritation à l'égard des petits hommes. Ils se montraient précautionneux au point d'en être exaspérants. Je comprenais maintenant très bien pourquoi je devais aller au pont de Nansur. Les pygmées n'étaient pas certains que leur magie — y compris Evalie — avait eu tout l'effet désiré. Par conséquent, je devais aller regarder la demeure de l'ennemi — et l'on observerait mes réactions. Eh bien, c'était assez juste, en somme. Peut-être la Sorcière y serait-elle. Peut-être Tibur.. Tibur qui désirait Evalie... Tibur qui s'était moqué de moi...

Je brûlai soudain d'envie d'aller au pont de Nansur.

Je commençai à enfiler mes vêtements. Comme j'attachais mes bottes, je jetai un coup d'œil à Evalie. Elle avait enroulé ses cheveux et les avait recouverts d'un bonnet ; elle s'était enveloppée jusqu'aux genoux dans ses voiles et elle était en train de lacer de hautes sandales qui lui couvraient les pieds et les jambes aussi complètement que mes bottes. Elle eut un petit sourire devant mon air étonné.

— Je n'aime pas que Tibur me regarde... pas maintenant, dit-elle.

Je me penchai pour la prendre dans mes bras. Elle appliqua ses lèvres sur les miennes dans un baiser qui les meurtrit...

Quand nous sortîmes, Jim et une cinquantaine de pygmées nous attendaient.

En quittant les falaises, nous sommes partis vers le nord en direction de la rivière, traversant la plaine en diagonale. Nous avons franchi la pente fortifiée près d'une des tours, aboutissant à un sentier étroit pareil à celui que nous avions emprunté pour venir dans le Pays du Petit Peuple. Il serpentait justement à travers une fougeraie du même genre. Nous avancions à la file indienne et, forcément, en silence. Nous avons quitté la fougeraie pour entrer dans une forêt de conifères très rapprochés les uns des autres, au milieu desquels la piste décrivait de tortueuses sinuosités. Nous avons marché dans cette forêt pendant plus d'une heure, sans nous reposer une seule fois ; les pygmées, infatigables, trottinaient d'un pas vif. Je regardai ma montre. Nous étions en route depuis quatre heures et nous avions parcouru, calculai-je, une vingtaine de kilomètres. Nous n'avions vu ni oiseaux ni autres animaux.

Evalie semblait absorbée dans ses pensées et Jim était en proie à l'un de ses accès de taciturnité indienne. Je ne me sentais pas d'humeur loquace. Ce fut un voyage silencieux ; les pygmées dorés eux-mêmes ne bavardaient pas comme ils le faisaient d'ordinaire. Nous sommes arrivés près d'une source scintillante et nous y avons bu. Un des nains ramena devant lui son petit tambour cylindrique et se mit à tambouriner un message. D'autres battements de tambours lointains finirent par lui répondre.

Nous sommes repartis. Les conifères s'espacèrent. A notre gauche, très bas au-dessous de nous, j'apercevais maintenant de temps à autre la rivière blanche et la forêt épaisse sur la berge d'en face. Les conifères cessèrent et nous débouchâmes sur un plateau rocailleux. Juste devant nous se dressait un éperon de falaise au pied duquel coulait la rivière blanche. Cet éperon bouchait complètement la perspective. Les pygmées s'arrêtèrent et tambourinèrent un autre message. La réponse fut étonnamment proche. Puis, au détour de la falaise, à mi-hauteur, des fers de lance étincelèrent. Un groupe de petits guerriers postés là nous observaient. Ils nous firent signe et nous avançâmes, traversant le terrain découvert.

Une grande route escaladait le côté de la falaise, assez large pour que six chevaux y marchent de front. Nous l'avons gravie. Quand nous fûmes au sommet, je vis le pont de Nansur et Karak la fortifiée.

Jadis, il y a de cela des milliers ou des centaines de milliers d'années, une petite montagne avait occupé le fond de la vallée. Nanbu, la rivière blanche, l'avait rongée — tout entière, sauf une veine de roche noire adamantine.

Nanbu s'était enfoncée de plus en plus, rongeant sans cesse la pierre plus tendre jusqu'à ce qu'elle fût enjambée par un pont qui ressemblait à un arc-en-ciel de jais. Ce gigantesque arc de roche noire traçait au-dessus de l'abîme la courbe d'une flèche en plein vol.

Sa base, de chaque côté, était une *mesa* — sculptée dans la montagne comme l'avait été Nansur.

La *mesa*, au bord de laquelle je me tenais, était nue. Mais de l'autre côté de la rivière, au-dessus du plateau de la *mesa*, se dressait un énorme édifice quadrangulaire de la même roche noire que l'arc de Nansur. Il paraissait moins bâti sur le roc que taillé dedans. J'estimai qu'il s'étendait sur environ cent trente hectares. Il était coiffé de tours et de tourelles, tant rondes que carrées. C'était une forteresse.

Il y avait quelque chose dans cette immense citadelle d'ébène qui me donna la même impression de déjà vu que j'avais ressentie quand j'avais pénétré à cheval dans les ruines de l'oasis du Gobi. Je me dis aussi qu'elle ressemblait à cette ville de Dis que Dante avait aperçue dans l'Enfer. Et son ancienneté lui faisait comme un vêtement de deuil.

Puis je vis que Nansur était brisé. Entre l'arche qui jaillissait du côté où nous nous trouvions et l'arche qui s'élançait au flanc de la citadelle noire, il y avait un vide. C'était comme si quelque gigantesque marteau avait été abattu sur l'arc et l'avait rompu au centre. Je songeai au Pont de Bifrost que les Walkyries parcourent à cheval pour conduire au Walhalla les âmes des guerriers ; et je songeai qu'avoir brisé le pont de Nansur était aussi sacrilège que de briser Bifrost.

Autour de la citadelle il y avait d'autres bâtiments, des centaines de bâtiments en dehors des remparts — des édifices de pierre grise et brune avec des jardins, et cela sur des hectares. Et de chaque côté de cette cité s'étendaient des champs fertiles et des vergers en fleurs. Une large route s'étirait jusqu'à de lointaines falaises voilées par les brumes vertes. Il me sembla distinguer à son extrémité l'entrée sombre d'une caverne.

— Karak ! chuchota Evalie. Et le pont de Nansur ! Oh ! Leif, mon bien-aimé !... mais mon cœur est lourd... si lourd !

Je regardais Karak et l'entendis à peine. Des souvenirs furtifs avaient commencé à s'éveiller. Je les étouffai et passai mon bras autour d'Evalie. Nous avançâmes et je compris pourquoi cet emplacement avait été choisi pour bâtir Karak. De l'autre côté, la citadelle noire commandait les deux bouts de la vallée ; et quand Nansur était encore intact, elle commandait aussi cette autre voie d'accès.

J'éprouvai soudain un désir fiévreux de courir sur Nansur pour contempler Karak depuis l'endroit où le pont était rompu. La lenteur des pygmées m'irrita. Je m'élançai en avant. Les guerriers se regroupèrent autour de moi, la tête levée dans ma direction, chuchotant entre eux, m'étudiant de leurs yeux jaunes. Des tambours se mirent à battre.

De la citadelle, des trompettes leur répondirent.

Je marchai encore plus vite vers Nansur. Ma fièvre de curiosité était devenue dévorante. J'avais envie de courir. J'écartai de mon chemin les pygmées dorés avec impatience. La voix de Jim me parvint, me mettant en garde.

— Du calme, Leif !... du calme !

Je n'en tins pas compte. Je montai sur le pont de Nansur. J'eus vaguement conscience qu'il était large et que des parapets peu élevés protégeaient ses bords, que la pente de la pierre était calculée pour qu'y passent des chevaux et des hommes. Et que si la rivière blanche l'avait façonné, la main de l'homme avait parachevé sa forme.

J'atteignis le bout de l'arche rompue. A trente mètres au-dessous de moi, la rivière blanche courait paisiblement. Il n'y avait pas de serpents. Un corps rouge sombre pareil à une limace, monstrueux, se dressa au-dessus du flot laiteux ; un autre l'imita, puis un autre encore, leur gueule ronde béante — les sangsues du Petit Peuple qui montaient la garde.

Entre les remparts de la citadelle noire et le bout du pont s'étendait une vaste place. Elle était vide. De massives portes de bronze étaient enchâssées dans les remparts. Un frémissement bizarre me parcourut, ma gorge se serra. J'oubliai Evalie, j'oubliai Jim ; j'oubliai tout en regardant ces portes.

Il y eut une sonnerie de trompettes plus retentissante, un tintement de barres métalliques et les portes s'ouvrirent. Une compagnie en sortit au galop, conduite par deux cavaliers, l'un monté sur un grand cheval noir, l'autre sur un cheval blanc. Ils traversèrent la place à bride abattue, se jetèrent à bas de leurs montures et s'engagèrent à pied sur le pont. Ils se campèrent en face de moi, dont les séparaient quinze mètres de vide.

Le cavalier au cheval noir était la Sorcière et l'autre, je compris que c'était Tibur le Forgeron — Tibur le Rieur. Je n'eus pas un regard alors pour la Sorcière ou sa suite. Je n'avais d'yeux que pour Tibur.

Il avait une tête de moins que moi, mais une force égale ou supérieure à la mienne s'affirmait dans sa carrure monumentale, son corps massif. Ses cheveux roux tombaient en nappe lisse jusqu'à ses épaules. Il avait une barbe rousse. Ses yeux étaient d'un bleu violet et des rides de rire plissaient le coin de ses paupières ; la grande bouche molle était une bouche rieuse. Mais le rire qui avait gravé ces traits sur le masque de Tibur n'était pas de nature à réjouir celui qui l'entendait.

Il portait une cotte de mailles. Le long de son flanc pendait un énorme maillet d'armes. Il plissa les paupières et m'examina de haut en bas et de bas en haut avec une expression moqueuse. La haine que j'avais éprouvée pour Tibur avant de l'avoir vu n'était rien auprès de celle que je ressentais maintenant.

Mon regard se porta vers la Sorcière. Elle me dévorait de ses yeux qui avaient la couleur du bleuet ; absorbée, intriguée... amusée. Elle aussi portait une cotte de mailles, sur laquelle retombaient ses tresses rousses. Ceux qui étaient groupés derrière Tibur et la Sorcière n'étaient pour moi qu'une masse confuse.

Tibur se pencha en avant.

— Bienvenue... Dwayanu ! cria-t-il ironiquement. Qu'est-ce qui t'a fait sortir de ton trou ? Mon défi ?

— Est-ce toi que j'ai entendu donner de la voix hier ? répliquai-je. Hé !... tu as su prendre tes distances avant de te mettre à aboyer, chien roux !

Un rire monta du groupe qui entourait la Sorcière et je vis qu'il se composait de femmes au teint clair et aux cheveux roux comme elle, et qu'il y avait deux hommes de haute taille auprès de Tibur. Mais la Sorcière ne dit rien, elle continua à m'examiner d'un regard curieusement méditatif.

Le visage de Tibur s'assombrit. Un de ses compagnons se pencha pour lui chuchoter quelque chose. Tibur hocha la tête et avança d'un air avantageux. Il me cria :

— Tes vagabondages t'ont ils amolli, Dwayanu ? Selon l'antique coutume, par l'épreuve ancienne, nous devons le vérifier avant de te reconnaître... grand Dwayanu. Attention !...

Sa main s'abaissa vers le marteau d'armes à son côté. Il le lança sur moi.

Le marteau fendit l'air dans ma direction comme un boulet — et pourtant il paraissait approcher lentement. Je vis même la courroie qui le reliait au bras de Tibur se déployer en l'air...

Des petites portes s'ouvraient dans mon cerveau... l'antique épreuve... Hé ! je connaissais ce tour... j'attendis sans bouger comme le prescrivait l'antique coutume... mais on aurait dû me donner un bouclier... peu importe... comme ce grand marteau d'armes semblait approcher avec lenteur... et il me sembla que la main que je brandissais pour l'attraper se levait tout aussi lentement...

Je le saisis au vol. Il pesait bien vingt livres ; pourtant je l'empoignai carrément, sans effort, par son manche de métal. Hé ! ce tour-là, est-ce que je ne le connaissais pas ?... Les petites portes s'ouvraient plus vite maintenant... et j'en connaissais un autre. De ma main libre j'agrippai la courroie qui reliait le marteau d'armes au bras de Tibur et tirai à moi d'un coup sec.

Le rire se figea sur le visage de Tibur. Il chancela au bord du pont brisé de Nansur. J'entendis derrière moi les acclamations aiguës des pygmées...

La Sorcière sectionna la lanière d'un coup de poignard. D'une bourrade, elle repoussa Tibur en arrière. La rage m'envahit.. ce n'était pas régulier...

dans l'antique épreuve, seuls devaient s'affronter le lanceur du défi et son adversaire.

Je brandis l'énorme marteau, le fis tourner autour de ma tête et le lançai sur Tibur ; il fendit l'air en sifflant et la courroie tronquée fila tout droit à sa suite. Tibur se rejeta de côté, mais pas assez vite. Le marteau le heurta à l'épaule. Il ricocha seulement, mais le fit néanmoins tomber.

Et ce fut mon rire à moi qui résonna au-dessus du gouffre.

La Sorcière s'était penchée en avant, l'incrédulité remplaçant le calcul dans son regard. Elle ne s'amusait plus. Non ! Et Tibur se releva brusquement sur un genou, dardant sur moi un regard furieux, les rides creusées par le rire et crispées dans une expression qui n'indiquait aucune sorte de gaieté.

Cependant d'autres portes, des portes minuscules, s'ouvraient dans mon cerveau... Ils ne voulaient pas croire que j'étais Dwayanu... Hé ! j'allais leur montrer. Je plongeai dans ma poche de ceinture. Déchirai le sachet de peau de daim. Sortis l'anneau de Khalk'ru. Je le tins en l'air. La lumière verte scintilla dessus. La pierre jaune sembla se dilater. La pieuvre noire grandir...

— Est-ce que je suis Dwayanu ? Regardez ça ! Suis-je Dwayanu ?

J'entendis une femme crier — je connaissais cette voix. Et j'entendis un homme appeler, m'apostropher — et cette voix je la connaissais aussi. Les petites portes se refermèrent en claquant, les souvenirs qui en étaient sortis y replongèrent avant qu'elles soient closes...

Voyons, c'était Evalie qui criait ! Et Jim qui m'apostrophait ! Qu'est-ce qui leur prenait ? Evalie me faisait face, les bras écartés. Et il y avait de l'incrédulité, de l'horreur — et du dégoût — dans les yeux bruns rivés sur moi. Les petits hommes les entouraient en rangs serrés — formant un rempart entre eux et moi. Leurs lances et leurs flèches étaient pointées dans ma direction. Ils sifflaient comme une horde de serpents dorés, le visage déformé par la haine, les yeux fixés sur l'anneau de Khlak'ru que je brandissais toujours au-dessus de ma tête.

Je vis alors cette haine se refléter sur le visage d'Evalie — et l'aversion grandir dans ses yeux.

— Evalie ! m'écriai-je et je voulus bondir vers elle... Les mains des pygmées se rejetèrent en arrière pour donner l'élan au jet des lances ; les flèches frémirent sur les arcs.

— Ne bouge pas, Leif ! Je viens !

Jim bondit en avant. Aussitôt les pygmées se ruèrent autour de lui. Il vacilla et s'écroula sous leur masse.

— Evalie ! criai-je de nouveau.

Je vis l'aversion s'effacer et le chagrin envahir son visage. Elle cria un ordre.

De chaque côté d'elle, une vingtaine de pygmées s'élancèrent, jetant de côté leurs arcs et leurs lances tout en fonçant vers moi. Hébété, je les regardais approcher ; parmi eux, j'aperçus Sri.

Ils me heurtèrent comme de petits béliers vivants. Je fus précipité à la renverse. Mon pied battit l'air...

Accrochés à mes jambes, les pygmées me harcelaient comme des terriers. Je basculai par-dessus le bord du Nansur.

LE LIVRE DE LA SORCIÈRE

1

KARAK

J'eus assez de présence d'esprit pour lever les bras au-dessus de ma tête, si bien que je tombai les pieds les premiers. J'y fus aidé aussi par les pygmées cramponnés à mes jambes. Quand je touchai l'eau, je m'enfonçai comme une pierre. On dit toujours qu'un homme qui se noie revoit son existence entière en quelques secondes, comme un film qui se déroule à reculons. Je n'en dirais pas autant, mais ce que je sais c'est que le temps de ma plongée dans les profondeurs de Nanbu et de ma remontée à la surface, j'ai réfléchi plus vite que cela ne m'était jamais arrivé.

Tout d'abord, j'ai compris qu'Evalie avait donné l'ordre de me précipiter du haut du pont. Cela me rendit fou de rage. Pourquoi n'avait-elle pas patienté pour me donner une chance de lui raconter d'où venait cet anneau ? Puis je songeai à toutes les occasions où j'aurais pu m'expliquer — et que j'avais laissé passer. Je pensai aussi que les pygmées n'étaient pas d'humeur à attendre et qu'Evalie avait retenu leurs lances et leurs flèches, me permettant de m'enfuir, quand bien même ce ne serait pas loin. Puis je m'avisai de la folie que j'avais commise en exhibant l'anneau à ce moment-là, et je ne pouvais guère blâmer le Petit Peuple de me croire un émissaire de Khalk'ru. Je revis le chagrin dans les yeux d'Evalie et ma rage s'éteignit dans la bouffée de peine qui m'accabla à mon tour.

Après quoi, tout à fait hors de propos, l'idée me vint que les jeux de maillet de Tibur expliquaient l'antique dieu Thor des Scandinaves avec son marteau Mjolnir, le Démolisseur, qui revenait toujours dans sa main après qu'il l'eut lancé — pour faire plus miraculeux, les scaldes avaient négligé de mentionner le détail pratique de la lanière ; c'était encore un point commun entre les Ouigours ou Ayjirs et les Aesars — j'en parlerais à Jim. Puis je me dis que je ne pourrais plus retourner vers Jim pour lui parler de cela ou de n'importe quoi d'autre parce que, en admettant même que je réussisse à revenir sur leur rive de Nanbu, les pygmées me guetteraient certainement et me rejetteraient tout aussi sûrement au milieu des sangsues. A cette pensée, je fus inondé de sueur froide, si tant est que ce soit possible quand on est complètement immergé dans l'eau. Je préférais de beaucoup finir sous les lances et les flèches du Petit Peuple ou même le marteau de Tibur, plutôt que d'être vidé de ma substance par ces bouches suceuses.

C'est alors que je réapparus à la surface de Nanbu, battis l'eau un instant, en m'éclaircissant la vue, et aperçus le dos rouge limace d'une sangsue qui glissait dans ma direction à moins de six mètres. Je jetai autour de moi un coup d'œil désespéré. Le courant qui était rapide m'avait entraîné à plusieurs centaines de mètres en aval du pont. De plus, il m'avait porté vers la berge de Karak, qui semblait distante d'environ cent cinquante mètres. Je me retournai pour faire face à la sangsue. Elle approchait sans se presser, comme si elle était sûre de m'avoir. Je projetai de plonger sous elle et de tenter de gagner le rivage... si toutefois il n'y en avait pas d'autres...

J'entendis un gazouillis aigu. Sri passa comme une flèche à côté de moi. Il leva un bras et me désigna Karak. Visiblement, il me disait d'aller là-bas aussi vite que je pourrais. Je l'avais complètement oublié, à part un bref mouvement de colère quand il s'était joint à mes assaillants. Je comprenais maintenant mon injustice à son égard. Il nagea droit sur la grosse sangsue et lui assena une claque près de la bouche. La créature se pencha sur lui et le câlina littéralement avec son mufle. Je n'attendis pas d'en voir plus et m'élançai en nageant vers la rive aussi vite que mes bottes me le permettaient.

Le bain n'avait rien d'agréable, oh ! non ! L'eau était sillonnée d'un fourmillement de dos rouges. Ce fut uniquement grâce à Sri que j'échappai aux sangsues. Il revint en hâte décrire des cercles autour de moi tandis que je tirais ma coupe ; il écarta les sangsues.

Je sentis le fond sous mes pieds et escaladai des rochers pour me mettre à l'abri sur la berge. Le pygmée doré me lança un dernier appel. Ce qu'il dit, je ne le compris pas. Je restai là, essayant de retrouver mon souffle, et le vis fendre l'eau blanche comme un poisson volant doré, une demi-douzaine de dos de limaces rouges filant dans son sillage.

Je levai la tête vers le pont de Nansur. L'extrémité appartenant au Petit Peuple était bondée de pygmées pressés contre les parapets, qui me regardaient. L'autre côté était vide. J'inspectai les alentours. Je me trouvais dans l'ombre des remparts de la citadelle noire. Ils se dressaient, lisses, imprenables, à trente mètres au-dessus du sol. Entre eux et moi s'étendait une large place semblable à celle que Tibur et la Sorcière avait traversée à cheval quand ils étaient sortis des portes de bronze. Elle était bordée de maisons de pierre trapues, sans étage ; il y avait beaucoup de petits arbres en fleurs. Derrière cette haie de maisons étaient disséminées d'autres demeures plus grandes, plus prétentieuses, plus écartées les unes des autres. Pas très loin de moi, et occupant une partie de la place, s'étendait un marché fixe en plein air.

Des maisons adjacentes et du marché jaillissait une foule de gens qui se dirigeaient vers moi. Ils approchaient rapidement, mais ils approchaient en silence — sans se parler, sans faire de gestes ni s'appeler, leur attention braquée uniquement sur moi. Je voulus prendre mon automatique et jurai en me rappelant que je ne le portais plus depuis des jours. Quelque chose étincela sur ma main...

L'anneau de Khalk'ru ! J'avais dû le glisser sur mon pouce quand les pygmées s'étaient rués sur moi. Eh bien ! l'anneau m'avait conduit ici. Son effet sur ces gens ne serait sûrement pas moindre que sur ceux qui m'avaient défié de l'autre côté du pont brisé. En tout cas, je n'avais rien d'autre. Je le tournai de façon que la pierre soit dissimulée dans ma main.

La foule était maintenant très près. Elle se composait en majeure partie de femmes mûres, d'adolescentes et de fillettes. Elles portaient toutes le même vêtement, une tunique qui leur descendait au genou et laissait le sein droit découvert. Sans exception, elles avaient des cheveux roux et des yeux bleus, une peau blanche comme du lait et d'un rose délicat, elles étaient grandes, fortes et très bien faites. On aurait pu les prendre pour des jeunes filles et des mères de Vikings venues accueillir quelque drakkar de retour d'une expédition maritime. Les enfants étaient de petits anges aux yeux bleus. Je cherchai les hommes ; il n'y en avait guère, une douzaine peut-être. Eux aussi avaient une chevelure rousse et les yeux bleus. Les plus âgés portaient une barbe courte, les jeunes étaient rasés de près. Ils avaient plusieurs centimètres de moins que la plupart des femmes. Aucun, homme ou femme, n'était aussi grand que moi — il s'en fallait bien d'une demi-tête. Ils n'étaient pas armés.

Ils s'arrêtèrent à quelques mètres et me contemplèrent en silence. Leurs regards me parcoururent, s'immobilisèrent sur mes cheveux blonds et restèrent fixés dessus.

Un remous se produisit à la lisière de l'attroupement. Une douzaine de femmes fendirent la foule et s'approchèrent. Elles étaient vêtues de courtes tuniques ; une épée était passée dans leur ceinture et elles avaient des javelots à la main ; au contraire des autres, leur poitrine était couverte. Elles m'encerclèrent, les javelots dressés, de si près que leurs pointes m'effleuraient presque.

Les yeux bleus étincelants de leur chef étaient hardis, plus semblables à ceux d'un soldat qu'à ceux d'une femme.

— L'étranger aux cheveux blonds ! Luka nous veut du bien aujourd'hui !

La femme qui était à côté d'elle se pencha et lui parla bas, mais je l'entendis quand même.

— Tibur nous en donnerait plus que Lur.

Le chef secoua la tête.

— Trop dangereux. Nous jouirons plus longtemps de la récompense de Lur.

Elle me détailla de la tête aux pieds sans vergogne.

— C'est un crime de le laisser perdre, dit-elle.

— Compte sur Lur pour savoir quoi en faire, rétorqua l'autre cyniquement.

Le chef me poussa du bout de son javelot et désigna le rempart de la citadelle.

— En route, Blondin, dit-elle. Dommage que tu ne puisses pas me comprendre. Sinon je t'aurais donné un bon conseil... avec contrepartie, bien entendu.

Elle me sourit et me poussa de nouveau. J'avais bonne envie de lui rendre son sourire ; elle ressemblait tout à fait au sergent dur à cuire à qui j'avais eu affaire pendant la guerre. Je pris au contraire un air sévère pour répliquer.

— Amène-moi Lur avec une escorte convenable, ô femme dont la langue rivalise avec les baguettes de tambour.

Elle en resta bouche bée et laissa échapper son javelot. De toute évidence, si l'ordre avait été donné de me rechercher, le fait que je parlais le ouigour avait été passé sous silence.

— Convoque immédiatement Lur, dis-je, ou par Khalk'ru...

Je n'achevai pas la phrase. Je fis tourner l'anneau et levai la main.

Un cri de terreur inarticulé monta de la foule des badauds. Ils s'agenouillèrent, la tête courbée très bas. La femme-soldat blêmit et elle et ses compagnes mirent le genou en terre. A ce moment, des barres grincèrent. Un énorme bloc se rabattit dans le rempart de la citadelle non loin de nous. Par l'ouverture, comme si mes paroles les avaient évoqués, la Sorcière surgit à cheval avec Tibur à son côté et, derrière eux, venait le petit groupe qui m'avait regardé sur le pont de Nansur.

Ils s'arrêtèrent et contemplèrent avec surprise la foule agenouillée. Puis Tibur donna un coup d'éperon à son cheval ; la Sorcière le rattrapa par le bras et ils se parlèrent. La femme-soldat me toucha le pied.

— Permets que nous nous relevions, Seigneur ! dit-elle.

Je hochai la tête et elle se redressa d'un bond en lançant un mot à ses femmes. De nouveau elles m'encerclèrent. Je lus de la peur dans les yeux de leur chef — et une supplication. Je lui souris.

— N'aie crainte, je n'ai rien entendu, chuchotai-je.

— Alors tu as une amie en Dara, répondit-elle sur le même ton. Par Luka... ils nous feraient bouillir pour ce que nous avons dit !

— Je n'ai rien entendu, répétai-je.

— Un service en vaut un autre, souffla-t-elle. Si

jamais tu te bats avec Tibur, prends garde à sa main gauche.

Le petit groupe s'était mis en route ; il avançait lentement dans ma direction. Quand il se rapprocha, je vis que Tibur était sombre et qu'il maîtrisait difficilement sa colère. Il immobilisa son cheval à la lisière de l'attroupement. Sa colère tomba sur les assistants ; pendant un instant, je crus qu'il allait les piétiner.

— Debout, vermine ! rugit-il. Depuis quand s'agenouille-t-on devant d'autres que les maîtres de Karak ?

Ils se relevèrent et se tassèrent les uns contre les autres d'un air affolé tandis que la cavalcade passait au milieu d'eux. Je levai les yeux vers la Sorcière et le Rieur.

Tibur me dévisagea d'un œil furibond tout en commençant à dégager sa masse d'armes ; les deux gaillards qui l'avaient encadré sur le pont se rapprochèrent insensiblement de moi, sabre en main. La Sorcière se taisait ; elle m'étudiait mais avec une certaine impersonnalité cynique que je jugeai inquiétante ; manifestement, elle ne s'était pas encore fait d'opinion sur mon compte et attendait un mot ou un geste de moi qui la guidât. La situation ne me plaisait guère. Si cela devait finir en bagarre, j'aurais peu de chances contre trois cavaliers, sans compter les femmes-soldats. J'avais l'impression que la Sorcière ne tenait pas à ce que je sois tué tout de suite, mais elle pouvait bien se décider trop tard à me secourir — et d'ailleurs je n'avais pas le moindre désir d'être assommé, ligoté et emporté comme prisonnier dans Karak.

Je commençais aussi à brûler d'un ressentiment irraisonné contre ces gens qui osaient me barrer le chemin, à *moi*, qui osaient m'empêcher, *moi*, d'avancer sur le chemin que j'avais choisi, à ressentir une arrogance grandissante — en moi s'éveillaient ces mystérieux souvenirs qui m'avaient persécuté depuis que je portais l'anneau de Khalk'ru...

Bah ! ces souvenirs m'avaient été utiles sur le pont de Nansur quand Tibur avait lancé sur moi son marteau d'armes... et qu'est-ce donc qu'avait dit Jim ?... que je laisse faire Dwayanu quand je me trouverais en face de la Sorcière... eh bien ! à lui de jouer... c'était la seule manière... la manière hardie... *l'ancienne manière...*

Je crus avoir entendu ces mots !

J'ouvris tout grand mon esprit aux souvenirs, et à... Dwayanu.

Il y eut une sorte d'infime secousse électrique dans mon cerveau, puis quelque chose comme une vague monta à l'assaut de cet esprit conscient qui était Leif Langdon. Je réussis à la repousser avant qu'elle ait entièrement submergé cet esprit. Elle recula mais à regret — et elle ne recula pas loin. Peu importe du moment qu'elle ne déferlait pas sur moi... J'écartai les soldats et marchai sur Tibur. Ce qui s'était produit avait dû laisser sa marque sur mon visage, avait dû me changer. Le doute envahit le regard de la Sorcière, Tibur lâcha son marteau et fit reculer son cheval. Je parlai, et ma voix coléreuse résonna bizarrement à mes propres oreilles.

— Où est mon cheval ? Où sont mes armes ? Où sont mon étendard et mes lanciers ? Pourquoi les tambours et les trompettes sont-ils muets ? Est-ce ainsi que Dwayanu est accueilli quand il vient dans une cité des Ayjirs ? Par Zarda, c'est intolérable !

La Sorcière prit alors la parole, avec un accent moqueur dans sa voix claire et profonde comme une cloche, et je sentis que l'emprise que j'avais acquise sur elle, si petite qu'elle fût, s'était dissipée.

— Retiens ta main, Tibur ! Je vais parler à... Dwayanu. Et toi — si tu es Dwayanu — tu ne peux guère nous blâmer. Bien du temps s'est écoulé depuis que des yeux humains se sont posés sur toi... et jamais personne ne t'a vu dans ce pays. Comment pourrions-nous donc te reconnaître ? Et quand nous t'avons aperçu la première fois, les petits chiens jaunes t'ont entraîné loin de nous. Par la suite, quand nous t'avons revu, les petits chiens jaunes t'ont précipité vers nous. Si nous ne t'avons pas accueilli comme Dwayanu a le droit de s'y attendre de la part d'une cité des Ayjirs, il est également vrai qu'aucune cité des Ayjirs n'a encore été visitée ainsi par Dwayanu.

Eh bien, c'était juste, admirablement raisonné, lucide et tout. Le Leif Langdon qui était en moi — et qui engageait une lutte plutôt désespérée pour garder le contrôle de sa personne — en convenait. Et pourtant ma colère irraisonnée grandit. Je levai l'anneau de Khalk'ru.

— Tu ne connais peut-être pas Dwayanu... mais tu connais ceci.

— Je sais que tu l'as en ta possession, répliqua-t-elle avec calme. Mais je ne sais pas comment tu l'as obtenu. En soi, il ne prouve rien.

Tibur se pencha en avant, avec un large sourire.

— Dis-nous donc d'où tu viens. Es-tu un bâtard de Sirk ?

Un murmure courut dans la foule. La Sorcière se pencha à son tour en fronçant les sourcils. Je l'entendis murmurer d'un ton presque méprisant :

— Ta force n'a jamais été dans ta tête, Tibur !

Je répondis néanmoins à Tibur.

— Je viens, dis je froidement, de la Mère Patrie des Ayjirs. De la terre qui a vomi tes ancêtres frissonnants, crapaud rouge !

Je jetai un coup d'œil à la Sorcière. La réponse l'avait frappée, c'était évident. Je vis son corps se roidir, ses yeux bleus comme le bleuet s'écarquiller et s'assombrir, ses lèvres rouges s'entrouvrir ; ses femmes se penchèrent l'une vers l'autre en chuchotant, tandis que grossissaient les murmures de la foule.

— Tu mens ! tonna Tibur. Rien ne vit dans la Mère Patrie ! Il n'y a de vie nulle part ailleurs qu'ici ! Khalk'ru a aspiré toute vie de la Terre, sauf d'ici ! Tu mens !

Sa main plongea vers son marteau d'armes.

Soudain, je vis rouge ; un halo pourpre de brume rouge enveloppa le monde. Le cheval de l'homme le plus rapproché de moi était un noble animal. Je l'avais remarqué — un étalon rouan, fort comme l'étalon noir qui m'avait porté quand j'étais parti de l'oasis du Gobi. Je levai le bras, le saisis à la mâchoire et le forçai à s'agenouiller. Pris par surprise, son cavalier bascula en avant, passa par-dessus sa tête et s'affala à mes pieds. Il se releva avec une prestesse de chat, l'épée pointée sur moi. Je lui attrapai le bras avant qu'il frappe et je brandis mon poing gauche. Mon poing l'atteignit à la mâchoire, sa tête se renversa brutalement en arrière et il s'écroula. Je ramassai vivement l'épée et sautai à califourchon sur le dos du cheval qui se redressait. Avant que Tibur ait eu le temps d'esquisser une parade, j'avais posé la pointe de l'épée sur sa gorge.

— Arrête ! J'admets que tu es Dwayanu ! Suspends ton bras !

C'était la voix de la Sorcière, basse, presque chuchotante.

Je ris. J'appuyai plus fort l'épée sur la gorge de Tibur.

— Suis-je Dwayanu... ou un bâtard de Sirk ?

— Tu es... Dwayanu ! gémit-il.

Je ris encore.

— Je suis Dwayanu ! Alors, guide-moi dans Karak pour te faire pardonner ton insolence, Tibur !

J'écartai l'épée de sa gorge.

Oui, je la retirai — et, par tous les dieux fous confondus dans mon cerveau alors en plein désarroi, comme je regrette de ne pas l'avoir enfoncée dans la gorge de Tibur !

Mais je ne l'ai pas fait et cette belle occasion a été perdue. Je m'adressai à la Sorcière :

— Chevauche à ma droite, et que Tibur passe devant.

L'homme que j'avais assommé s'était relevé, chancelant. Lur dit un mot à une de ses femmes.

Celle-ci mit pied à terre et, secondée par l'autre courtisan de Tibur, l'aida à monter sur son propre cheval.

Notre cavalcade traversa la place et entra dans les remparts de la citadelle noire.

2

DANS LA CITADELLE NOIRE

Les barres qui fermaient la porte se rabattirent avec fracas derrière nous. Le passage dans le rempart était spacieux et sur toute sa longueur, qui était grande, s'alignaient des soldats, des femmes pour la plupart. Ils me regardaient avec des yeux surpris, mais ils étaient bien disciplinés, car ils nous saluaient de l'épée sans prononcer un mot.

En sortant des remparts, nous nous trouvâmes sur une immense place carrée dominée par la haute masse de roc noir de la citadelle. Elle était pavée et nue ; cinq cents soldats environ y étaient réunis, là encore des femmes pour la plupart et toutes du même type bien charpenté, aux yeux bleus et aux cheveux roux. Elle avait au moins quatre cents mètres de côté, cette place carrée. En face de l'endroit d'où nous étions venus, il y avait un groupe de cavaliers, de la même classe que ceux qui nous accompagnaient, du moins à ce qu'il me sembla. Ils étaient réunis près d'un portail aménagé dans les remparts et nous nous dirigeâmes vers eux au trot.

Au tiers du parcours, nous passâmes à côté d'une fosse circulaire d'une trentaine de mètres de diamètre dans laquelle de l'eau bouillonnait à grosses bulles et d'où montait de la vapeur. Une source chaude, pensai-je ; je sentais sa chaleur. Tout autour, il y avait de sveltes colonnes de pierre d'où jaillissait un bras pareil à celui d'une potence ; à son extrémité pendaient de fines chaînes. C'était, d'une façon indéfinissable, désagréable et sinistre. J'en eus le cœur serré. Quelque chose de mon sentiment dut se peindre sur mon visage, car Tibur déclara d'un ton désinvolte :

— Notre marmite.

— Elle n'est pas très pratique pour qu'on y puise du bouillon, dis-je.

Je croyais qu'il plaisantait.

— Ah ! mais la viande que nous y mettons à cuire n'est pas celle que nous mangeons, répliqua-t-il d'un ton plus désinvolte encore.

Et son rire retentit.

Je compris alors ce qu'il voulait dire et je fus un peu écœuré. C'était de la chair humaine torturée que ces chaînes étaient destinées à tenir ; elles la descendaient lentement, centimètre par centimètre, dans ce chaudron du diable. Mais je me contentai de hocher la tête d'un air indifférent et continuait à avancer.

La Sorcière ne nous avait pas prêté attention ; sa tête rousse penchée, elle était plongée dans ses réflexions. Toutefois, de temps à autre, je la surprenais à me jeter un coup d'œil de côté. Nous approchions du portail. Elle fit signe à ceux qui attendaient là, une vingtaine de femmes et de jeunes filles et une demi-douzaine d'hommes, tous roux. Ils mirent pied à terre. La Sorcière se pencha vers moi pour me murmurer :

— Tourne l'anneau de façon que le chaton soit masqué.

J'obéis sans poser de question.

Nous arrivâmes au portail. J'examinai le groupe qui s'y trouvait. Les femmes étaient vêtues de la tunique qui laissait un sein dévoilé ; leurs jambes disparaissaient dans un pantalon très ample serré aux chevilles ; elles portaient une large ceinture dans laquelle étaient passées deux épées, une longue et une courte. Les hommes avaient une blouse vague et le même pantalon bouffant ; dans leur ceinture, en plus des armes blanches — ou plutôt accroché à leur ceinture — il y avait un marteau d'armes semblable à celui du Forgeron, mais plus petit. Les femmes qui m'avaient entouré quand j'avais émergé de Nanbu étaient belles, mais celles-ci étaient infiniment plus séduisantes, plus fines, avec, imprimée sur elles, la marque de la race, ce qui manquait aux autres. Elles me considéraient avec le même air de franche appréciation que la femme-soldat et son lieutenant ; leurs regards se posèrent sur mes cheveux blonds et y restèrent fixés, comme fascinés. Sur tous les visages se devinait la même cruauté latente que sur la bouche voluptueuse de Lur.

— Nous laissons nos chevaux ici, dit la Sorcière, pour nous rendre là où nous pourrons... faire mieux connaissance.

Je hochai la tête comme tout à l'heure, avec indifférence. Je m'étais dit que j'avais commis un acte bien téméraire en me lançant seul au milieu de ces gens ; mais je m'étais dit aussi que je n'avais pas d'autre choix, à part Sirk, et j'ignorais totalement où cela se trouvait ; et qu'au cas où j'aurais tenté d'y aller j'aurais été un hors-la-loi pourchassé de ce côté-ci de Nanbu la blanche comme de l'autre. La partie de moi-même qui était Leif Langdon pensait cela — mais celle qui était Dwayanu ne raisonnait pas du tout de la même façon. Elle attisait la flambée de témérité, l'arrogance qui m'avaient si bien servi jusque-là ; chuchotant que nul parmi les Ayjirs n'avait le droit de me questionner ou de me barrer la route, murmurant avec une insistance croissante que j'aurais dû être accueilli par le salut des étendars, les roulements des tambours et les fanfares des trompettes. Le moi qui était Leif Langdon répliqua que la seule chose à faire était de continuer comme j'avais commencé, que c'était la carte à jouer, la ligne à suivre, la seule solution. Et l'autre moi, anciens souvenirs, ou réveil de Dwayanu, ou suggestion posthypnotique du vieux prêtre du Gobi, demandait avec impatience pourquoi je mettais en doute jusqu'à moi-même, insistant sur le fait que ce n'était pas une plaisanterie mais la vérité ! Et qu'il ne supporterait pas beaucoup plus l'insolence de ces chiens dégénérés de la Grande Race — ni de couardise de ma part !

Je sautai donc à bas de mon cheval et regardai de mon haut avec arrogance les visages tournés vers le mien, de mon haut au sens littéral du terme car j'avais au moins dix centimètres de plus que le plus grand d'entre les assistants. Lur m'effleura le bras. Encadré par elle et Tibur, je franchis le portail et entrai dans la citadelle noire.

C'était un vaste vestibule que celui que nous traversâmes et il était chichement éclairé par des meurtrières tout en haut de la muraille de pierre polie. Nous passâmes devant des groupes de femmes-soldats qui nous saluaient en silence ; nous croisâmes de nombreux couloirs. Nous arrivâmes enfin devant une grande porte qui était gardée et — là — Lur et Tibur renvoyèrent leur escorte. La porte pivota lentement ; nous entrâmes et elle se referma lentement derrière nous.

Ce que je vis d'abord, ce fut le Kraken.

Il s'étalait sur une des parois de la salle où nous venions de pénétrer. Mon cœur bondit quand je l'aperçus et, pendant un instant, j'eus du mal à dominer mon envie de tourner les talons et de m'enfuir. Puis je me rendis compte que la silhouette du Kraken était une mosaïque fixée dans la pierre noire. Ou plutôt que l'espace jaune où il se déployait était une mosaïque et que le Poulpe Noir avait été taillé à même le roc de la paroi. Ses yeux noirs de jais au regard insondable me regardaient avec cette expression de méchanceté latente que les pygmées dorés étaient parvenus à capter si parfaitement dans le symbole enchaîné à l'intérieur du rocher creux.

Quelque chose remua au-dessous du Kraken. Un visage encapuchonné de noir m'examinait. Sur le moment, j'eus l'impression que c'était le vieux prêtre du Gobi, puis je constatai que cet homme n'était pas aussi âgé, que ses yeux étaient d'un bleu intense, que sa figure était dépourvue de rides, froide et blanche et impassible comme si elle avait été sculptée dans du marbre. Je me rappelai alors ce qu'Evalie m'avait raconté et je compris que ce devait être Yodin, le Grand Prêtre. Il était assis sur une espèce de trône, derrière une longue table basse où se trouvaient des rouleaux semblables aux papyrus des Egyptiens, et des cylindres de métal rouge qui devaient être, pensai-je, leurs étuis. De chaque côté, il y avait un autre de ces sièges, en forme de trône.

Il leva une main maigre et blanche pour me faire signe d'approcher.

— Viens à moi... toi qui dis t'appeler Dwayanu.

La voix était aussi froide et inexpressive que la physionomie, mais courtoise. Je crus réentendre le vieux prêtre quand il m'avait appelé. Je m'avançai, plutôt comme quelqu'un qui fait une concession à une personne qui n'est pas exactement son égale que comme quelqu'un qui obéit à un ordre. Et c'est précisément le sentiment que j'avais. Il dut percevoir ma pensée, car je vis une ombre de colère passer sur son visage. Ses yeux me scrutèrent.

— Tu possèdes un certain anneau, m'a-t-on dit.

Avec cette même impression de condescendre au désir d'un inférieur, je retournai le chaton de l'anneau du Kraken et tendis la main vers lui. Il regarda l'anneau et son visage pâle perdit son impassibilité. Il plongea la main dans sa ceinture et en retira une boîte d'où il sortit un autre anneau qu'il plaça à côté du mien. Je constatai qu'il n'était pas aussi gros et que la monture était un peu différente. Yodin étudia les deux anneaux, puis, avec un hoquet de surprise, s'empara de mes mains et les retourna pour examiner les paumes. Il les lâcha et se radossa à son fauteuil.

— Pourquoi es-tu venu à nous ? demanda-t-il.

Une houle d'irritation me submergea.

— Est-ce que Dwayanu reste debout comme un messager ordinaire pendant qu'on le questionne ? dis-je avec rudesse.

Je fis le tour de la table et me laissai choir dans un des fauteuils à côté de lui.

— Qu'on apporte à boire, car j'ai soif. Tant que ma soif ne sera pas étanchée, je ne parlerai pas.

Une faible rougeur teinta sa face blême ; un grognement s'échappa de la bouche de Tibur. Il était devenu cramoisi et dardait sur moi des regards furieux ; la Sorcière me dévisageait d'un œil attentif d'où toute moquerie avait disparu ; son expression calculatrice s'était accentuée. Je m'avisai que le trône que je venais d'usurper était celui de Tibur. J'éclatai de rire.

— Prends garde, Tibur ! dis-je. C'est peut-être un présage !

Le Grand Prêtre intervint d'une voix apaisante.

— S'il est réellement Dwayanu, Tibur, alors aucun honneur n'est trop grand pour lui. Fais apporter du vin.

Le coup d'œil que le Forgeron lança à Yodin me parut contenir une question. La Sorcière dut en avoir aussi conscience, car elle s'écria :

— Je vais m'en occuper.

Elle se dirigea vers la porte, l'ouvrit et donna un ordre à un garde. Elle attendit. Le silence régna parmi nous pendant qu'elle attendait. Je réfléchissais à bien des choses. Je songeais, par exemple, que je n'aimais guère le regard échangé entre Tibur et Yodin et que si je pouvais faire confiance à Lur pour le moment... néanmoins elle boirait la première quand le vin serait là. Je songeais aussi que je ne leur raconterais pas grand-chose de la façon dont j'étais venu au Pays-dans-l'ombre. Je songeais à Jim... et à Evalie. Mon cœur se serra et j'éprouvai une sensation cauchemardesque de solitude ; puis je fus conscient du farouche mépris de mon autre moi, et le sentis se rebeller contre les entraves que je lui avais imposées. Le vin arriva enfin.

La Sorcière apporta une aiguière et une coupe qu'elle posa sur la table devant moi. Elle versa du vin doré dans la coupe et me l'offrit. Je lui souris.

— C'est l'échanson qui boit le premier, dis-je. Ainsi en était-il dans l'ancien temps, Lur. Et les vieilles coutumes me sont chères.

Tibur se mordit la lèvre et tira sur sa barbe en entendant cela, mais Lur prit la coupe et la vida. Je la remplis et la levai en regardant Tibur. J'avais un malicieux désir d'asticoter le Forgeron.

— Aurais-tu agi de même si c'est toi qui avais été l'échanson, Tibur ? demandais-je — et je bus.

Ça, c'était du bon vin ! Il me pétilla dans les veines et je sentis mon insouciante témérité bondir comme sous un coup de fouet. Je remplis à nouveau la coupe et l'avalai d'un trait.

— Viens t'asseoir avec nous, Lur ! dis-je. Tibur, approche-toi !

La Sorcière prit place en silence sur le troisième trône. Tibur m'observait, et je vis une nouvelle expression dans ses yeux, analogue à la spéculation furtive que j'avais surprise dans les yeux de Lur. Le regard du prêtre au visage blême était lointain. Je m'avisai que tous trois étaient profondément plongés dans leurs pensées et que Tibur, au moins, commençait à se sentir quelque peu mal à l'aise. Quand il me répondit, sa voix avait perdu toute truculence.

— Très bien... Dwayanu ! répliqua-t-il, et, soulevant un banc, il le porta jusqu'à la table et le plaça de façon à pouvoir surveiller nos visages.

— Je réponds à ta question, dis-je en me tournant

vers Yodin. Je suis venu ici sur l'ordre de Khalk'ru.

— Il est étrange, rétorqua-t-il, que moi qui suis le Grand Prêtre de Khalk'ru, aie tout ignoré d'un tel ordre !

— Les raisons, je ne les connais pas, repris-je d'un ton détaché. Demande-les à celui que tu sers.

Il rumina cette réponse.

— Dwayanu vivait il y a de cela très, très longtemps, dit-il. Avant...

— Avant le Sacrilège. Exact. (J'avalai une nouvelle gorgée de vin :) N'empêche... que je suis ici.

Pour la première fois, sa voix perdit sa fermeté.

— Tu... tu es au courant du Sacrilège ! (Ses doigts m'agrippèrent le poignet :) Homme — qui que tu sois — d'où viens-tu ?

— Je viens, répondis-je, de la Mère Patrie.

Ses doigts se crispèrent autour de mon poignet. Son exclamation se mêla à celle de Tibur.

— La Mère Patrie est une terre morte. Dans sa colère, Khalk'ru en a détruit la vie. Plus rien n'existe qu'ici où Khalk'ru écoute ses serviteurs et permet à la vie de subsister.

Il ne le croyait pas ; je m'en rendis compte au coup d'œil qu'il lança involontairement à la Sorcière et au Forgeron. Eux non plus.

— La Mère Patrie, repris-je, n'est qu'ossements blanchis. Ses villes gisent dans des linceuls de sable. Ses rivières sont sans eau et ce qui court entre leurs berges n'est que le sable chassé par les vents arides. Pourtant il y a toujours de la vie dans la Mère Patrie et, bien que l'antique sang s'y soit appauvri, il coule toujours. Et Khalk'ru est toujours vénéré et craint dans le pays d'où je viens — et, dans d'autres pays, la terre continue à créer la vie comme elle l'a toujours fait.

Je me versai encore du vin. Il était bon, ce vin. Sous son influence, je sentais ma hardiesse augmenter... sous son influence, Dwayanu prenait de la force... bah ! la situation où je me trouvais était critique, alors qu'il reste...

— Montre-moi le pays d'où tu viens ! s'exclama vivement le Grand Prêtre. Il me donna une tablette de cire et un stylet. Je traçai les contours de l'Asie du Nord et de l'Alaska. J'indiquai le Gobi et approximativement l'emplacement de l'oasis — et aussi l'emplacement du Pays-dans-l'ombre.

Tibur se leva pour regarder le dessin ; leurs trois têtes se penchèrent au-dessus. Le prêtre fouilla dans les rouleaux, en prit un et ils le comparèrent avec la tablette. Il ressemblait à une carte, mais, si c'était le cas, le découpage de la côte nord était erroné. Une ligne y était tracée, qui semblait être un itinéraire. Elle était soulignée et surchargée de symboles. Je me demandai si ce n'était pas le trajet accompli par ceux de l'Antique Race quand ils avaient fui le Gobi.

Ils se redressèrent enfin ; du trouble se lisait dans les yeux du prêtre, de l'appréhension coléreuse dans ceux de Tibur, mais le regard de la Sorcière était clair et dépourvu d'inquiétude — comme si elle avait pris sa décision et su exactement ce qu'elle allait faire.

— C'est la Mère Patrie ! s'exclama le prêtre. Dis-moi... vient-il aussi de là, l'étranger aux cheveux noirs qui a fui avec toi de l'autre côté de la rivière et qui t'a regardé être précipité du haut de Nansur ?

La question était empreinte de méchanceté pure. Yodin commençait à me déplaire.

— Non, répliquai-je, il vient d'un vieux pays des Rrrllyas.

Cela fit bondir le prêtre ; Tibur jura d'un ton incrédule ; et même la sérénité de la Sorcière en fut ébranlée.

— Un autre pays... des Rrrllyas ! Mais c'est impossible ! murmura Yodin.

— Cela n'en est pas moins vrai, dis-je.

Il se laissa retomber sur son siège et réfléchit un instant.

— Il est ton ami ?

— Mon frère par l'antique rite du sang de son peuple.

— Il te rejoindra ici ?

— Il me rejoindrait si je l'envoyais chercher. Mais cela, je ne veux pas le faire. Pas encore. Il est bien là où il est.

A peine l'avais-je dit que je le regrettai. Pourquoi, je n'en savais rien. Mais j'aurais donné beaucoup pour rattraper mes paroles.

De nouveau, le prêtre resta silencieux.

— Ce sont d'étranges choses, ce que tu nous racontes, dit-il enfin. Et tu es arrivé chez nous d'une façon bien étrange pour... Dwayanu. Tu ne t'offusqueras donc pas si nous tenons conseil pendant un moment ?

Je regardai dans l'aiguière. Elle était encore à moitié pleine. J'aimais ce vin... surtout parce qu'il atténuait le chagrin que j'éprouvais à cause d'Evalie.

— Discutez aussi longtemps qu'il vous plaira, répondis-je gracieusement.

Ils se retirèrent dans un coin de la salle. Je remplis ma coupe une fois encore, puis une autre fois. J'oubliai Evalie. Je commençais à me trouver bien. Je regrettais que Jim ne fût pas avec moi, mais je regrettais d'avoir dit qu'il viendrait si je l'envoyais chercher. Puis je bus à nouveau et oubliai Jim. Oui, je m'amusais diablement... hé ! attendez donc que je lâche encore un peu la bride à Dwayanu ! Je m'amuserais bien plus... j'avais sommeil... je me demandais ce qu'aurait dit le vieux Barr s'il avait pu être ici avec moi...

Je repris conscience avec un sursaut. Le Grand Prêtre, debout à côté de moi, me parlait. J'eus vaguement l'impression qu'il me parlait depuis un certain temps, mais j'étais incapable de me rappeler à quel sujet. J'avais aussi l'idée que quelqu'un avait voulu toucher à mon pouce. Il était crispé fermement dans ma paume, à tel point que le chaton s'était enfoncé dans la chair. L'effet du vin s'était complètement dissipé. Je jetai un coup d'œil circulaire dans la salle. Tibur et la Sorcière avaient disparu. Pourquoi ne les avais-je pas vus partir ? Avais-je dormi ? J'examinai le visage de Yodin. Il avait l'air tendu, déconcerté ; je perçus aussi cependant une profonde satisfaction. C'était un bizarre mélange d'expressions. Et cela ne me plut pas.

— Les autres sont allés préparer une réception digne de toi, dit-il. Mettre en état une résidence pour toi et te trouver des vêtements convenables.

Je me levai et me campai à côté de lui.

— En tant que Dwayanu ? demandai-je.

— Pas encore, répondit-il avec courtoisie, mais comme un hôte honoré. L'autre représente trop de choses graves pour en décider sans preuve supplémentaire.

— Et cette preuve ?

Il me considéra longuement avant de répondre.

— Que Khalk'ru apparaisse à ta prière !

A ces mots un frisson me parcourut. Il m'observait avec tant d'attention qu'il dut s'en rendre compte.

— Modère ton impatience. (Sa voix était de glace et de miel :) Tu n'auras pas longtemps à attendre. D'ici là je ne te reverrai probablement pas. Entretemps... j'ai une requête à te présenter.

— Qu'est-ce donc ? demandai-je.

— Que tu ne portes pas ouvertement l'anneau de Khalk'ru... excepté, bien entendu, dans les moments où cela te paraîtra nécessaire.

C'était exactement ce que Lur m'avait demandé. Pourtant des vingtaines de gens m'avaient vu avec l'anneau... beaucoup plus devaient savoir que je le possédais. Il devina mon indécision.

— C'est un objet sacré, reprit-il. J'ignorais qu'il en existait un autre quand on m'a dit que tu l'avais montré sur le pont de Nansur. Il n'est pas bon de déprécier des choses sacrées. Je porte le mien seulement lorsque je... le juge nécessaire.

Je me demandai en quelles circonstances il l'estimait... nécessaire. Et je souhaitai vivement savoir en quelles circonstances il pourrait m'être utile. Yodin ne me quittait pas des yeux et j'espérai qu'il n'avait pas lu cette pensée-là.

— Je ne vois pas pourquoi je repousserais cette requête, dis-je. Je fis glisser l'anneau de mon pouce et le mis dans ma poche de ceinture.

— J'étais certain que tu ne refuserais pas, murmura-t-il.

Un léger coup de gong retentit. Il appuya sur le côté de la table et la porte s'ouvrit. Trois jeunes gens vêtus du sarrau du peuple entrèrent et attendirent dans une attitude humble.

— Voici tes serviteurs. Ils vont te conduire à ta résidence, expliqua Yodin.

Il inclina la tête. Je sortis avec les trois jeunes Ayjirs. A la porte, il y avait une garde composée d'une douzaine de femmes et d'un jeune capitaine aux yeux hardis. Elles me saluèrent d'un air martial. Nous suivîmes le corridor et, au bout d'un moment, nous tournâmes dans un autre. Je jetai un coup d'œil en arrière.

Juste à temps pour voir la Sorcière se glisser dans la salle du Grand Prêtre.

Nous arrivâmes devant une autre porte gardée. Elle fut ouverte et je fus introduit dans la pièce, suivi par les trois jeunes gens.

— Nous sommes aussi tes serviteurs, Seigneur ! déclara le capitaine aux yeux hardis. Si tu désires quoi que ce soit, appelle-moi avec ceci. Nous serons à la porte.

Elle me tendit un petit gong de jade, me salua de nouveau et sortit d'un pas militaire.

Cette pièce me parut curieusement familière. Puis je me rendis compte qu'elle ressemblait beaucoup à celle où j'avais été conduit dans l'oasis. C'étaient les mêmes tabourets aux formes curieuses, et les sièges de métal, le même divan large et bas, les murs recouverts de tapisseries, les tapis sur le sol. A ceci près qu'ici il n'y avait aucun signe de décrépitude. Certaines des tapisseries, c'est vrai, avaient subi l'épreuve du temps, mais elles avaient fané merveilleusement ; elles n'avaient ni trous ni déchirures. Les autres étaient d'un tissage magnifique mais paraissaient aussi fraîches que si elles sortaient du métier. Les tentures anciennes avaient pour motifs les mêmes scènes de chasse et de guerre que les draperies en loques de l'oasis ; les plus récentes s'ornaient de scènes du Pays-sous-le-Mirage. Le pont de Nansur se dressait intact sur l'une d'elles, une autre racontait une bataille avec les pygmées, une autre encore représentait la forêt aux fantastiques beautés — avec les loups blancs de Lur qui se faufilaient à travers les arbres. J'eus l'impression que quelque chose détonnait. Je regardai longtemps avant de découvrir ce que c'était. Dans la chambre de l'oasis, il y avait les armes de son antique propriétaire, ses sabres et ses lances, son heaume et son bouclier ; dans celle-ci, il n'y avait pas une arme. Je me souvins que j'avais emporté l'épée du compagnon de Tibur dans la salle du Grand Prêtre. Je ne l'avais plus.

Un certain malaise m'envahit peu à peu. Je me tournai vers les trois jeunes Ayjirs et commençai à déboutonner ma chemise. Ils s'avancèrent silencieusement et se mirent à me dévêtir. Et soudain je fus pris d'une soif dévorante.

— Apporte-moi de l'eau, dis-je à l'un des jeunes gens.

Il ne me prêta aucune attention.

— Apporte-moi de l'eau, répétai-je, pensant qu'il n'avait pas entendu. J'ai soif !

Il continua tranquillement à m'ôter une botte. Je lui touchai l'épaule.

— Apporte-moi de l'eau pour boire ! dis-je sur un ton énergique.

Il leva la tête et me sourit, ouvrit la bouche et la désigna du doigt. Il n'avait pas de langue. Il désigna ses oreilles. Je compris qu'il me disait être à la fois sourd et muet. Je montrai ses deux compagnons. Il hocha la tête.

Mon malaise augmenta un peu plus. Etait-ce là une coutume des maîtres de Karak ? Ce trio avait-il été spécialement adapté pour servir non seulement en silence mais avec une discrétion totale les hôtes de marque ? Hôtes... ou prisonniers.

Je toquai du doigt contre le gong. La porte s'ouvrit aussitôt et le jeune capitaine s'y encadra, en saluant.

— J'ai soif, dis-je. Apporte de l'eau !

Pour toute réponse, elle traversa la pièce et tira de côté une des draperies. Derrière se trouvait une vaste et profonde alcôve. Dans le sol était aménagé un petit bassin où courait de l'eau claire et, à côté, il y avait une vasque de porphyre d'où jaillissait un jet d'eau pareil à une minuscule fontaine. Elle prit dans une niche un gobelet qu'elle remplit sous le jet et me tendit. L'eau était fraîche et pétillante.

— Désires-tu autre chose, Seigneur ? questionna-t-elle.

Je secouai la tête et elle sortit d'un pas rapide.

Je retournai aux soins des trois sourds-muets. Ils enlevèrent le reste de mes vêtements et commencèrent à me masser avec une espèce d'huile légère et volatile. Pendant qu'ils s'affairaient ainsi, mon esprit se mit à fonctionner avec une certaine activité. Tout d'abord l'emplacement douloureux dans ma paume raviva le sentiment que quelqu'un avait tenté d'enlever l'anneau de mon pouce. Ensuite, plus j'y songeais, plus s'ancrait en moi la certitude qu'avant que je me réveille ou sorte de ma distraction ou de mon ivresse, ou de je ne sais quoi, le prêtre au visage blême avait parlé, parlé, me posant des questions, sondant mon esprit engourdi. Et, en troisième lieu, j'avais perdu presque entièrement le merveilleux mépris des conséquences qui m'avait conduit si heureusement là où j'étais — en fait, j'étais beaucoup trop Leif Langdon et pas assez Dwayanu.

Qu'avait cherché à savoir le prêtre avec son flot de paroles et de questions... et qu'avais-je dit ?

M'arrachant aux mains de mes masseurs, je courus à mon pantalon et fouillai ma ceinture. L'anneau y était toujours. Je cherchai mon vieux sachet. Il avait disparu. Je frappai le gong. Le capitaine survint. J'étais nu comme un ver, mais, pour moi, ce n'était pas une femme.

— Ecoute, dis-je, apporte du vin. Et apporte aussi une boîte solide qui ferme bien, assez grande pour contenir un anneau. Apporte également une chaîne robuste pour que je puisse suspendre la boîte autour de mon cou. Tu as compris ?

— Ce sera fait dans l'instant, Seigneur ! dit-elle.

Elle ne tarda pas à revenir. Elle posa l'aiguière dont elle était chargée et prit sous sa tunique un médaillon fixé à une chaîne de métal. Elle appuya sur le déclic d'ouverture.

— Cela convient-il, Seigneur ?

Je me détournai pour placer l'anneau de Khalk'ru dans le médaillon. Il y logeait à merveille.

— On ne peut mieux, dis-je, mais je n'ai rien à te donner en échange.

— T'avoir contemplé est une récompense suffisante, Seigneur ! répliqua-t-elle sans la moindre ambiguïté, et elle s'en alla.

Je passai le médaillon autour de mon cou. Je me versai une coupe de vin, puis une autre. Je revins vers les masseurs et commençai à me sentir mieux. Je bus pendant qu'ils me baignaient, et je bus pendant qu'ils me coupaient les cheveux et me rasaient. Et plus je buvais, plus Dwayanu s'imposait, froidement irrité et hostile.

Mon antipathie pour Yodin grandit. Elle ne diminua pas pendant que le trio m'habillait. Ils me revêtirent d'un gilet de dessous soyeux. Ils enfilèrent par-dessus une somptueuse tunique jaune traversée de fils métalliques bleus ; ils enveloppèrent mes longues jambes dans le pantalon bouffant de la même étoffe ; ils ceignirent ma taille d'une large ceinture incrustée de pierres précieuses et ils attachèrent à mes pieds les courroies de sandales en souple cuir doré. Ils m'avaient rasé ; maintenant, ils brossèrent et peignèrent mes cheveux qu'ils avaient raccourci à hauteur de la nuque.

Quand ils en eurent terminé avec moi, le vin était bu. J'étais un peu ivre, désireux de l'être plus encore et nullement en humeur d'être traité à la légère. Je frappai le gong pour appeler le capitaine. Je voulais encore du vin et je voulais savoir quand, où et comment j'allais me restaurer. La porte s'ouvrit, mais ce ne fut pas le capitaine qui entra.

Ce fut la Sorcière.

3

LE LAC DES FANTOMES

Lur s'arrêta, ses lèvres rouges entrouvertes, et me détailla. Visiblement, elle était stupéfaite de la métamorphose opérée par les atours ayjirs et les soins des muets sur le personnage dépenaillé et dégoulinant d'eau qui avait rampé hors de la rivière peu auparavant. Ses yeux flamboyèrent et une roseur plus accentuée se répandit sur ses joues. Elle approcha :

— Dwayanu... tu viendras avec moi ?

Je la regardai, et ris.

— Pourquoi pas, Lur... mais aussi, pourquoi ?

Elle chuchota :

— Tu es en danger... que tu sois Dwayanu ou non. J'ai convaincu Yodin de te laisser rester avec moi jusqu'à ce que tu ailles au temple. Auprès de moi tu seras en sécurité... jusqu'à ce moment-là.

— Et pourquoi as-tu fait cela en ma faveur, Lur ?

Elle ne répliqua rien — elle se contenta de poser une main sur mon épaule et de lever vers moi des yeux bleus dont le regard s'était adouci ; et quand bien même le bon sens me disait qu'il y avait à sa sollicitude d'autres raisons qu'un coup de foudre, ce contact et ce regard firent courir plus vite le sang dans mes veines et j'eus du mal à maîtriser ma voix en répondant :

— J'irai avec toi, Lur.

Elle se dirigea vers la porte, l'ouvrit.

— Ouarda, le manteau et le bonnet !

Elle revint avec une cape noire qu'elle jeta sur mes épaules et attacha autour de mon cou ; elle enfonça sur ma tête un bonnet ajusté, coupé comme les bonnets phrygiens, sous lequel elle fit disparaître mes cheveux blonds. Excepté par la stature plus haute, je ressemblais à n'importe quel Ayjir de Karak.

— Il faut nous hâter, Dwayanu.

— Je suis prêt. Attends...

J'allai ramasser les vêtements avec lesquels j'étais venu et les enroulai autour de mes bottes. Après tout, je pouvais en avoir besoin. La Sorcière n'émit aucun commentaire ; elle ouvrit la porte et nous sortîmes. Le capitaine et sa garde se trouvaient dans le couloir, ainsi qu'une demi-douzaine de suivantes de Lur, de belles créatures, ma foi. Je remarquai alors que chacune d'elles était revêtue d'une légère cotte de mailles et, en plus des deux épées, portait un marteau d'armes. Lur aussi. Manifestement, elles s'attendaient à de la bagarre soit avec moi, soit avec quelqu'un d'autre, et, quoi qu'il en fût, cela ne me parut pas de bon augure.

— Donne-moi ton épée ! ordonnai-je sèchement au capitaine.

Elle hésita.

— Donne-la-lui, dit Lur.

Je soupesai l'arme ; pas aussi lourde que je l'aurais désiré, mais tout de même une épée. Je la passai dans ma ceinture et serrai dans mon bras gauche le paquet de mes habits sous le manteau. Nous nous engageâmes dans le couloir, laissant la garde à la porte.

Au bout d'une centaine de mètres à peine, nous arrivâmes dans une petite pièce nue. Nous n'avions croisé personne. Lur poussa un soupir de soulagement, se dirigea vers une des parois et une dalle de pierre se rabattit, découvrant un passage secret. Nous y entrâmes et la dalle se referma, nous laissant dans l'obscurité totale. Une étincelle jaillit, produite je ne sais comment, et les torches que portaient deux des suivantes répandirent leur clarté. Elles brûlaient avec une flamme argentée, claire et droite. Les porteuses de torches prirent la tête de notre groupe. Au bout d'un moment, nous atteignîmes l'extrémité du passage secret, les torches furent éteintes, une autre pierre bascula et nous sortîmes. J'entendis chuchoter et, quand l'éblouissement causé par les flambeaux se fut atténué, je vis que nous nous trouvions au pied d'un des remparts de la citadelle noire et que tout près de nous il y avait une demi-douzaine d'autres suivantes de Lur avec des chevaux. L'une d'elles m'amena un robuste étalon gris.

— Mets-toi en selle, dit Lur, et reste à côté de moi.

J'attachai mon ballot de vêtements au pommeau de la haute selle et enfourchai le cheval gris. Nous partîmes en silence. Il ne faisait jamais tout à fait sombre la nuit dans le Pays du Mirage ; il y avait en permanence une faible luminescence verte, mais ce soir elle était plus vive que jamais. Je me demandai si la pleine lune ne brillait pas au-dessus des pics de la vallée. Je me demandai si nous avions encore un long chemin devant nous. J'étais moins ivre que lorsque Lur était venue me trouver mais, d'une certaine manière, je l'étais aussi davantage. J'éprouvais une bizarre sensation de griserie qui était très agréable, une irresponsabilité insouciante. Je désirais rester dans le même état d'esprit. J'espérais que Lur avait beaucoup de vin là où elle me conduisait. Je regrettais de ne pas en avoir une coupe tout de suite.

Nous traversions la ville qui s'étendait au pied de la citadelle, et nous allions vite. La large rue que nous suivions était bien pavée. Des lumières scintillaient dans les maisons et les jardins ; des gens chantaient, des tambours et des flûtes jouaient. Quelque sinistre que fût la citadelle noire, elle ne semblait pas projeter d'ombre sur le peuple de Karak. Ou du moins c'est ce que je me suis dit à ce moment-là.

A la sortie de la ville, nous empruntâmes une bonne route qui traversait une végétation épaisse. Les papillons lumineux, pareils à des avions-fées, voltigeaient çà et là et, pendant un instant, un souvenir fulgurant me revint, le visage d'Evalic flotta devant mes yeux. La vision dura moins d'une seconde. Le cheval gris avait une allure agréable et je me mis à chanter un vieux chant kirghiz parlant d'un amoureux chevauchant au clair de lune pour aller retrouver sa belle et de ce qu'il trouve à son arrivée. Lur rit et posa la main sur ma bouche.

— Chut ! Dwayanu ! Il y a encore du danger.

Je pris alors conscience d'avoir chanté non pas le chant kirghiz mais le chant ouigour dont les Kirghiz s'étaient probablement inspirés. Puis je m'avisai que je ne l'avais jamais entendu chanter en ouigour. Du coup, le vieux problème se réveilla dans mon esprit — et ne persista pas plus longtemps que le souvenir d'Evalic.

De temps à autre, j'entrevoyais la rivière blanche. Nous traversâmes ensuite un long défilé où la route devenait si étroite que nous dûmes avancer à la file indienne entre des falaises recouvertes de végétation. Quand nous en sortîmes, la route se divisa. Une branche continuait tout droit, l'autre tournait brusquement sur la gauche. C'est sur celle-ci que nous chevauchâmes pendant cinq à sept kilomètres, apparemment en plein cœur de l'étrange forêt. Les grands arbres étendaient leurs branches très haut au-dessus de nous ; les candélabres, torchères et guirlandes de corolles luisaient comme des fantômes de fleurs dans la clarté blafarde, les arbres squameux ressemblaient à des sentinelles en cotte de mailles. Et les fragrances entêtantes, les exhalaisons étrangement stimulantes étaient fortes... fortes. Elles montaient de la forêt par vagues rythmées, comme si elles étaient le battement de son cœur ivre de vie.

Nous arrivâmes au bout de cette route et je vis le lac des Fantômes.

Jamais, je crois, dans le monde entier, on ne trouvera un lieu d'une beauté aussi suffocante, aussi poignante, aussi irréelle que ce lac du Mirage où Lur la Sorcière avait sa demeure. Et si elle n'était pas sorcière avant d'y résider, elle avait dû le devenir là.

Il avait la forme d'une tête de flèche, ses rives les plus longues n'excédaient pas quinze cents mètres. Il était entouré par des collines basses dont les flancs étaient couverts de fougères arborescentes ; leurs frondes plumeuses les paraient comme la gorge de gigantesques oiseaux de paradis ; elles s'élevaient au-dessus telles des fontaines ; elles planaient pareilles à de vastes ailes verdoyantes.

La couleur de ses eaux était d'un émeraude pâle, et il luisait comme une émeraude, immobile, paisible. Mais sous cette surface calme il y avait du mouvement — des cercles lumineux vert-argent qui se propageaient en ondes rapides puis disparaissaient, des rayons qui se croisaient et s'entrelaçaient en formes géométriques fantastiques mais ordonnées ; des spirales lumineuses dont aucune ne montait jusqu'à la surface pour en troubler la sérénité. Et çà et là étaient groupés des bouquets de douces clartés pareilles à des rubis légers, des opales et des saphirs vaporeux, des perles luisantes — des lumières féeriques. Les lis lumineux du lac des Fantômes.

A l'endroit où la tête de flèche s'achevait en

pointe, il n'y avait pas de fougères. Une large cascade se déployait comme une voile sur le front de la falaise, murmurant dans sa chute. Des vapeurs montaient à cet endroit, se mêlaient à l'eau tombante, dansaient lentement avec cette eau, se balançaient, étiraient vers elle des mains fantomales comme pour la saluer. Et des berges du lac montaient d'autres spectres de brume qui filaient sur la surface émeraude rejoindre les autres esprits dansants et accueillants de la cascade. C'est ainsi que je vis pour la première fois le lac des Fantômes dans la nuit du Mirage, et il n'était pas moins beau le jour.

La route s'engageait dans le lac comme la hampe d'une flèche. A son extrémité il y avait ce qui, pensai-je, avait dû jadis être une petite île. Elle se trouvait aux deux tiers du lac. Au-dessus de ses arbres apparaissaient les tours d'un petit château.

Nous descendîmes au pas la pente raide jusqu'à l'endroit où la route se rétrécissait pour former la hampe de la flèche. Là, aucune fougère ne masquait la vue ; elles avaient été enlevées et la croupe de la colline était couverte de fleurettes bleues. Quand nous atteignîmes la portion étroite de la route, je vis que c'était une chaussée bâtie en pierre. L'endroit où nous allions était toujours une île. Nous arrivâmes au bout de la chaussée : un vide de douze mètres la séparait d'une jetée sur la rive d'en face. Lur sortit de sa ceinture un cor de petite taille et en sonna. Un pont-levis commença à s'abaisser en grinçant au-dessus du vide. Nous le franchîmes à cheval, aboutissant dans une garnison de ses femmes. Pendant que nous gravissions au petit galop une route sinueuse, j'entendis grincer derrière nous le pont qui se relevait. Nous nous arrêtâmes devant le logis de la Sorcière.

Je l'examinai avec intérêt, non pas parce qu'il était d'un modèle inhabituel, mais parce que je songeais que je n'avais jamais vu de château de sa sorte construit avec cette étrange pierre verte ni avec un nombre aussi important de tourelles. Oui, je les connaissais bien. Les « châteaux de dames », disions-nous alors — *lana'rada,* boudoirs de favorites, un endroit où se reposer, un endroit où aimer après la guerre ou quand on est las de gouverner.

Des femmes vinrent s'occuper des chevaux. De larges vantaux de bois brillant s'ouvrirent. Lur m'en fit franchir le seuil.

Des jeunes filles s'approchèrent avec du vin. Je bus avidement. Mon étrange griserie et mon impression de détachement grandissaient. Il me semblait sortir d'un très, très long sommeil et n'être pas bien réveillé, encore troublé par des souvenirs de rêves. Mais j'avais la certitude que tous n'avaient pas été des rêves. Ce vieux prêtre qui m'avait réveillé dans le désert, naguère fertile Pays des Ayjirs — il n'avait rien d'un rêve. Cependant, le peuple au milieu duquel j'avais repris conscience n'était pas les Ayjirs. Ce pays n'était pas la terre des Ayjirs, néanmoins ses habitants appartenaient à l'Antique Race ! Comment étais-je parvenu ici ? J'avais dû me rendormir dans le temple après... après... *par Zarda, mais il fallait que je tâte un peu le terrain ! Que je sois prudent.* Puis survint une houle de témérité qui balaya toute idée de prudence, un appétit de vie dévorant, une liberté sauvage, comme chez quelqu'un qui, resté longtemps prisonnier, voit soudain ses barreaux brisés et devant lui la table de la vie garnie de tout ce qui lui a été refusé et dont il peut se servir à satiété. Aussitôt après, une étincelle de lucidité me rappela que j'étais Leif Langdon, que je savais parfaitement comment j'étais venu là et que je devais me débrouiller d'une manière ou d'une autre pour rejoindre Jim et Evalie. Etincelle vive comme l'éclair dont elle eut la brièveté.

Je pris conscience d'être non plus dans la grande salle du château mais dans une pièce plus petite, octogonale, avec des fenêtres à double battant et garnie de tapisseries. Il y avait un large lit bas. Il y avait une table scintillante de vaisselle d'or et de cristaux ; de hautes chandelles allumées étaient posées dessus. Ma blouse avait disparu, remplacée par une légère tunique de soie. Les croisées étaient ouvertes, et la brise parfumée entrait en soupirant. Je me penchai à une des fenêtres. Au-dessus de moi, il y avait les tourelles plus petites et le toit du château. Le lac était tout en bas. Je regardai par une autre croisée. La cascade avec ses esprits accueillants chuchotait et murmurait à moins de trois cents mètres.

Je sentis une main m'effleurer la tête ; glisser sur mon épaule ; je me retournai d'un bond. La Sorcière était à côté de moi.

J'eus l'impression de me rendre compte pleinement de sa beauté pour la première fois, de la voir enfin clairement. Ses cheveux roux tressés formaient une épaisse couronne qui brillait comme de l'or rouge et un rang de saphirs y était enroulé. Ses yeux surpassaient l'éclat des pierres. Sa robe sommaire en tissu arachnéen révélait toutes les ravissantes lignes sensuelles de son corps. Ses épaules blanches et un des seins, parfaits, étaient découverts. Ses lèvres rouges et charnues promettaient... tout — et même la subtile cruauté qui s'y imprimait était attirante.

Il y avait eu une fille brune... qui donc était-ce ?... Ev... Eva! le nom m'échappait. Peu importe... à côté de cette femme, elle n'était qu'un fantôme... un des fantômes de brume oscillant au pied de la cascade...

La Sorcière lut dans mon regard. Sa main abandonna mon épaule et glissa jusqu'à mon cœur. Elle se rapprocha, de la langueur dans ses yeux bleus — mais aussi une expression étrangement attentive.

— Es-tu vraiment Dwayanu ?

— Lui et nul autre, Lur.

— Qui était Dwayanu... il y a très, très, très longtemps ?

— Je ne puis te le dire, Lur... moi qui suis resté si longtemps endormi et qui ai beaucoup oublié dans mon sommeil. Cependant... je suis Dwayanu.

— Alors, regarde... et souviens-toi.

Sa main quitta mon cœur et se posa sur ma tête ; Lur désigna la cascade. Son murmure changea lentement. Il devint battements de tambours, piétinement de cavalerie, pas cadencés d'hommes en marche. Ces bruits allèrent grandissant. La cascade frémit et se déploya sur la falaise noire comme un gigantesque rideau. De tous les côtés accouraient les esprits de brume qui se fondaient en elle. Les tambours résonnèrent de plus en plus nettement. Et soudain la cascade disparut. A sa place se dressait une vaste ville fortifiée. Deux armées y étaient aux prises et je savais que les forces qui attaquaient la cité revenaient à l'assaut. J'entendis le bruit de tonnerre des sabots de centaines de chevaux. Sur les défenseurs déferla un fleuve de cavaliers. Leur chef était revêtu d'une cotte de mailles étincelante. Il ne portait pas de casque et ses cheveux blonds flottaient derrière lui. Il tourna la tête. Ce visage était le mien ! J'entendis clamer dans un rugissement : « Dwayanu ! » La charge fonça comme une rivière en crue, roula par-dessus les défenseurs, les submergea.

Je vis une armée en déroute, écrasée par des compagnies porteuses de marteaux.

J'entrai à cheval dans la cité conquise avec le chef aux cheveux blonds. Et je m'assis avec lui sur le trône conquis tandis que, brutalement, impitoyablement, il condamnait à mort les hommes et les femmes qu'on traînait devant lui et souriait aux cris de rapines et de pillages qui montaient au-dehors. Je chevauchais et siégeais avec lui, dis-je, car maintenant tout se passait comme si j'étais non plus dans la chambre de la Sorcière mais avec cet homme blond qui était mon jumeau, voyant comme lui, entendant comme lui — oui, et pensant comme il pensait.

Des batailles et encore des batailles, des tournois, des festins et des triomphes, des chasses au vol avec les faucons et des chasses à courre avec de grands chiens dans le beau Pays des Ayjirs, des joutes au marteau et des joutes à l'enclume — j'assistais à tout, toujours debout près de Dwayanu comme une ombre invisible. J'allais avec lui dans les temples quand il célébrait le culte des dieux. Je me rendis avec lui au Temple de l'Annihilateur — le noir Khalk'ru, le Plus-Grand-que-les-Dieux — et il portait l'anneau qui reposait sur mon sein. Mais quand il pénétra dans le temple de Khalk'ru, je restai en arrière. La même répugnance profonde, obstinée, qui m'avait retenu quand j'avais eu la vision de la porte du temple dans l'oasis m'arrêtait maintenant. J'écoutais deux voix. L'une me pressait d'entrer avec Dwayanu. L'autre chuchotait que je ne le devais pas. Et à cette voix il me fut impossible de désobéir.

Puis, brusquement, le Pays des Ayjirs s'évanouit ! J'avais devant les yeux la cascade et les évolutions des fantômes de brume. Mais... j'étais Dwayanu !

J'étais entièrement Dwayanu ! Leif Langdon avait cessé d'exister !

Il laissait pourtant des souvenirs — des souvenirs qui étaient comme des rêves seulement à demi oubliés, des souvenirs dont je ne parvenais pas à me rappeler l'origine mais que je savais être vrais, quand bien même n'auraient-ils été que des rêves. Ils me disaient que le Pays des Ayjirs que j'avais gouverné s'était évanoui aussi complètement que le pays fantôme de la cascade, que des siècles et des siècles s'étaient écoulés depuis, que d'autres empires s'étaient fondés et avaient péri, qu'ici était une terre étrangère où ne subsistait qu'un fragment, en voie d'extinction, de la gloire de jadis.

Roi guerrier et prêtre guerrier, tenant dans ses mains, avec l'empire, la vie et le destin d'une race, voilà ce que j'avais été.

Et que je n'étais plus !

4

LES BAISERS DE LUR

Mon cœur était empli d'un noir chagrin et de cendres amères quand je me détournai de la fenêtre. Je regardai Lur. Je la toisai, de ses longs pieds minces à sa tête brillante, et le noir chagrin s'allégea, les cendres amères s'envolèrent.

Je mis mes mains sur ses épaules et éclatai de rire. En tournant sa roue, Luka avait fait s'éparpiller mon empire posé sur son bord comme s'envole la poussière du tour du potier. Mais elle m'avait laissé quelque chose. Dans tout l'Ancien Pays des Ayjirs, il y avait peu de femmes comme celle-ci.

Louée soit Luka ! Un sacrifice lui sera dédié demain matin si cette femme se révèle être ce que je la crois !

Mon empire disparu ! Qu'importe ? J'en bâtirais un autre. C'était déjà bien que je fusse vivant !

Je ris de nouveau. Prenant le menton de Lur dans

ma main, je levai son visage vers le mien, plaquai mes lèvres sur les siennes. Elle me repoussa d'un geste vif. Il y avait de la colère dans ses yeux — mais sous sa colère se lisait un doute.

— Tu m'as ordonné de me souvenir. Eh bien, je me suis souvenu. Pourquoi as-tu ouvert les écluses de la mémoire, Sorcière, si tu n'étais pas décidée à t'accommoder de ce qui s'ensuivrait ? Ou bien en sais-tu moins sur Dwayanu que tu ne le prétends ?

Elle recula d'un pas ; elle répliqua avec rage :

— Je donne mes baisers. Personne ne les prend.

Je la saisis dans mes bras, écrasai sa bouche sous la mienne, puis la lâchai.

— Moi, je les prends !

D'un coup sec je fis retomber son poignet droit. Il y avait un poignard dans sa main. Je fus amusé — je me demandais où elle l'avait dissimulé. Je le lui arrachai des doigts et le passai dans ma ceinture.

— Et je retire l'aiguillon de qui j'embrasse. Ainsi faisait Dwayanu aux jours d'autrefois, ainsi fait-il aujourd'hui.

Elle recula, recula encore, les pupilles dilatées. *Hé !* Mais je lisais en elle ! Elle m'avait cru autre que je n'étais, elle m'avait pris pour une tête brûlée, un imposteur, un escroc. Elle avait eu dans l'idée de me berner, de me plier à sa volonté. De me séduire. Moi — Dwayanu — qui connaissais les femmes comme je connaissais la guerre ! Et pourtant...

Elle était très belle... et elle était tout ce dont je disposais dans cette terre étrangère pour commencer à bâtir mon règne. Ainsi l'évaluais-je pendant qu'elle me dévisageait. Je pris la parole et mes mots furent aussi froids que mes pensées.

— Ne joue plus avec des poignards... ni avec moi. Appelle tes servantes. J'ai faim et soif. Quand j'aurai mangé et bu, nous discuterons.

Elle hésita, puis frappa dans ses mains. Des femmes entrèrent avec des plats fumants, avec des flacons de vin, avec des fruits. Je mangeai gloutonnement, je bus goulûment. Je mangeai et bus en songeant peu à Lur — mais beaucoup à ce que sa sorcellerie m'avait fait voir et que je rapprochai de ce que je me rappelais depuis l'oasis jusqu'à maintenant. Ce qui n'était guère. Je mangeai et bus en silence. Je sentis son regard sur moi. Je plongeai mes yeux dans les siens et souris.

— Tu pensais faire de moi l'esclave de ta volonté, Lur. N'y pense jamais plus !

Elle appuya sa tête sur ses mains et me contempla par-dessus la table.

— Dwayanu est mort il y a de cela très, très longtemps. La feuille qui s'est flétrie peut-elle reverdir ?

— Je suis Dwayanu, Lur.

Elle ne répondit pas.

— Qu'avais-tu dans l'idée quand tu m'as amené ici, Lur ?

— Je suis lasse de Tibur, lasse de son rire, lasse de sa stupidité.

— Quoi encore ?

— Je me fatigue de Yodin. Toi et moi — seuls — pourrions gouverner Karak si...

— Ce *si* est primordial, Sorcière. Si quoi ?

Elle se leva et se pencha vers moi.

— Si tu peux appeler Khalk'ru.

— Et si je ne peux pas ?

Elle haussa ses épaules blanches, se laissa retomber dans son fauteuil. Je ris.

— Auquel cas, Tibur ne sera plus si ennuyeux et Yodin pourra être toléré. Maintenant, écoute-moi, Lur. Est-ce ta voix que j'ai entendue me presser d'entrer dans le temple de Khalk'ru ? As-tu vu ce que je voyais ? Tu n'as pas besoin de répondre. Je lis en toi, Lur. Tu voudrais te débarrasser de Tibur. Eh bien, peut-être puis-je le tuer. Tu voudrais te débarrasser de Yodin. Eh bien, peu importe qui je suis si je peux faire venir Celui-qui-est-plus-grand-que-les-Dieux, il n'y a pas besoin de Yodin. Tibur et Yodin éliminés, il ne resterait que toi et moi. Tu crois que tu peux me gouverner. Tu ne le peux pas, Lur.

Elle avait écouté tranquillement et c'est aussi tranquillement qu'elle répondit :

— Tout cela est vrai... (Elle hésita ; ses yeux flamboyèrent ; un flot de sang envahit sa gorge et ses joues :) ... mais... peut-être y a-t-il une autre raison pour que je t'aie choisi...

Je ne lui demandai pas quelle raison c'était ; d'autres femmes avaient déjà tenté de me prendre au piège avec cette ruse. Elle baissa les yeux, la cruauté de sa bouche écarlate se révéla sans voile pendant un instant.

— Qu'as-tu promis à Yodin, Sorcière ?

Elle se leva, me tendit les bras, sa voix trembla...

— Serais-tu moins qu'un homme... puisque tu peux me parler ainsi ? Ne t'ai-je pas offert le pouvoir à partager avec moi ? Ne suis-je pas belle... ne suis-je pas désirable ?

— Très belle, très désirable. Mais j'ai toujours cherché à connaître les pièges que la ville recèle avant de m'en emparer.

A cette réponse, ses yeux lancèrent des éclairs bleus. Elle esquissa un pas rapide vers la porte. Je fus plus prompt. Je l'empoignai, attrapai la main qu'elle levait pour me frapper.

— Qu'as-tu promis au Grand Prêtre, Lur ?

Je posai sur sa gorge la pointe du poignard. Ses yeux dardaient sur moi un regard furieux, dépourvu de crainte. *Luka... tourne ta roue afin qu'il ne me soit pas nécessaire de tuer cette femme !*

Son corps rigide se détendit ; elle rit.

— Enlève ce poignard, je vais te le dire.

Je la lâchai et revins à mon fauteuil. De sa place en face de moi, de l'autre côté de la table, elle m'étudia ; elle dit comme si elle n'arrivait pas tout à fait à l'admettre :

— Tu m'aurais tuée !

— Oui, confirmai-je.

— Je te crois. Qui que tu sois, le Blond, il n'y a pas d'homme comme toi ici.

— Qui que je sois, Sorcière ?

Elle eut un mouvement d'impatience.

— Plus n'est besoin de feindre entre nous. (Sa voix avait une note d'exaspération :) J'en ai fini avec les mensonges... et cela vaudra mieux pour tous deux si tu y renonces aussi. Qui que tu sois... tu n'es pas Dwayanu. Je répète que la feuille fanée ne reverdit pas plus que les morts ne reviennent.

— Si je ne suis pas Dwayanu, alors d'où viennent ces souvenirs que tu as vus avec moi voici peu ? Sont-ils passés de ton esprit dans le mien, Sorcière, ou du mien dans le tien ?

Elle secoua la tête et, de nouveau, je vis un doute furtif assombrir son regard.

— Je n'ai rien vu. Je voulais que tu voies... quelque chose. Tu m'as échappé. Quoi que tu aies vu... je n'y ai pris aucune part. Pas plus que je n'ai réussi à te plier à ma volonté. Je n'ai rien vu.

— J'ai vu la terre des temps anciens, Lur.

Elle répliqua d'un ton morne :

— Je n'ai pas pu aller plus loin que son seuil.

— Que m'as-tu envoyé chercher au Pays des Ayjirs pour le compte de Yodin, Sorcière ?

— Khalk'ru, répondit-elle d'une voix égale.

— Et pourquoi donc ?

— Parce que ainsi j'aurais su avec certitude, sans le moindre doute, si tu étais capable de le faire venir. C'est ce que j'ai promis à Yodin de découvrir.

— Et si je pouvais l'appeler ?

— Alors tu devais être tué avant d'en avoir eu la possibilité.

— Et si je ne pouvais pas ?

— Alors tu lui serais offert en sacrifice dans le temple.

— Par Zarda ! m'exclamai-je. L'accueil réservé à Dwayanu ne ressemble pas à celui qu'il recevait jadis quand il allait en visite — ou, si tu préfères, l'hospitalité que vous offrez aux étrangers n'a rien pour encourager les voyageurs. Maintenant me voilà de ton avis sur la question d'éliminer Tibur et le prêtre. Mais pourquoi ne commencerais-je pas par toi, Sorcière ?

Elle se renversa dans son fauteuil en souriant.

— Premièrement... parce que cela ne te servirait guère, le Blond. Regarde !

Elle me fit signe d'approcher d'une des fenêtres. J'aperçus la chaussée et la colline ronde où nous avions abouti au sortir de la forêt. Il y avait des soldats tout du long de la chaussée et une compagnie entière occupait le sommet de la colline. Je compris qu'elle avait raison — même moi, j'étais incapable de franchir indemne cet obstacle. La vieille rage froide commença à monter en moi. Elle m'observait, de la moquerie dans les yeux.

— Deuxièmement... dit-elle. Et deuxièmement... eh bien, écoute, le Blond.

Je versai du vin, levai la coupe en un toast à son intention et bus.

Elle reprit :

— La vie est agréable dans ce pays. Agréable du moins pour ceux d'entre nous qui le dirigeons. Je n'ai aucun désir d'y rien changer — sauf en ce qui concerne Tibur et Yodin. Et autre chose dont nous reparlerons. Je sais que le monde a évolué depuis cette époque reculée où nos ancêtres ont fui le Pays des Ayjirs. Je sais que la vie existe ailleurs qu'en cet endroit abrité où Khalk'ru a conduit nos ancêtres.

» Yodin et Tibur le savent, un certain nombre d'autres aussi. Ou le pressentent. Mais aucun de nous ne souhaite quitter ce pays agréable... ni ne souhaite qu'il soit envahi. Et nous désirons tout particulièrement que notre peuple ne le quitte pas. Ce que beaucoup tenteraient s'ils savaient qu'il y a des champs verdoyants et des forêts, de l'eau courante et un monde fourmillant d'êtres humains en dehors d'ici. Car depuis un temps incalculable on leur a enseigné qu'il n'y a pas de vie sur Terre, excepté ici. Que Khalk'ru, irrité par le Grand Sacrilège que furent la révolte du Pays des Ayjirs et la destruction de ses temples, a anéanti toute vie, excepté ici, et que cette vie persiste uniquement grâce à la permission de Khalk'ru — et ne persistera que tant que lui sera offert l'antique Sacrifice. Tu me suis, le Blond ?

Je hochai la tête.

— La prophétie de Dwayanu est ancienne. C'était le plus grand des rois ayjirs. Il vivait cent ans au moins avant que les Ayjirs commencent à détourner leurs faces de Khalk'ru, à résister au Sacrifice — et en punition le désert commença à dévaster le pays. L'agitation grandit et la grande guerre qui devait détruire les Ayjirs se prépara — c'est alors que naquit la prophétie. Qu'il reviendrait pour restaurer l'antique gloire. Rien là de bien nouveau, le Blond. D'autres ont eu leur Dwayanu — le Rédempteur — le Libérateur — le Dénoueur de Destinée — d'après ce que j'ai lu dans ces rouleaux de parchemin que nos ancêtres emportèrent avec eux dans leur fuite. Je ne crois pas à ces histoires ; de nouveaux Dwayanu peuvent surgir, mais les anciens ne reviendront pas. N'empêche que le peuple a foi en cette prophétie, et le peuple est prêt à croire tout ce qui lui promet la délivrance de ce qu'il n'aime pas. Or, c'est dans le peuple que sont choisies les victimes de Khalk'ru — et il n'aime pas le Sacrifice. Mais, parce qu'il redoute ce qui pourrait se produire s'il n'y avait plus de Sacrifices, il les supporte.

» Et maintenant, le Blond, nous en venons à toi. La première fois que je t'ai vu, quand je t'ai entendu proclamer que tu étais Dwayanu, j'ai tenu conseil avec Yodin et Tibur. Je pensais que tu venais de Sirk. Je me suis vite rendu compte que c'était impossible. Il y avait avec toi un autre...

— Un autre ? répétai-je, franchement surpris.

Elle me jeta un coup d'œil soupçonneux.

— Tu n'as aucun souvenir de lui ?

— Non. Je me rappelle t'avoir vue. Tu avais un faucon blanc. Tu étais en compagnie d'autres femmes. Je t'ai aperçue de la rivière.

Elle se pencha en avant, le regard attentif.

— Te souviens-tu des Rrrllyas... du Petit Peuple ? D'une fille brune qui s'appelle Evalie ?

Le Petit Peuple... une fille brune... Evalie ? Oui, cela me disait quelque chose... mais vaguement. Ils figuraient dans ces rêves que j'avais oubliés, peut-être ? Non... ils étaient réels... ou ne l'étaient-ils pas ?

— Il me semble avoir d'eux un faible souvenir, Lur. Mais rien de bien défini.

Elle me dévisagea, une étrange exultation dans les yeux.

— Peu importe, dit-elle. Ne te creuse pas la tête à leur sujet. Tu n'étais pas... éveillé. Plus tard, nous parlerons d'eux. Ce sont des ennemis. Peu importe... écoute-moi maintenant. Si tu étais de Sirk, te faisant passer pour Dwayanu, tu pouvais être un point de ralliement pour nos mécontents. Peut-être même le chef dont ils ont besoin. Si tu étais de l'extérieur... tu étais encore plus dangereux puisque tu étais la preuve que nous étions des menteurs. Non seulement le peuple, mais aussi les soldats pouvaient se rallier à toi. Et s'y rallieraient probablement. Quelle autre solution nous restait-il sinon te tuer ?

— Aucune, répondis-je. Je m'étonne maintenant que vous ne l'ayez pas fait quand vous en aviez l'occasion.

— Tu avais compliqué la situation, me dit-elle. Tu avais montré l'anneau. Beaucoup l'avaient vu, beaucoup t'avaient entendu t'appeler Dwayanu...

Ah ! oui ! Je m'en souvenais maintenant... j'étais sorti de la rivière. Comment étais-je entré dedans ? Le pont — Nansur — quelque chose s'était produit là... tout était brumeux... rien de net... le Petit Peuple... oui, je me le rappelais un peu... il avait peur de moi... mais je n'avais rien contre les petits hommes... je tentai en vain d'analyser ces vagues réminiscences. La voix de Lur ramena mon attention qui s'égarait.

— J'ai donc fait comprendre à Yodin, disait-elle,

qu'il n'était pas bon de te tuer sur place. Cela se serait su et aurait causé trop d'agitation... et pour commencer cela aurait renforcé Sirk. Cela aurait causé un malaise chez les soldats. Comment... Dwayanu était venu et nous l'avions tué !

» Je vais l'emmener, ai-je dit à Yodin. Je n'ai pas confiance en Tibur qui, dans sa stupidité et dans son arrogance, est bien capable de provoquer notre perte à tous. Il y a une meilleure méthode. Que Khalk'ru le dévore, prouvant ainsi que nous avions raison et qu'il est un menteur et un fanfaron. Alors ce ne sera pas de sitôt qu'un autre se présentera en clamant qu'il est Dwayanu !

— Le Grand Prêtre ne croit donc pas non plus que je suis Dwayanu ?

— Encore moins que moi, le Blond, dit-elle en souriant. Tibur non plus ne le croit pas. Mais qui tu es et d'où tu viens, comment et pourquoi — voilà qui les intrigue autant que moi. Tu ressembles aux Ayjirs... cela ne signifie rien. Tu as sur les paumes les antiques marques... eh bien, d'accord, tu appartiens à l'Antique Race. Tibur aussi... et il n'a rien d'un Rédempteur.

De nouveau son rire tinta comme des clochettes.

— Tu as l'anneau. Où l'as-tu trouvé, le Blond ? Car tu en sais bien peu sur son usage. Yodin l'a découvert. Pendant que tu étais endormi. Et Yodin t'as vu changer de couleur et te détourner à moitié pour fuir quand tu as aperçu pour la première fois Khalk'ru dans la salle. Ne le nie pas, le Blond. Je l'ai constaté aussi. Ah ! non !... Yodin ne redoute guère d'avoir un rival auprès du Dissolveur. Néanmoins, sa certitude n'est pas absolue. Il y a l'ombre d'un doute, si ténue soit-elle. C'est là-dessus que j'ai joué. Et voilà pourquoi... tu es là.

Je la considérai avec la plus franche admiration, levai de nouveau ma coupe et bus à sa santé. Je frappai dans mes mains. Les servantes entrèrent.

— Débarrassez la table. Apportez du vin.

Elles revinrent avec de nouveaux flacons et d'autres coupes. Quand elles furent sorties, j'allai à la porte. Une lourde barre la fermait. Je la rabattis. Je pris un des flacons et le vidai à moitié.

— Je suis capable de faire venir le Dissolveur, Sorcière.

Elle aspira l'air brusquement, son corps frémit, les feux bleus de ses yeux brillèrent... étincelèrent.

— Tu veux que je te montre ?

Je sortis l'anneau du médaillon, le passai à mon pouce, levai les mains pour entamer la salutation...

On aurait dit qu'un souffle froid parcourait soudain la pièce. La Sorcière bondit vers moi, me força à rabaisser les bras. Ses lèvres étaient exsangues.

— Non ! non ! Je te crois... Dwayanu !

Je ris. L'étrange froid se retira, furtivement.

— Et maintenant, Sorcière, que vas-tu annoncer au prêtre ?

Le sang revenait lentement dans ses lèvres et sur son visage. Elle souleva le flacon et le vida. Sa main était ferme. Quelle femme admirable, cette Lur !

Elle répliqua :

— Je lui raconterai que tu es sans pouvoir.

Je dis :

— Je convoquerai le Dissolveur. Je tuerai Tibur. Je tuerai Yodin... quoi d'autre encore ?

Elle s'approcha, si près que sa poitrine touchait la mienne.

— Détruis Sirk. Chasse les nains. Alors toi et moi régnerons... seuls.

Je bus encore du vin.

— J'appellerai Khalk'ru, j'éliminerai Tibur et le prêtre, je mettrai Sirk à sac et je mènerai la guerre contre les nains... si...

Elle plongea son regard dans le mien, longuement ; son bras se glissa autour de mon épaule...

D'un geste, j'éteignis les chandelles. La pénombre verdâtre de la nuit s'infiltra par les croisées. Le chuchotement de la cascade était un rire léger.

— Je prends ma récompense d'avance, déclarai-je.

Telle était la coutume de Dwayanu jadis... et ne suis-je pas Dwayanu ?

— Oui ! murmura la Sorcière.

Elle ôta de sa coiffure la chaîne de saphirs, elle dénoua sa couronne de tresses et secoua la tête pour libérer l'or roux de sa chevelure. Ses bras s'unirent autour de mon cou. Ses lèvres cherchèrent les miennes et s'y attachèrent.

Il y eut un martèlement de sabots sur la chaussée. Un qui-vive étouffé par la distance. Un coup frappé à la porte. La Sorcière se réveilla, s'assit, encore ensommeillée sous la tente soyeuse de ses cheveux.

— Est-ce toi, Ouarda ?

— Oui, maîtresse. Un messager de Tibur.

Je ris.

— Dis-lui que tu es occupée avec tes dieux, Lur.

Elle pencha la tête au-dessus de la mienne si bien que le rideau de sa chevelure soyeuse nous enveloppa tous les deux.

— Dis-lui que je suis occupée avec les dieux, Ouarda. Qu'il reste ici jusqu'au matin s'il le désire... ou retourne auprès de Tibur avec son message.

Elle se laissa retomber, pressa sa bouche contre la mienne...

Par Zarda ! C'était tout à fait comme autrefois — des ennemis à abattre, une cité à piller, une nation contre qui guerroyer et les doux bras d'une femme autour de moi.

Je ne demandais rien de plus !

LE LIVRE DE DWAYANU

1

L'ORDALIE PAR KHALK'RU

Par deux fois la nuit verte avait empli la coupe du Pays au-dessous du Mirage tandis que je festoyais et buvais avec Lur et ses femmes. Il y avait eu des joutes à l'épée, et des joutes au marteau, et des combats de lutte. Quels guerriers, ces femmes ! D'un tempérament d'acier sous une peau de soie, elles me pressèrent durement à maintes reprises, quelque fort que je fusse, quelque rapide que j'aie pu être. Si la ville de Sirk était défendue par des soldats de cette trempe, elle ne serait pas facile à conquérir.

Par les regards qu'elles m'adressaient et par les mots doux qu'elles murmuraient, je compris que je n'aurais pas besoin de redouter la solitude si Lur prenait son cheval pour s'en aller à Karak. Mais elle resta. Elle ne me quittait pas d'une semelle, et Tibur n'envoya plus de messager ; ou, s'il en vint, je n'en fus pas averti. Lur avait fait confirmer secrètement au Grand Prêtre qu'il avait vu juste — que je n'avais pas le pouvoir de convoquer le Plus-Grand-que-les-Dieux, que j'étais un imposteur ou un fou. Du moins c'est ce qu'elle me raconta. Est-ce qu'elle lui avait menti ? Est-ce qu'elle me mentait ? — je ne le savais pas et ne m'en souciais guère. J'étais trop occupé... à vivre.

Cependant, elle ne m'appela plus jamais « le Blond ». Toujours Dwayanu. Et toutes les ressources de ses talents amoureux — elle n'était pas novice, cette Sorcière — elle les utilisa pour m'attacher plus étroitement à elle.

Le troisième jour, l'aube se levait à peine et j'étais penché à la fenêtre, regardant s'estomper les flamboiements de gemme voilés de brume des lis lumineux et se dresser de plus en plus lentement les esprits du brouillard qui étaient les esclaves de la cascade. Je croyais Lur endormie. Je l'entendis bouger et me retournai. Elle s'était assise et me regardait à travers le voile roux de sa chevelure. Elle avait vraiment l'air d'une Sorcière à ce moment-là...

— Un messager est arrivé hier soir de la part de Yodin. C'est aujourd'hui que tu prieras Khalk'ru.

Je fus comme électrisé ; le sang chanta dans mes oreilles. Telle a toujours été ma réaction quand je dois évoquer le Dissolveur — un sentiment de puissance qui surpasse même celui de la victoire. Une émotion différente : une sensation de pouvoir et d'orgueil inhumains. A quoi se mêlait une profonde colère, une révolte contre cet Etre qui est l'ennemi de la Vie. Ce démon qui se nourrit de la chair et du sang du peuple des Ayjirs — et de son âme.

Elle m'observait.

— As-tu peur, Dwayanu ?

Je m'assis à côté d'elle, écartai le voile de sa chevelure.

— Est-ce pour cela que tes baisers ont redoublé cette nuit, Lur ? Pourquoi ils étaient si... tendres ? La tendresse te va bien, Sorcière, mais de ta part c'est assez étrange. Avais-tu peur ? Pour moi ? Tu me touches, Lur !

Je ris et ses yeux lancèrent des éclairs, son visage s'empourpra.

— Tu ne crois pas que je t'aime, Dwayanu ?

— Pas autant que tu aimes le pouvoir, Sorcière.

— Tu m'aimes ?

— Pas autant que j'aime le pouvoir, Sorcière, répondis-je en éclatant encore de rire.

Elle m'étudia, les yeux mi-clos. Elle dit :

— Bien des rumeurs courent à ton sujet dans Karak. Elles deviennent menaçantes. Yodin regrette de ne pas t'avoir tué quand il en avait la possibilité, tout en sachant pertinemment que la situation pourrait être pire s'il l'avait fait. Tibur regrette de ne pas t'avoir tué quand tu es sorti de la rivière... et adjure que ce soit fait sans plus tarder. Yodin t'a proclamé faux prophète et a promis que le Plus-grand-que-les-Dieux le démontrerait. Il croit ce que je lui ai raconté — à moins qu'il n'ait une arme cachée. Toi... (Un soupçon de moquerie perça dans sa voix :) toi qui lis si bien en moi, tu sauras sûrement lire en lui et t'en garder ! Le peuple murmure ; il y a des nobles qui exigent qu'on te montre ; et les soldats suivraient avec empressement Dwayanu... s'ils pensaient que tu es vraiment lui. Ils sont en effervescence. Des histoires circulent. Tu es devenu extrêmement... gênant. Aussi dois-tu affronter Khalk'ru aujourd'hui.

— Mais j'y pense, si tout cela est vrai, dis-je, je n'aurai peut-être pas besoin d'invoquer le Dissolveur pour conquérir le pouvoir.

Elle sourit.

— Ce n'est pas ton vieil esprit de ruse qui t'a inspiré cette idée. Tu seras gardé étroitement. Tu serais abattu avant d'avoir rallié à toi une douzaine de partisans. Pourquoi pas, puisqu'il n'y aurait alors rien à perdre en te tuant ? Et peut-être quelque chose à gagner. Par ailleurs... qu'adviendrait-il des promesses que tu m'as faites ?

Je jetai mon bras autour de ses épaules, la soulevai et l'embrassai.

— Pour ce qui est d'être abattu, hé ! j'aurai mon mot à dire. Mais je plaisantais, Lur. Je tiens mes promesses.

Il y eut un galop de chevaux sur la chaussée, des tintements de caparaçons, des résonances de cymbales. J'allai à la fenêtre. Lur sauta à bas du lit et vint me rejoindre. Sur la chaussée approchait une troupe de plus de cent cavaliers. Au bout de leurs lances flottaient des pennons jaunes portant le symbole noir de Khalk'ru. Ils s'arrêtèrent devant le pont-levis qui était relevé. A leur tête, je reconnus Tibur, ses larges épaules recouvertes d'un manteau jaune, et, sur sa poitrine, le Kraken.

— Ils viennent te prendre pour te conduire au temple. Je suis obligée de les laisser passer.

— Pourquoi t'y opposerais-tu ? répliquai-je avec indifférence. Mais je n'irai à aucun temple tant que je n'aurai pas rompu mon jeûne.

Je regardai de nouveau dans la direction de Tibur.

— Et si je dois chevaucher à côté du Forgeron, j'aimerais que tu me procures une cotte de mailles à ma taille.

— Tu chevauches près de moi, dit-elle. Quant aux armes, tu n'auras qu'à choisir. Toutefois rien n'est à craindre sur le trajet du temple — c'est à l'intérieur qu'est le danger.

— Tu parles trop de peur, Sorcière, dis-je en fronçant les sourcils. Fais sonner du cor. Tibur pourrait s'imaginer que je redoute de le rencontrer. Et cela, je ne veux pas qu'il le croie.

Elle fit donner le signal à la garnison du pont. J'entendis celui-ci grincer pendant que je me baignais. Et bientôt les chevaux piétinèrent devant la porte du château. La dame d'atours de Lur entra et elle quitta silencieusement la pièce avec elle.

Je m'habillai sans me presser. En me rendant à la grande salle, je m'arrêtai à l'armurerie. J'y avais vu un sabre qui m'avait plu. Il était du poids auquel j'étais accoutumé, long, incurvé, et d'un métal dont l'excellente qualité égalait les plus beaux que j'aie connus au Pays des Ayjirs. Je le soupesai dans ma main gauche et en pris un plus léger pour ma droite. Je me souvins que quelqu'un m'avait recommandé de prendre garde à la gauche de Tibur... ah ! oui ! la femme-soldat. Je ris — eh bien, que Tibur se méfie donc de la mienne. Je pris un marteau d'armes, pas aussi lourd que celui du Forgeron... c'était sa vanité... on est plus maître de marteaux légers... J'attachai à mon avant-bras la robuste courroie qui retenait sa lanière. Puis je descendis rejoindre Tibur.

Il y avait une douzaine de nobles ayjirs dans la salle, des hommes pour la plupart. Lur était avec eux. Je remarquai qu'elle avait posté ses soldats à divers points stratégiques et qu'ils étaient armés jusqu'aux dents. Je vis là une preuve de sa bonne foi, encore que cela démentît quelque peu son assertion que je n'avais pas de danger à redouter avant d'arriver au temple. Je n'eus rien à redire à l'accueil de Tibur. Ni à celui des autres. Un seul excepté. Il y avait à côté du Forgeron un homme presque aussi grand que moi. Il avait des yeux bleus et froids, avec ce curieux regard inexpressif qui indique le tueur-né. Une cicatrice lui balafrait la face de la tempe gauche au menton et son nez était cassé. Le genre d'homme, pensai-je, qu'au temps jadis j'aurais envoyé soumettre une tribu particulièrement rebelle. De lui émanait une arrogance qui m'irritait, mais je me dominai. Mon intention n'était pas de provoquer un conflit à ce moment précis. Je désirais ne soulever aucune suspicion dans l'esprit du Forgeron. Quand je saluai celui-ci et le reste de la compagnie, on aurait pu dire qu'il y avait un soupçon d'appréhension, de conciliation dans mon attitude.

Je conservai la même attitude pendant que nous déjeunions et buvions. A un moment donné, ce fut difficile. Tibur se pencha vers le balafré en riant.

— Je t'avais bien dit qu'il était plus grand que toi, Rascha. L'étalon gris est à moi !

Les yeux bleus me parcoururent et ma gorge se crispa.

— L'étalon est à toi.

Tibur se pencha de mon côté.

— Rascha le Briseur de Reins, voilà son nom. Après moi, le plus fort de Karak. Dommage que tu doives rencontrer si vite le Plus-grand-que-les-Dieux. Une lutte entre vous deux aurait valu la peine d'être vue.

Ma fureur décupla en entendant cela et ma main se porta sur mon épée, mais je réussis à me contenir et répliquai avec une note d'impatience :

— C'est vrai, peut-être serait-il possible de retarder cette rencontre...

Lur fronça les sourcils et me regarda fixement, mais Tibur mordit à l'hameçon, les yeux brillants de méchanceté.

— Non, il s'agit de quelqu'un que l'on ne peut pas faire attendre. Mais après, peut-être...

Son rire secoua la table. Les autres firent chorus. Le balafré sourit.

Par Zarda, mais c'est intolérable ! Du calme, Dwayanu, ainsi les as-tu joués dans les temps anciens... et ainsi les tromperas-tu, maintenant !

Je vidai ma coupe, puis une autre. Je me joignis à leurs rires, comme si je me demandais pourquoi ils riaient. Mais je scellai leurs visages dans ma mémoire.

Nous chevauchions sur la chaussée, Lur à ma droite, suivis de près par des femmes à elle triées sur le volet qui, déployées en demi-cercle, couvraient nos arrières. Devant nous marchaient Tibur et le Briseur de Reins avec une douzaine des plus robustes séides de Tibur. Derrière nous venait la troupe aux pennons jaunes, et, derrière elle, une autre compagnie formée des gardes de la Sorcière.

Je chevauchai avec juste ce qu'il fallait d'abattement dans la contenance. De temps à autre, le Forgeron et ses familiers se retournaient pour me regarder. Et j'entendais leurs rires. La Sorcière chevauchait aussi silencieusement que moi. Elle me jetait des coups d'œil de côté et, quand elle le faisait, je courbais un peu plus la tête.

La citadelle noire se profila devant nous. Nous pénétrâmes dans la cité. Entre-temps, l'étonnement dans les yeux de Lur s'était changé presque en mépris, le rire du Forgeron était devenu moqueur.

Les habitants de Karak avaient envahi les rues. Alors je poussai un soupir et parus tenter de secouer mon abattement, mais je continuai à chevaucher sans entrain. Lur se mordit la lèvre et se rapprocha de moi, les sourcils froncés.

— M'as-tu trompée, le Blond ? Tu vas comme un chien déjà battu.

Je détournai la tête pour qu'elle ne puisse pas voir mon visage. Par Luka, que j'eus du mal à réprimer mon rire !

Il y avait des chuchotements, des murmures dans la foule. Mais pas de cris, pas d'acclamations. Les soldats étaient omniprésents, le sabre au côté, armés du marteau de guerre, les lances et les piques en arrêt. Il y avait des archers. Le Grand Prêtre ne prenait pas de risques.

Moi non plus.

Il n'était pas dans mes intentions de déclencher un massacre. Ni de donner à Tibur la plus légère excuse pour me régler mon compte, pour précipiter sur moi une grêle de lances et de flèches. Lur avait cru que je courrais du danger non pas pendant le trajet jusqu'au temple, mais à l'intérieur de celui-ci. Je compris que la vérité était exactement le contraire.

Ce n'est donc pas un héros conquérant, un rédempteur, un splendide guerrier du passé qui traversa Karak à cheval ce jour-là. C'est un homme peu sûr de lui — ou plutôt trop sûr de ce que l'avenir lui réservait. La foule qui avait attendu et guettait Dwayanu le sentit — elle murmurait ou restait silencieuse. Cela plut bien au Forgeron. Et cela me plut bien aussi à moi qui, maintenant, étais impatient de rencontrer Khalk'ru autant qu'un fiancé sa fiancée. Et qui ne voulais courir aucun risque d'être arrêté par une épée ou un marteau, une lance ou une flèche, avant d'y arriver.

Et le visage de la Sorcière ne cessait de se rembrunir tandis que grandissaient dans son regard la fureur et le mépris.

Nous avons contourné la citadelle et nous sommes engagés sur une large route qui repartait dans la direction des collines. Nous l'avons suivie au galop, pennons flottant, tambours battant. Nous sommes arrivés devant un gigantesque portail creusé dans la falaise — que de fois j'avais passé ce genre de seuil ! Je descendis de cheval, d'un air hésitant. Je me laissai entraîner presque avec répugnance dans le temple par Tibur et Lur, qui me conduisirent dans une petite salle taillée en plein roc.

Ils me quittèrent, sans un mot. J'inspectai les aîtres. Ici se trouvaient les coffres qui contenaient les vêtements sacrificatoires, la fontaine de purification, les vases pour l'onction de l'évocateur de Khalk'ru.

La porte s'ouvrit. Mon regard rencontra le visage de Yodin.

Un air de triomphe vindicatif s'y lisait, et je compris qu'il avait vu le Forgeron et la Sorcière et qu'ils l'avaient mis au courant de ma contenance pendant la chevauchée. Celle d'une victime marchant au Sacrifice ! Eh bien, Lur pouvait lui dire honnêtement ce qu'il espérait être la vérité. Si elle avait eu l'idée de me trahir — si elle m'avait trahi — elle me jugeait maintenant menteur et fanfaron avec autant de justification que Tibur et les autres. Si elle ne m'avait pas trahi, j'avais confirmé le mensonge qu'elle avait fait à Yodin.

Douze prêtres mineurs entrèrent à sa suite, revêtus des robes sacrées. Le Grand Prêtre portait la tunique jaune avec les tentacules enlacés autour de lui. L'anneau de Khalk'ru brillait sur son pouce.

— Le Plus-grand-que-les-Dieux attend ta prière,

Dwayanu, dit-il. Mais, d'abord, tu dois te soumettre à la purification.

Je hochai la tête. Ils s'affairèrent aux rites nécessaires. Je m'y pliai maladroitement, comme quelqu'un à qui ils ne sont pas familiers, mais qui souhaite visiblement faire croire le contraire. La malveillance augmenta dans les yeux de Yodin.

Les rites étaient terminés. Yodin tira d'un coffre une tunique semblable à la sienne et la drapa sur moi. J'attendis.

— Ton anneau, me rappela-t-il d'un ton sardonique. As-tu oublié que tu dois porter l'anneau ?

Je saisis gauchement la chaîne que je portais au cou, ouvris le médaillon et passai l'anneau à mon pouce. Les prêtres mineurs sortirent de la pièce avec leurs tambours. Je suivis, le Grand Prêtre à mon côté. J'entendis le tintement d'un marteau qui frappe une grosse enclume. Et j'y reconnus la voix de Tubalcaïn, le plus ancien des dieux, qui a enseigné à l'homme comment marier le feu et le métal, Tubalcaïn qui proclamait allégeance, salutation et hommage à... Khalk'ru !

L'antique exaltation, l'extase d'un sombre pouvoir m'envahissaient. J'eus du mal à ne pas me trahir. Nous sortîmes du couloir, entrâmes dans le temple.

Hé ! C'est qu'ils avaient bien fait les choses en l'honneur du Plus-grand-que-les-Dieux dans ce sanctuaire lointain. De plus vaste temple, je n'en avais jamais vu au Pays des Ayjirs. Taillé dans le cœur de la montagne, comme il se doit pour toutes les demeures de Khalk'ru, les énormes piliers carrés bordant l'amphithéâtre montaient vers une voûte qui se perdait dans l'obscurité. Il y avait des torchères de métal torse d'où s'élançaient de parfaites spirales de feu jaune pâle. Elles brûlaient en flammes régulières et silencieuses ; à leur pâle clarté, j'apercevais l'enfilade des piliers qui s'éloignaient, s'éloignaient, s'éloignaient toujours comme s'ils plongeaient dans le vide même.

Dans l'amphithéâtre, des visages étaient levés vers

moi — des centaines de visages. Des visages de femmes sous des pennons et des bannières portant, brodées, des devises des clans dont les hommes avaient combattu à mes côtés et derrière moi dans bien des batailles sanglantes. O Dieux, comme les hommes étaient rares ici ! Elles me contemplaient, ces figures féminines... femmes-nobles, femmes-chevaliers, femmes-soldats... elles me contemplaient par centaines, avec leurs yeux bleus impitoyables. Il n'y avait pas non plus de pitié ni la moindre douceur féminine sur leurs visages... c'étaient des guerriers... Bien ! alors ce ne serait pas comme des femmes mais comme des guerriers que je les traiterais.

Je m'aperçus que des archers étaient postés sur le pourtour de l'amphithéâtre, les arcs tendus, les flèches immobiles, mais en place, et les cordes orientées vers moi.

L'œuvre de Tibur ? Ou du prêtre, prenant ses précautions de crainte que je tente de m'évader ? Ce n'était pas de mon goût, mais je n'y pouvais rien. *Luka, ravissante déesse, tourne ta roue afin qu'aucune flèche ne parte avant que je commence la cérémonie !*

Je me retournai et cherchai du regard l'écran mystique qui est la porte par laquelle Khalk'ru émerge du Vide. Il se trouvait à une bonne centaine de pas de moi, si large et si profonde était la plateforme. Ici la caverne avait été façonnée en forme d'entonnoir. L'écran mystique était un gigantesque disque, environ vingt fois plus grand qu'un homme de haute taille. Au lieu du carré translucide jaune à travers lequel, dans les temples de la Mère Patrie, Khalk'ru se matérialisait. Pour la première fois un doute s'insinua en moi — était-ce bien le même Etre ? L'assurance malveillante du Grand Prêtre se justifiait-elle par une autre raison que son incrédulité à mon égard ?

Mais dans l'espace jaune flottait le symbole du Plus-grand-que-les-Dieux ; son énorme corps noir était comme en suspension dans un océan jaune en forme de bulle ; ses tentacules s'étalaient comme de monstrueux rayons d'étoiles noires et son regard redoutable pesait sur le temple, avec, comme toujours, cette apparence de tout voir et de ne rien voir. Le symbole était inchangé. Le flux de sombre puissance consciente, tenu en échec pendant ce bref instant, recommença à m'envahir.

Je découvris alors entre moi et l'écran un demi-cercle de femmes. Elles étaient jeunes, à peine sorties de l'adolescence en fleur... mais déjà portant fruit. J'en comptai douze, chacune debout dans la coupe sacrificielle peu profonde, les chaînes dorées du sacrifice autour de la taile. Sur leurs épaules blanches, sur leur jeune poitrine, tombait le voile de leur chevelure rousse et, à travers ce voile, elles me regardaient avec des yeux bleus hantés par l'horreur. Si elles ne pouvaient me dissimuler cette horreur dans leur regard parce que j'étais si proche, elles la cachaient à ceux qui, derrière nous, nous observaient. Elles se tenaient droites dans les coupes, fièrement, intraitables. *Hé !* C'est qu'elles étaient courageuses, ces femmes de Karak ! J'éprouvai pour elles la pitié de jadis, le frisson de l'antique révolte.

Au centre du demi-cercle de femmes se balançait un treizième anneau, soutenu par de solides chaînes dorées tombant de la voûte du temple. Il était vide, les agrafes de la lourde ceinture étaient ouvertes...

Le treizième anneau ! L'anneau du Sacrifice du Guerrier ! Ouvert... pour moi !

Je regardai le Grand Prêtre. Il se tenait debout à côté de ses séides accroupis devant leurs tambours. Son regard était posé sur moi. Tibur se tenait au bord de la plate-forme à côté de l'enclume de Tubal-caïn, avec, dans les mains, le grand marteau, et, sur le visage, le reflet de l'exultation mauvaise peinte sur les traits du Grand Prêtre. La Sorcière, je ne réussis pas à la voir.

Le Grand Prêtre s'avança. Il se mit à parler, tourné vers l'immensité obscure du temple où était réunie la congrégation des nobles.

— Voici quelqu'un qui vient à nous en disant s'appeler... Dwayanu. S'il est Dwayanu, alors le Plus-grand-que-les-Dieux, le puissant Khalk'ru, entendra sa prière et acceptera les Sacrifices. Mais si Khalk'ru reste sourd, ce sera la preuve qu'il est un escroc et un menteur. Et Khalk'ru m'entendra, moi qui l'ai servi fidèlement. Cet escroc et menteur, alors, se balancera dans l'Anneau du Guerrier pour que Khalk'ru le punisse selon son désir. Ecoutez-moi ! Est-ce juste ? Répondez !

Des profondeurs du temple montèrent les voix des témoins.

— Nous entendons ! C'est juste !

Le Grand Prêtre se retourna comme pour s'adresser à moi. Mais si telle avait été son intention, il en changea. Par trois fois il souleva sa crosse garnie de clochettes d'or et les secoua. Par trois fois Tibur brandit sa masse et frappa l'enclume de Tubalcaïn.

Des profondeurs du temple monta l'antique chant, l'ancienne supplication que Khalk'ru avait enseignée à nos ancêtres quand il nous avait élus d'entre tous les peuples de la terre, voici de cela des temps immémoriaux. Je l'écoutai comme une berceuse. Et les yeux de Tibur ne se détournèrent pas de moi une seconde, sa main sur son marteau prête à lancer et estropier si j'essayais de fuir ; de même le regard de Yodin ne me quitta pas non plus.

Le chant s'acheva.

D'un geste vif je levai les mains dans l'antique salutation, je fis avec l'anneau ce que prescrivait l'antique rite — et à travers le temple passa ce premier souffle de froid qui présage la venue de Khalk'ru !

Hé ! La tête de Yodin et de Tibur quand ils sentirent ce souffle ! Comme j'aurais voulu les voir ! Ris maintenant, Tibur ! *Hé !* Ils ne pouvaient plus rien contre moi maintenant ! Même le Forgeron n'oserait pas précipiter le marteau ni lever la main pour déchaîner sur moi la grêle des flèches !

Même Yodin n'oserait pas me barrer la route...

J'oubliai tout cela. J'oubliai Yodin et Tibur. J'oubliai les Sacrifiées, comme je les oubliais toujours dans la sombre exultation du rite.

La pierre jaune vacilla, fut parcourue de tremblements. Elle devint transparente comme l'air. Elle disparut.

A sa place, ses tentacules noirs frémissants, son corps noir planant, se perdant dans le Vide incommensurable, il y avait Khalk'ru !

Les tambours battirent plus vite, plus fort.

Les tentacules noirs approchèrent en se tordant. Les femmes ne les virent pas. Leurs regards s'attachaient à moi... comme si... comme si je représentais pour elles quelque espérance qui brillait à travers leur désespoir ! Moi... qui avais appelé leur destructeur...

Les tentacules les touchèrent. Je vis l'espoir s'effacer et mourir. Les tentacules s'enroulèrent autour de leurs épaules. Ils glissèrent sur leur poitrine. Les enveloppèrent. Descendirent le long des cuisses jusqu'à leurs pieds. Les tambours entamèrent le rapide essor en crescendo marquant l'apogée du Sacrifice.

Les plaintes aiguës des femmes dominèrent les tambours. Leurs corps blancs devinrent brume grise. Devinrent des ombres. Elles avaient disparu — disparu avant que le bruit de leurs plaintes eût cessé. Les ceintures d'or tombèrent en cliquetant sur le roc...

Qu'est-ce qui se passait ? La cérémonie était finie. Le Sacrifice accepté. Pourtant Khalk'ru restait là !

Et le froid inanimé rampait autour de moi, montait autour de moi.

Un tentacule oscilla et se projeta en avant en ondulant. Lentement, lentement, il dépassa l'Anneau du Guerrier... approcha... encore plus près.

Il venait vers moi !

J'entendis une voix psalmodier. Psalmodier des mots plus anciens que je n'en avais jamais connus.

Des mots ? Ce n'étaient pas des mots ! C'étaient des sons dont l'origine remontait très loin, jusqu'au temps où l'homme n'avait pas encore commencé à respirer.

C'était Yodin — Yodin parlant dans une langue qui aurait pu être la langue même de Khalk'ru avant qu'apparaisse la Vie !

Il s'en servait pour lancer Khalk'ru sur moi. Pour m'envoyer sur le chemin qu'avaient suivi les Sacrifiées !

Je bondis sur Yodin. Je le saisis dans mes bras et l'interposai entre moi et le tentacule en quête de proie. Je soulevai Yodin à bout de bras comme je l'aurais fait d'une poupée et le précipitai vers Khalk'ru. Il traversa le tentacule comme si ç'avait été un nuage. Il heurta les chaînes qui soutenaient l'Anneau du Guerrier. Il rebondit entre elles, s'y empêtra. Il glissa sur la ceinture d'or.

Les bras levés, je m'entendis crier à Khalk'ru ces même syllabes inhumaines. J'ignorais alors leur signification et je les ai oubliées maintenant, et je ne sais pas non plus d'où je tirais leur connaissance...

Je sais qu'il s'agissait de sons que la gorge et les lèvres des hommes n'ont jamais été faites pour prononcer !

Mais Khalk'ru entendit... et en tint compte ! Il hésita. Ses yeux me fixèrent, insondables — me regardèrent et regardèrent à travers moi.

Puis le tentacule se replia sur lui-même. Il encercla Yodin. Un cri aigu étouffé — et Yodin disparut !

Le Khalk'ru vivant avait disparu. D'un jaune lumineux, la bulle océane brillait à l'emplacement où il s'était trouvé, la forme noire flottant, inerte, à l'intérieur.

J'entendis quelque chose tinter contre le rocher — c'était l'anneau de Yodin qui roulait au fond de la coupe. Je bondis et le ramassai.

Tibur, le marteau à moitié brandi, me dévisageait avec fureur à côté de l'enclume. Je lui arrachai le marteau de la main, lui décochai une bourrade qui le fit tituber. Je levai le marteau et broyai sur l'enclume l'anneau de Yodin ! Du temple monta une clameur assourdissante :

— Dwayanu !

2

LES LOUPS DE LUR

Je chevauchais dans la forêt en compagnie de la Sorcière. Le faucon blanc se percha sur son poing ganté et me maudit en me fixant avec ses yeux d'or qui ne cillaient pas. Il ne m'aimait pas, le faucon de Lur. Une vingtaine de ses femmes, aussi à cheval, cheminaient derrière nous. Une douzaine des miennes, triées sur le volet, formaient un bouclier pour mon dos. Elles suivaient de près. Ainsi en était-il jadis. J'aimais avoir mes arrières protégés. C'était mon point sensible, que ce fût avec des amis ou des ennemis.

Les armuriers m'avaient forgé une cotte dans ces mailles légères de leur façon. Je l'avais endossée ; de même, Lur et notre petit troupe portaient des cottes de mailles, et chacune était armée comme moi des deux sabres, de la longue dague et du marteau de guerre attaché au bras. Nous étions en route pour aller reconnaître Sirk.

Pendant cinq jours, j'avais pris place sur le trône du Grand Prêtre et j'avais régné sur Karak avec la Sorcière et Tibur. Lur était venue à moi, repentante à sa manière farouche. Tibur, toute arrogance et insolence envolées, avait plié le genou et offert son allégeance, protestant avec une certaine justesse que ses doutes avaient été bien naturels. J'acceptai sa soumission — avec des réserves. Tôt ou tard, je serais obligé de tuer Tibur — même si je n'avais pas promis sa mort à Lur. Mais pourquoi le supprimer avant qu'il ait cessé de m'être utile ? L'outil était tranchant ? Eh bien, si je me coupe en le manipulant, ce serait uniquement ma faute. Mieux vaut un couteau acéré tordu qu'un couteau droit à lame émoussée.

Quant à Lur — c'était un beau corps de femme et une intelligence subtile. Mais est-ce qu'elle comptait beaucoup ? Pas tellement... pour l'instant. Une léthargie pesait sur moi, une lassitude, tandis que je chevauchais à côté d'elle dans la forêt odorante.

Pourtant, j'avais reçu de Karak plus d'hommages et d'acclamations qu'il n'en fallait pour apaiser n'importe quel orgueil blessé. J'étais l'idole des soldats. Je chevauchais par les rues aux acclamations populaires et les mères soulevaient leur petit enfant pour qu'il me voie. Mais beaucoup restaient silencieux sur mon passage, détournaient la tête ou me jetaient des regards obliques, avec des yeux assombris par une haine et une peur furtives.

Dara, le capitaine aux yeux hardis qui m'avait mis en garde contre Tibur, et Naral, la crâne jeune femme qui m'avait donné son médaillon, je les avais prises à mon service et en avais fait les officiers de ma garde personnelle. Elles étaient dévouées et amusantes. J'avais parlé à Dara le matin même de ceux qui me regardaient de travers — et demandé pourquoi.

— Tu veux une réponse franche, Seigneur ?

— Comme toujours, Dara.

Elle déclara sans ménagement :

— Ce sont ceux qui attendaient un Libérateur. Qui brise les chaînes. Ouvre les portes. Instaure la liberté. Ils disent que Dwayanu n'est qu'un autre pourvoyeur de Khalk'ru. Son boucher. Comme Yodin. Pas pire, peut-être. Pas meilleur, sûrement.

Je songeai à cet étrange espoir que j'avais vu s'éteindre dans les yeux des Sacrifiées. Elles aussi avaient espéré en moi un Libérateur au lieu de...

— Qu'en penses-tu, Dara ?

— Je pense comme toi, Seigneur ! répliqua-t-elle. Seulement cela ne me fendrait pas le cœur de voir brisées les ceintures d'or.

Et j'y réfléchissais en chevauchant avec Lur, son faucon blanc dardant sur moi un œil haineux qui ne cillait pas. Qui était... Khalk'ru ? Souvent, bien souvent, voilà de cela très, très longtemps, je me l'étais demandé. L'illimité pouvait-il se mouler dans cette forme sous laquelle il répondait à l'appel du porteur de l'anneau ? Ou plutôt... le voudrait-il ? Mon empire avait été étendu — sous le soleil, la lune et les étoiles. Ce n'était pourtant qu'un atome de poussière dans un rayon de soleil comparé à l'empire de l'Esprit du Vide. Quelqu'un de si grand accepterait-il de se réduire pour tenir dans l'atome ?

Hé ! L'Ennemi de la Vie existait, cela ne faisait pas de doute. Mais ce qui répondait à l'appel de l'anneau était-il bien... l'Ennemi de la Vie ? Dans le cas contraire... ce sombre culte valait-il son prix ?

Un loup hurla. La Sorcière rejeta la tête en arrière et lui répondit. Le faucon étira ses ailes en criant. Nous pénétrâmes dans une vaste clairière au sol couvert de mousse. Lur s'arrêta, sa gorge lança un nouveau hurlement.

Tout à coup, il y eut autour de nous un cercle de loups. Des loups blancs dont les yeux verts étincelants étaient fixés sur Lur. Ils nous entouraient, la langue rouge pendante, les crocs luisants. Un bruit de pas feutrés et, tout aussi soudainement, le cercle de loups fut doublé. Et d'autres se faufilèrent à travers les arbres jusqu'à ce que le cercle fût triplé, quadruplé... jusqu'à ce qu'il y eût une large ceinture blanche vivante mouchetée de rouge par la flamme écarlate des langues de loups, cloutée des émeraudes scintillantes des yeux de loups...

Mon cheval tremblait ; je sentis l'odeur de sa sueur.

Lur enfonça les genoux dans les flancs de sa monture et avança. Elle lui fit faire au pas le tour du cercle intérieur des loups blancs. Elle leva la main, dit quelque chose. Un grand loup mâle qui était assis sur son derrière se leva et s'approcha. Comme un chien, il posa les pattes sur sa selle. Elle se pencha, lui prit la tête entre ses mains. Elle lui parla dans un murmure. Le loup semblait écouter. Il retourna se placer dans le cercle et se coucha, le regard fixé sur elle. Je ris.

— Es-tu femme... ou louve, Lur ?

— Moi aussi, j'ai mes fidèles, Dwayanu, répliqua-t-elle. Tu ne pourrais pas aisément détacher ceux-là de moi.

Quelque chose dans sa voix me la fit examiner avec attention. C'était la première fois qu'elle témoignait de l'humeur, ou au moins du chagrin, devant ma popularité. Elle évita mon regard.

Le grand loup leva la tête et hurla. Les cercles se rompirent. La meute se dispersa en éventail et nous précéda à la façon des éclaireurs, trottant à vive allure. Elle se fondit dans les ombres vertes.

La forêt s'éclaircit. Des fougères géantes remplacèrent les arbres. Je commençais à entendre un sifflement bizarre. D'autre part, la température devenait de plus en plus chaude, l'air était chargé d'humidité et des écharpes de brume flottaient au-dessus des fougères. Je ne distinguais aucune piste et pourtant Lur avançait sans hésitation comme sur une route bien tracée.

Nous arrivâmes à un énorme bouquet de fougères. Lur sauta à terre.

— A partir d'ici, nous continuons à pied, Dwayanu. Ce n'est pas très loin.

Je la rejoignis. La troupe s'arrêta aussi, mais resta en selle. Nous nous faufilâmes entre les fougères, la Sorcière et moi, pendant une vingtaine de pas. Le loup marchait juste devant elle, le nez à terre. Elle écarta les frondaisons. Sirk était devant moi.

A droite se dressait un bastion de falaises perpendiculaires ruisselant d'humidité, sans grande verdure à part de petites fougères cramponnées par leurs racines à de précaires points d'appui. A gauche, à quatre portées de flèche peut-être, un bastion semblable dressait sa masse dans la brume légère. Entre ces bastions, il y avait une plate-forme de roche noire. Ses fondations lisses et luisantes plongeaient dans une douve large de deux grandes portées de javelot. La plate-forme s'avançait en arrondi et, d'une falaise à l'autre, elle était bordée par une ligne forte continue.

Hé ! Quelle douve c'était ! De dessous la falaise de droite jaillissait un torrent. Il s'élançait en sifflant et bouillonnant, la vapeur qui en montait oscillait devant la falaise comme un grand voile pour retomber sur nous en fine pluie tiède. Ses eaux brûlantes couraient le long de la base rocheuse de la forteresse, des jets de vapeur en crevaient la surface, d'énormes bulles se formaient puis éclataient en projetant des averses d'écume bouillante.

La forteresse proprement dite n'était pas haute. Trapue et solidement bâtie, elle présentait une masse compacte à l'exception d'archères près du sommet. Elle était couronnée par un parapet. J'y vis un scintillement de lances et la tête des sentinelles. Il n'y avait qu'en un seul endroit ce qui devait être des tours. Elles se trouvaient près du centre, où la douve bouillante se rétrécissait. En face, sur la berge opposée, était un quai de pont-levis. J'apercevais le pont, un pont étroit, dressé et saillant entre les deux tours, comme une langue.

Derrière la forteresse, les falaises reculaient vers l'intérieur. Elles ne se touchaient pas. Elles laissaient entre elles un espace qui avait à peu près le tiers en largeur de celle de la plate-forme où se dressait la forteresse. Devant nous, sur notre côté du torrent bouillant, les arbres et les fougères avaient été essartés le long du terrain en pente. Il n'offrait aucun couvert.

Ils avaient bien choisi leur emplacement, ces hors-la-loi de Sirk. Aucun assiégeant ne pouvait franchir à la nage cette douve aux jets sifflants de vapeur et aux bulles explosives qui montaient continuellement des geysers du fond. On ne pouvait y entasser ni pierres ni arbres qui auraient servi à former une chaussée sur laquelle monter pour battre en brèche les murs de la forteresse. Il n'y avait aucun moyen de prendre Sirk de ce côté. Mais Sirk devait être plus étendue que cela.

Lur avait suivi mon regard, lu mes pensées.

— Sirk même se trouve derrière ces portes, dit-elle en tendant la main vers le vide entre les falaises. C'est une vallée à l'intérieur de laquelle sont la cité, les champs, les troupeaux. Et l'unique voie d'accès passe par ces portes.

Je hochai la tête, machinalement. J'étudiais les falaises derrière la forteresse. Je vis que celles-ci, au contraire des bastions qui flanquaient la plate-forme, n'étaient pas lisses. Des avalanches s'étaient produites et les éboulis avaient formé des terrasses rudimentaires. Si seulement on pouvait atteindre ces falaises sans être aperçu...

— Est-il possible de se rapprocher de la falaise d'où vient le torrent, Lur ?

Elle me saisit le poignet, les yeux brillants.

— Que vois-tu, Dwayanu ?

— Je ne le sais pas encore, Sorcière. Peut-être rien. Est-il possible de se rapprocher du torrent ?

— Viens.

Nous sommes sortis des fougères, nous les avons contournées, le chien-loup marchant en tête, les pattes raides, les yeux et les oreilles au guet. L'air devint plus brûlant, saturé de vapeur, difficile à respirer. Le sifflement se fit plus intense. Nous nous faufilâmes au milieu des fougères, trempés jusqu'aux os. Un pas encore et je me trouvai juste au-dessus du torrent bouillant. Je vis alors qu'il ne descendait pas de la falaise. Il jaillissait par en dessous ; sa chaleur et ses exhalaisons me donnèrent le vertige. J'arrachai un morceau de ma tunique que je mis sur mon nez et ma bouche. J'examinai mètre par mètre la paroi qui le surplombait. Je l'étudiai longtemps, très longtemps — puis je me retournai.

— Nous pouvons repartir, Lur.

Elle questionna avec entrain :

— Qu'as-tu vu, Dwayanu ?

Ce que j'avais vu pouvait être la fin de Sirk — mais je ne le lui dis pas. Mon idée n'était pas complètement au point. Il n'a jamais été dans mes habitudes de confier à autrui des plans à demi élaborés. C'est trop dangereux. Le bouton est plus délicat que la fleur et doit se développer tranquillement loin des mains curieuses ou traîtresses ou même bien intentionnées mais maladroites. Mûrir son plan et le mettre à l'épreuve — on peut alors apprécier avec un esprit clair les changements à y apporter éventuellement. Je n'ai jamais aimé non plus tenir conseil ; trop de cailloux jetés dans la source la salissent. C'était une des raisons qui font de moi... Dwayanu. Je répondis à Lur :

— Je ne sais pas. J'ai une idée. Mais il faut que je l'approfondisse.

Elle répliqua, d'un ton de colère :

— Je ne suis pas stupide. Je connais la guerre — comme je connais l'amour. Je pourrais t'aider.

Je répondis, impatienté :

— Pas encore. Quand j'aurai fait mon plan, je te l'expliquerai.

Elle ne parla de nouveau que lorsque nous fûmes en vue des femmes qui attendaient ; elle se tourna vers moi. Sa voix était basse et très douce.

— Tu ne veux pas me le dire ? Ne sommes-nous pas égaux, Dwayanu ?

— Non, répliquai-je, la laissant juger si cela répondait à sa première question ou aux deux à la fois.

Elle se remit en selle et nous rebroussâmes chemin à travers la forêt.

Je pesais et soupesais ce que j'avais vu et ce que cela pouvait impliquer quand j'entendis de nouveau le hurlement des loups. C'était un hurlement continu, insistant. Un appel impérieux. La Sorcière leva la tête, écouta, puis éperonna son cheval. Je lançai le mien à sa suite. Le faucon blanc battit des ailes et prit son essor en criant.

Sortant au galop de la forêt, nous débouchâmes dans une prairie couverte de fleurs. Dans la prairie se tenait un petit homme. Les loups l'entouraient, tournant sans arrêt les uns autour des autres et l'enfermant dans un cercle ensorcelé. Dès qu'ils virent Lur, ils cessèrent de hurler, s'assirent sur leur arrière-train. Lur tira sur les rênes de son cheval et s'avança avec lenteur vers eux. J'aperçus son visage, il avait une expression dure et féroce.

Je regardai le petit homme. Petit, il l'était effectivement, à peine plus haut que mon genou, toutefois parfaitement conformé. Un petit homme à la peau dorée dont la chevelure dévalait presque jusqu'à ses pieds. Un des Rrrilyas — j'avais étudié leur image tissée dans les tapisseries, mais c'était le premier que je voyais vivant — ou non ? J'avais vaguement l'impression de m'être trouvé en contact avec eux d'une façon plus directe que par les tapisseries.

Le faucon blanc tournait autour de sa tête, plongeait, le frappait du bec et des serres. Le petit homme tenait un bras devant ses yeux et, de l'autre, s'efforçait de chasser l'oiseau. La Sorcière lança un appel aigu. Le faucon revint vers elle et le petit homme rabaissa les bras. Son regard tomba sur moi. Il me cria quelque chose, il me tendit les bras, comme un enfant.

Il y avait dans ce geste et ce cri une supplication. De l'espoir aussi, et de la confiance. C'était comme un enfant apeuré qui appelle quelqu'un qu'il connaît et à qui il se fie. Dans ses yeux, je déchiffrai de nouveau l'espoir que j'avais vu mourir dans les yeux des Sacrifiées. Eh bien, je ne le regarderais pas mourir dans les yeux du petit homme !

Je poussai mon cheval devant celui de Lur et le fis sauter par-dessus la barrière des loups. Me penchant sur ma selle, je saisis le petit homme dans mes bras. Il se cramponna à moi, en chuchotant d'étranges sons trillés.

Je me retournai vers Lur. Elle avait immobilisé son cheval derrière les loups.

Elle cria :

— Apporte-le-moi !

Le petit homme m'agrippa avec énergie et se mit à débiter les sons étranges sur un rythme rapide. Manifestement, il avait compris — et tout aussi manifestement, il m'implorait de faire n'importe quoi, sauf de le donner à la Sorcière.

Je ris et secouai la tête à l'adresse de Lur. Je vis ses yeux flamber d'un élan de fureur incontrôlable. Qu'elle rage donc ! Le petit homme s'en irait sain et sauf ! J'éperonnai mon cheval et sautai de l'autre côté du cercle de loups. Je vis non loin de là luire la rivière, et dirigeai vers elle ma monture.

La Sorcière poussa un cri sauvage, féroce. Aussitôt des ailes sifflèrent autour de ma tête, des ailes me battirent les oreilles. Je brandis ma main. Je la sentis frapper le faucon et j'entendis l'oiseau de proie crier de rage et de douleur. Le petit homme se serra davantage contre moi.

Un corps blanc bondit et s'accrocha un instant au pommeau de ma selle, ses yeux verts plongeant dans les miens, sa gueule rouge dégoulinante de bave. Je jetai vivement un coup d'œil en arrière. La meute fonçait sur moi, Lur à sa suite. Le loup bondit encore. Mais cette fois j'avais eu le temps de tirer mon épée. Je la plongeai dans la gorge du loup blanc. Un autre sauta, m'arrachant un lambeau de tunique. D'une main, je tins en l'air le petit homme, et, de l'autre, je frappai encore.

La rivière était maintenant proche. J'arrivai sur sa berge. Je soulevai le petit homme à deux mains et le précipitai le plus loin possible dans l'eau.

Je me retournai, les deux épées en main, pour affronter la charge des loups.

J'entendis Lur lancer un autre cri. Les loups s'immobilisèrent dans leur course, si soudainement que les plus avancés glissèrent et roulèrent de côté. Je regardai vers la rivière. Loin, là-bas, émergeait la tête du petit homme, sa longue chevelure flottant derrière lui, qui filait comme une flèche vers la berge opposée.

Lur s'approcha. Son visage était blême et ses yeux étaient durs comme des pierres bleues. Elle dit d'une voix étranglée :

— Pourquoi l'as-tu sauvé ?

J'y réfléchis gravement. Je répliquai :

— Parce que je refuse de voir pour la seconde fois mourir l'espoir dans les yeux de qui a confiance en moi.

Elle me dévisagea, d'un regard fixe ; et sa colère blanche ne s'apaisa pas.

— Tu as brisé l'aile de mon faucon, Dwayanu.

— Que préfères-tu, Sorcière... son aile ou mes yeux ?

— Tu as tué deux de mes loups.

— Deux loups... ou ma gorge, Lur ?

Elle ne répondit pas. Elle revint lentement vers ses femmes. Mais j'avais vu des larmes dans ses yeux avant qu'elle se détourne. Peut-être étaient-ce des larmes de rage, peut-être pas. En tout cas, c'était la première fois que je voyais Lur pleurer.

Nous repartîmes vers Karak sans échanger un seul mot — elle câlinant le faucon blessé, moi réfléchissant à ce que j'avais vu sur les falaises de Sirk.

Nous ne nous arrêtâmes pas à Karak. J'avais la nostalgie du lac des Fantômes, de son calme et de sa beauté. Je le dis à Lur. Elle acquiesça avec indifférence ; aussi avons-nous continué et nous arrivâmes là-bas comme le crépuscule tombait. Nous dinâmes ensemble dans la grande salle avec les femmes. Lur avait secoué son humeur chagrine. Si elle éprouvait toujours de la colère contre moi, elle le dissimulait bien. Nous étions gais et je bus beaucoup de vin. Plus je buvais, plus mon plan pour prendre Sirk devenait net. C'était un bon plan. Au bout d'un moment, je montai avec Lur dans sa tour pour regarder la cascade et les fantômes de brume aux gestes accueillants, et le plan devint plus clair encore.

Puis mon esprit se reporta sur cette question de Khalk'ru. Et j'y réfléchis longtemps. Quand je levai les yeux, je vis le regard de Lur qui m'observait attentivement.

— A quoi songes-tu, Dwayanu ?

— Je songe que je n'invoquerai plus jamais Khalk'ru.

Elle répliqua lentement, d'un ton incrédule :

— Tu plaisantes, Dwayanu !

— Je ne plaisante pas.

Son visage pâlit. Elle reprit :

— Si Khalk'ru ne se voit pas offrir son Sacrifice, il retirera toute vie de cette terre. Elle deviendra un désert comme la Mère Patrie quand les Sacrifices eurent été interrompus.

— Vraiment ? répondis-je. C'est ce que j'ai cessé de croire. Je ne pense pas non plus que tu le croies, Lur. Dans les temps anciens, il y avait bien des pays qui ne reconnaissaient pas Khalk'ru, dont le peuple ne sacrifiait par à Khalk'ru — pourtant ce n'étaient pas des déserts. Et je sais, sans comprendre d'où me vient ce savoir, qu'il y a bien des pays actuellement où Khalk'ru n'est pas vénéré — pourtant la vie y est florissante. Même ici — les Rrrllyas, le Petit Peuple, ne le vénèrent pas. Ils le haïssent — ou du moins est-ce ce que tu m'as dit — pourtant la terre de l'autre côté de Nanbu n'est pas moins fertile qu'ici.

Elle déclara :

— C'est ce qui s'est dit de bouche à oreille dans

la Mère Patrie voici très, très longtemps. Le murmure s'est amplifié... et la Mère Patrie est devenue un désert.

— Il y avait peut-être à cela d'autres raisons que le courroux de Khalk'ru, Lur.

— Lesquelles ?

— Je l'ignore, dis-je. Mais tu n'as jamais vu le soleil, la lune et les étoiles. Moi, je les ai vus. Et un vieux sage m'a dit un jour qu'au delà du soleil et de la lune il existe d'autres soleils et d'autres terres qui tournent autour d'eux et sur ces terres... il y a de la vie. L'Esprit du Vide où brûlent ces soleils doit être trop immense pour se recroqueviller à la petitesse de ce qui, dans un petit temple de cette minuscule partie de la Terre, se manifeste à nous.

— Khalk'ru existe ! répliqua-t-elle. Khalk'ru est partout. Il est dans l'arbre qui se dessèche, dans la source qui tarit. Chaque cœur lui est ouvert. Il le touche — et viennent alors la lassitude de vivre, la haine de la vie, le désir de la mort éternelle. Il effleure la terre et il y a du sable aride où croissaient des prairies ; les troupeaux deviennent stériles. Khalk'ru existe.

J'y réfléchis et en convins. Mais il y avait une faille dans son raisonnement.

— Je ne le nie pas non plus, Lur, répliquai-je. L'Ennemi de la Vie existe. Mais ce qui vient à la cérémonie de l'anneau, est-ce bien... Khalk'ru ?

— Qui d'autre ? C'est l'enseignement qui nous est parvenu des temps anciens.

— Je ne sais pas qui d'autre ce pourrait être. Et bien des choses ont été enseignées dans les temps anciens qui ne supportent pas l'examen. Mais je ne crois pas que ce qui vient soit Khalk'ru, l'Ame du Vide, Celui-à-qui-toute-vie-doit-retourner et tout le reste de ses titres. Je ne crois pas non plus que si nous mettons fin aux Sacrifices la vie finira ici avec eux.

Elle dit, d'une voix très calme :

— Ecoute-moi, Dwayanu. Que ce qui vient aux Sacrifices soit Khalk'ru ou un autre ne m'intéresse pas. Tout ce qui compte, c'est ceci : je ne veux pas quitter ce pays et je voudrais le garder inchangé. J'ai été heureuse ici. J'ai vu le soleil, la lune et les étoiles. J'ai vu le monde extérieur là-bas dans ma cascade. Je ne veux pas y aller. Où trouverais-je un endroit aussi délicieux que mon lac des Fantômes ? Si les Sacrifices cessent, ceux que seule la peur retient ici s'en iront. Ils seront suivis par d'autres en nombre de plus en plus grand. La vie d'autrefois, que j'aime, cessera avec les Sacrifices, sûrement. Car si la désolation survient, nous serons forcés de partir. Et si elle ne survient pas, les gens comprendront qu'il leur a été enseigné des mensonges et ils voudront aller se rendre compte si ce qui est là-bas est plus beau et plus agréable qu'ici. Il en a toujours été ainsi. Je te le dis, Dwayanu, cela ne se fera pas ici !

Elle attendit ma réponse. Je restai silencieux.

— Si appeler Khalk'ru te déplaît, alors pourquoi ne pas choisir quelqu'un pour te remplacer ?

Je lui jetai un regard aigu. Je n'étais pas encore prêt à aller jusque-là. Renoncer à l'anneau avec tout son pouvoir !

— Il y a une autre raison, Dwayanu, que celles que tu m'as données. Quelle est-elle ?

Je répliquai carrément :

— Beaucoup m'appellent le pourvoyeur de Khalk'ru. Son boucher. Je n'aime pas cela. Pas plus que je n'aime voir... ce que j'ai vu... dans les yeux des femmes dont je l'alimente.

— C'est donc cela, dit-elle avec mépris. Le sommeil t'a amolli, Dwayanu ! Tu ferais mieux de me dire ton plan pour conquérir Sirk et de me laisser m'en charger. Tu es devenu trop tendre pour faire la guerre, ce me semble !

Cela me piqua au vif, balaya tous mes remords. Je me dressai d'un bond, bousculant mon fauteuil, et levai à demi la main pour la frapper. Elle m'affronta hardiment, sans trace de peur dans les yeux. Ma main retomba.

— Mais pas si mou que tu puisses me modeler à ta volonté, Sorcière ! m'écriai-je. Je ne reviens pas non plus sur ce qui est convenu. Je t'ai donné Yodin. Je te donnerai Sirk et tout ce que j'ai promis. Jusque-là... laissons de côté la question des Sacrifices. Quand te donnerai-je Tibur ?

Elle posa les mains sur mes épaules et plongea un regard souriant dans mes yeux irrités. Elle noua ses mains autour de mon cou et me fit baisser la tête pour poser ses lèvres vermeilles et chaudes sur les miennes.

— Maintenant, chuchota-t-elle, tu es Dwayanu ! Maintenant, tu es celui que j'aime... Ah ! Dwayanu ! si seulement tu m'aimais comme je t'aime !

Ma foi, je l'aimais autant qu'il est dans ma nature d'aimer une femme... Somme toute, elle n'avait pas sa pareille. Je la soulevai de terre, l'étreignis — et l'ancienne insouciance, l'ancien amour de la vie affluèrent en moi.

— Tu auras Sirk ! Et Tibur quand tu voudras.

Elle parut réfléchir.

— Pas tout de suite, dit-elle. Il est fort et il a ses fidèles. Il sera utile à Sirk, Dwayanu. Pas avant... sûrement.

— C'est ce que je pensais, dis-je. Au moins nous accordons-nous sur une chose.

— Buvons du vin pour sceller notre réconciliation, dit-elle en appelant ses servantes. Mais il y a encore autre chose sur quoi nous sommes d'accord.

Elle me considérait bizarrement.

— Qu'est-ce donc ? demandai-je.

— C'est toi-même qui l'as mentionnée, répliqua-t-elle — et je fus incapable de lui en faire dire plus.

Il se passa du temps avant que je comprenne ce qu'elle voulait dire, et alors ce fut trop tard...

Le vin était bon. J'en bus plus que de raison. Mais mon plan pour la prise de Sirk devenait de plus en plus précis.

Il était tard quand je me réveillai le lendemain matin. Lur était partie. J'avais dormi comme sous l'effet d'un narcotique. Je ne me souvenais à peu près pas de ce qui s'était passé la veille au soir, sinon que, Lur et moi, nous nous étions disputés violemment au sujet de quelque chose. Je ne pensai pas du tout à Khalk'ru. Je demandai à Ouarda où Lur était allée. Deux femmes qui avaient été choisies pour le prochain Sacrifice, m'expliqua-t-elle, avaient réussi à s'échapper. La nouvelle en avait été apportée de très bonne heure. Lur pensait qu'elles étaient en route pour Sirk. Elle leur faisait la chasse avec les loups. Js fus irrité qu'elle ne m'ait pas réveillé et emmené avec elle. Je me disais que j'aurais aimé voir ses brutes blanches en action. Ils ressemblaient aux grands chiens dont nous nous servions aux Pays des Ayjirs pour traquer les fugitifs de même sorte.

Je n'allai pas à Karak. Je passai la journée à des assauts de sabres et de lutte, et à nager dans le lac des Fantômes — une fois que je fus débarrassé de mon mal de tête.

Lur rentra peu avant la tombée de la nuit.

— Les as-tu rattrapées ? questionnai-je.

— Non, dit-elle. Elles ont réussi à gagner Sirk. Nous sommes arrivés juste à temps pour les voir franchir le pont-levis.

Je me fis la réflexion qu'elle prenait la chose avec beaucoup d'indifférence mais n'y attachai pas d'importance. Ce soir-là, elle fut gaie — et très tendre envers moi. Parfois même si tendre qu'il me sembla déceler un autre sentiment dans ses baisers. Ils me parurent empreints de... regret. Et je n'y attachai pas d'importance non plus.

3

LA PRISE DE SIRK

Une fois encore me voilà chevauchant dans la forêt en direction de Sirk, avec Lur à ma gauche et Tibur à côté d'elle. Derrière moi étaient mes deux capitaines, Dara et Naral. Sur nos talons venaient Ouarda et douze jeunes femmes robustes et sveltes, dont la peau blanche était bizarrement bariolée de vert et de noir, nues à l'exception d'une étroite ceinture autour de la taille. Derrière elles s'avançaient quatre-vingts nobles avec Rascha, l'ami de Tibur, à leur tête. Ensuite marchaient silencieusement un bon millier des meilleures guerrières de Karak.

Il faisait nuit. Il était essentiel d'atteindre la lisière de la forêt avant le dernier tiers de la période située entre minuit et l'aube. Les sabots des chevaux étaient enveloppés afin qu'aucune oreille aiguisée ne perçoive leur piétinement à distance et les soldats marchaient en formation ouverte, sans bruit. Cinq jours s'étaient écoulés depuis que j'avais vu la forteresse pour la première fois.

Ç'avait été cinq jours de préparation secrète et méticuleuse. Seuls la Sorcière et le Forgeron savaient ce que j'avais en tête. En dépit du secret que nous avions gardé, la rumeur s'était répandue que nous préparions une sortie contre les Rrrllyas. J'en étais fort satisfait. C'est seulement quand nous fûmes rassemblés pour le départ que Rascha lui-même fut averti que notre destination était Sirk — ou du moins le croyais-je. Cela afin que rien ne vienne mettre ses habitants sur leurs gardes, car je savais bien que ceux que nous menacions avaient de nombreux amis dans Karak — peut-être même parmi les soldats qui nous suivaient. D'où l'emmitouflage des sabots des chevaux. D'où la marche nocturne. D'où le silence pendant la traversée de la forêt. Et c'est pourquoi, lorsque nous entendîmes le premier hurlement des loups de Lur, la Sorcière se glissa à bas de son cheval et disparut dans la lumineuse pénombre verte.

Nous fîmes halte pour attendre son retour. Personne ne parlait ; les hurlements s'étaient tus ; elle surgit d'entre les arbres et se remit en selle. Comme des chiens bien dressés, les loups blancs s'égaillèrent devant nous, flairant le terrain que nous devions encore parcourir, éclaireurs impitoyables auxquels nul espion ou promeneur, venant de Sirk ou s'y rendant, ne pouvait échapper.

J'avais désiré frapper plus tôt, j'avais été irrité par ce délai, j'avais hésité à dévoiler mon plan à Tibur. Mais Lur m'avait fait remarquer que, pour que le Forgeron soit d'une utilité quelconque dans la prise de Sirk, il fallait se fier à lui et qu'il était moins dangereux renseigné et plein d'entrain qu'ignorant de tout et soupçonneux. Ma foi, c'était vrai. Et Tibur était un guerrier de haute valeur, possédant de solides partisans.

Je l'avais donc mis dans la confidence et lui

avais expliqué ce que j'avais remarqué quand j'étais venu pour la première fois avec Lur près des douves bouillantes de Sirk — les vigoureux bouquets de fougères qui formaient une ligne irrégulière et quasi continue dans le haut de la falaise noire depuis la forêt qui était de ce côté-ci jusqu'au-dessus des remparts en passant par-dessus le geyser. Cela indiquait à mon avis un glissement de rocher ou une taille formant corniche. Le long de cette corniche, des grimpeurs aux nerfs solides, au pied sûr, pouvaient se faufiler et s'introduire sans être vus dans la forteresse — et là faire pour nous ce que j'avais en tête.

Les yeux de Tibur avaient étincelé et il avait ri comme je ne l'avais plus entendu rire depuis mon épreuve par Khalk'ru. Il n'avait formulé qu'une remarque.

— Le premier maillon de ta chaîne est le plus faible, Dwayanu.

— Certes. Mais il est forgé à l'endroit le plus faible de la chaîne de défense de Sirk.

— N'empêche... je n'aimerais pas être le premier à essayer ce chainon.

En dépit de ma méfiance, cette franchise me l'avait rendu sympathique.

— Alors remercie les dieux pour ton poids, Frappeur d'enclume, avais-je dit. Je ne vois pas tes pieds rivalisant avec les fougères pour s'assurer un point d'appui. Sans quoi, je t'aurais peut-être choisi.

J'avais regardé le croquis que j'avais tracé pour que mes explications soient plus claires.

— Il nous faut frapper vite. Dans combien de temps pouvons-nous être prêts, Lur ?

J'avais relevé les yeux juste à point pour les voir échanger un coup d'œil. Si j'en éprouvai de la suspicion, elle fut fugitive, Lur ayant répondu très vite :

— En ce qui concerne les soldats, nous pourrions partir ce soir. Combien de temps il faudra pour sélectionner les grimpeurs, je l'ignore. Je dois ensuite les faire s'exercer. Tout cela sera assez long.

— Combien de jours, Lur ? Nous devons agir vite.

— Trois jours... cinq jours... je me hâterai autant que possible. Je ne veux rien promettre de plus.

J'avais été forcé de m'en accommoder.

Et maintenant, cinq jours plus tard, nous marchions sur Sirk. Il ne faisait ni sombre ni clair dans la forêt ; il y régnait une étrange pénombre où nous n'étions que des silhouettes indistinctes. Les chatoyants papillons nocturnes voletaient au-dessus de nous ; le miroitement des fleurs nous servait de torche. Tous les parfums étaient l'émanation de la vie. Mais c'est la mort que nous allions porter.

Les armes des soldats étaient couvertes afin de prévenir les reflets révélateurs, les fers des lances étaient noircis — rien de métallique ne brillait sur aucun de nous. La tunique des soldats arborait la Roue de Luka afin que l'ami ne soit pas pris pour un ennemi une fois que nous serions dans les remparts de Sirk. Lur avait voulu le noir symbole de Khalk'ru. Je m'y étais opposé.

Nous atteignîmes l'endroit où nous avions décidé de laisser les chevaux. Notre groupe se détacha en silence. Sous la conduite de Tibur et de Rascha, les autres se faufilèrent en silence à travers bois et fougeraies jusqu'à la lisière de la clairière en face du pont-levis.

Avec la Sorcière et moi venaient tout juste une douzaine de nobles, Ouarda avec les grimpeuses nues, une centaine de soldats. Chacun de ceux-ci portait sur le dos un étui protecteur contenant arc et carquois. Ils avaient la courte hache d'armes, l'épée et la dague. Ils transportaient la longue et large échelle de corde que j'avais fait fabriquer sur le modèle dont je m'étais servi en des temps très, très anciens pour résoudre des problèmes semblables à celui de Sirk — mais aucun n'avait présenté de difficultés aussi formidables. Ils étaient également chargés d'une autre échelle, longue, flexible, en bois.

J'étais armé seulement d'une hache et d'une épée ; Lur et les nobles avaient des épées et des marteaux de guerre.

Nous avançâmes furtivement vers le torrent dont le sifflement devenait plus fort à chaque pas.

Soudain, je m'arrêtai et fis signe à Lur.

— Sorcière, sais-tu vraiment parler à tes loups ?

— Oui, Dwayanu.

— Je suis en train de penser qu'il ne serait pas mauvais d'écarter les yeux et les oreilles de ce côté-ci du rempart. Si quelques-uns de tes loups allaient un peu se battre, hurler et danser là-bas, devant l'autre bastion, pour distraire les gardes, cela pourrait nous rendre service ici.

Elle lança un appel étouffé pareil à la plainte d'une louve. Presque aussitôt, la tête du grand chien-loup qui était venu la saluer lors de notre première sortie à cheval se dressa près d'elle. Il se hérissa en me regardant, mais ne proféra pas un son. La Sorcière s'agenouilla à côté de lui, lui prit la tête dans ses bras en chuchotant. Ils semblèrent s'entretenir dans un murmure. Puis, aussi soudainement qu'il était apparu, il s'en alla. Lur se releva, avec, dans les yeux, quelque chose du feu vert qui brillait dans ceux du loup.

— Les gardes auront leur distraction.

Je sentis un petit frisson me parcourir le dos, car c'était de la pure sorcellerie. Mais je ne dis rien et nous poursuivîmes notre chemin. Nous arrivâmes à cet endroit d'où j'avais examiné la falaise. Ecartant les fougères, nous contemplâmes la forteresse.

Voici la disposition des lieux. A notre droite, à une vingtaine de pas, se dressait la face verticale de la falaise qui, continuant au-dessus du torrent bouillant, formait le bastion le plus rapproché. Le couvert où nous nous abritions déferlait jusqu'à sa base contre laquelle il venait se briser comme une vague verte. Entre notre couvert et la douve s'étendait un espace d'une douzaine de pas au plus, dénudé par les embruns brûlants qui tombaient dessus. Là, les remparts de la forteresse n'étaient qu'à une portée de javelot. Le mur et le parapet touchaient la falaise, mais on les distinguait à peine à travers les voiles épais de vapeur. Et c'est ce à quoi je pensais quand j'avais dit que notre maillon le plus faible serait forgé à l'endroit où les défenses de Sirk étaient aussi les moins fortes. Car aucune sentinelle n'était postée à cet angle. Avec la chaleur, la vapeur et les exhalaisons du geyser, il n'y en avait pas besoin — ou du moins Sirk l'avait cru. Comment, ici où il jaillissait à sa plus forte température, le torrent pouvait-il être franchi ? Qui escaladerait cette falaise lisse et ruisselante d'humidité ? De toutes les défenses ce point était l'imprenable, celui qu'il n'était pas besoin de garder — ou du moins Sirk l'avait cru. C'est pourquoi il était justement le point à attaquer... si faire se pouvait.

Je l'examinai. Sur au moins deux cents pas il n'y avait pas une seule sentinelle. Derrière la forteresse montait la clarté d'un feu. Il projetait des ombres vacillantes sur les éboulis en terrasse derrière le bastion des falaises ; c'était bon puisque, si nous atteignions leur abri, nous aussi ne paraîtrions que des ombres vacillantes. Je fis signe à Ouarda et désignai les rochers qui devaient être le but des grimpeuses nues. Ils se trouvaient à proximité de l'endroit où la falaise s'incurvait derrière le parapet, à la hauteur de vingt hommes de grande taille, au-dessus de l'endroit où nous nous dissimulions. Elle appela les jeunes femmes et leur donna ses instructions. Elles inclinèrent la tête, leurs regards se portant vivement vers le bouillonnement de chaudière de la douve, puis tournant vers l'à-pic luisant. J'en vis quelques-unes frissonner. Ma foi, je ne pouvais pas les en blâmer, oh ! non !

Nous revînmes sur nos pas avec précaution et nous gagnâmes le bas de la falaise. Là, il y avait plus de points d'enrochement qu'il n'en fallait pour les grappins de l'échelle. Nous déroulâmes l'échelle de corde. Nous posâmes l'échelle de bois contre le roc. Je montrai la corniche qui nous ouvrirait peut-être le chemin de Sirk, conseillai de mon mieux les grimpeuses. Je savais que la corniche ne devait guère avoir plus d'un empan de large. Cependant, au-dessus et au-dessous, il y avait de petites crevasses, des trous, où les doigts et les orteils pouvaient se placer, car des bouquets de fougères y poussaient.

Hé ! C'est qu'elles étaient courageuses, ces minces jeunes filles ! Nous attachâmes à leurs ceintures de longues cordes robustes qui fileraient entre nos mains au fur et à mesure de leur progression. Elles regardèrent mutuellement leurs visages et leurs corps peinturlurés et rirent. La première escalada l'échelle comme un écureuil, assura ses pieds et ses mains et commença sa lente traversée. Un instant après, elle avait disparu ; le vert et le noir dont son corps avait été teinté s'étaient fondus dans le noir et le vert indistincts de la falaise. Lentement, très lentement, la première corde fila entre mes doigts.

Une autre la suivit, une autre encore, jusqu'à ce que j'eus six cordes à tenir. Puis les autres grimpèrent à leur tour et rampèrent le long du sentier périlleux, leurs fils rassemblés dans les fortes mains de la Sorcière.

Hé ! C'était une drôle de pêche ! Où il fallait concentrer sa volonté pour garder ces poissons-femmes hors de l'eau ! Lentement — Dieux ! combien lentement — les cordes glissaient entre mes doigts. Entre les doigts de la Sorcière... lentement... lentement... mais filant toujours.

Maintenant la première svelte jeune fille devait être au-dessus de la chaudière... je l'évoquai brièvement... agrippée au roc ruisselant, enveloppée par la vapeur de la chaudière...

Sa ligne mollit dans ma main. Elle mollit, puis fila si vite qu'elle m'entailla la peau... mollit encore... une secousse comme d'un grand poisson qui s'échappe... je sentis le fil casser. La jeune femme était tombée ! Etait maintenant de la chair qui se dissolvait dans l'eau bouillante !

La seconde corde mollit, se raidit, claqua... puis la troisième...

Trois d'entre elles avaient disparu !

Je chuchotai à Lur :

— Il y en a trois de mortes !

— Et deux des miennes !

Je vis que ses paupières étaient étroitement closes, mais les mains qui tenaient les cordes étaient fermes.

Cinq de ces sveltes jeunes femmes ! Plus que sept de reste ! *Luka, tourne ta roue !*

Elles continuèrent à filer entre mes doigts, les cordes restantes, lentement — avec bien des arrêts. Maintenant la quatrième grimpeuse doit être au-dessus de la douve... doit être au-dessus du rempart... doit être à proximité des rochers... le cœur m'était remonté dans la gorge, m'étranglait à moitié...

Dieux !... la sixième était tombée !

— Une autre ! annonçai-je en gémissant à Lur.

— Une autre aussi, murmura-t-elle, et elle rejeta l'extrémité d'une corde.

Il en restait cinq... seulement cinq maintenant... *Luka, tu auras un temple dans Karak... consacré à toi seule, douce déesse !*

Qu'est-ce ? Une secousse imprimée à la corde, deux fois répétée ! Le signal ! Une avait réussi la traversée ! Honneur et richesse à toi, svelte jeune femme...

— Toutes disparues, sauf une, Dwayanu ! chuchota la Sorcière.

Je gémis de nouveau, et lui jetai un regard de colère...

De nouveau, les secousses... sur ma cinquième corde !

Une autre saine et sauve !

— Ma dernière a passé ! chuchota Lur.

Trois de sauvées ! Trois cachées au milieu des rochers. La pêche était finie. Sirk m'avait volé les trois quarts de mes appâts.

Mais Sirk avait avalé l'hameçon.

Une faiblesse comme je n'en avais jamais éprouvée me liquéfiait les os et les muscles. Le visage de Lur était d'un blanc de craie, des ombres noires cernaient ses yeux aux pupilles dilatées.

Eh bien, maintenant, c'était notre tour. Les minces jeunes filles qui étaient tombées auraient peut-être bientôt de la compagnie !

Je pris la corde des mains de Lur. Envoyai le signal. Sentis qu'on y répondait.

Nous coupâmes les cordes et nouâmes leur extrémité à des torons plus solides et, quand ceux-ci furent entièrement filés, nous leur attachâmes une corde plus robuste et plus fine.

Elle fila lentement... fila... fila...

Puis ce fut le tour de l'échelle — le pont sur lequel nous devions passer.

Elle était légère mais forte, cette échelle. Astucieusement tissée selon une méthode inventée il y a de cela des temps immémoriaux. Elle comportait des griffes à chaque extrémité qui, une fois enfoncées, ne lâchaient pas facilement prise.

Nous fixâmes le bout de l'échelle à la corde fine. Le bout glissa loin de nous... passa au-dessus des fougères... plongea dans l'haleine brûlante de la chaudière... la traversa.

Invisible dans cette haleine... invisible dans le demi-jour vert de la falaise... l'échelle poursuivait lentement son ascension...

Les trois jeunes filles l'avaient reçue ! Elles l'assujettissaient. Sous mes mains, l'échelle s'étira et se raidit. Nous la tendîmes à fond de notre côté. Nous fixâmes nos grappins.

La route de Sirk était ouverte !

Je me tournai vers la Sorcière. Elle se tenait debout, le regard perdu. Dans ses yeux brillait la flamme verte de ses loups. Soudain, par-dessus le sifflement du torrent, j'entendis le hurlement de sa meute — très, très lointain.

Elle se détendit ; sa tête retomba ; elle me sourit...

— Oui... il est vrai que je peux parler à mes loups, Dwayanu !

J'allai à l'échelle, l'essayai. Elle était solide, bien amarrée.

— Je passe le premier, Lur. Que personne ne me suive tant que je n'aurai pas traversé. Ensuite toi, Dara et Naral venez protéger mes arrières.

Les yeux de Lur flamboyèrent.

— Je te suis. Tes capitaines viendront après moi.

Je réfléchis. Bah ! d'accord.

— Comme tu veux, Lur. Mais ne traverse que quand je serai de l'autre côté. Puisque Ouarda envoie les soldats. Ouarda... il ne faut pas qu'il y en ait plus de dix à la fois sur l'échelle. Fais-leur nouer un bandeau d'étoffe sur le nez et la bouche avant de partir. Compte trente — lentement, comme cela — entre chaque départ. Lur, attache ma hache et mon épée entre mes épaules. Veille à ce que toutes portent leurs armes de cette façon. Regarde maintenant comment je me sers de mes mains et de mes pieds.

Je me hissai sur l'échelle, les bras et les jambes tendus. Je commençai à grimper. Comme une araignée. Lentement, pour qu'elles apprennent. L'échelle oscillait, mais peu ; elle était à un bon angle.

Je me trouvais maintenant au-dessus de la fougeraie. Puis je fus au bord du torrent. Au-dessus. La vapeur tournoya autour de moi. Elle me dissimula. L'haleine brûlante du geyser me dessécha. Je ne voyais plus rien de l'échelle en dehors des torons au-dessous de moi...

Grâces en soient rendues à Luka ! Si ce qui était devant moi était caché, de même étais-je caché à ce qui était devant moi !

J'étais dans la vapeur. J'avais dépassé la falaise. J'étais au-dessus du parapet. Je sautai de l'échelle au milieu des éboulis, invisible. Je secouai l'échelle.

Il y eut un frémissement en réponse. Un poids pesa dessus... de plus en plus lourd... de plus en plus...

Je détachai la hache et l'épée...

— Dwayanu !...

Je me retournai. C'étaient les trois jeunes filles. Je commençai à les féliciter, en me retenant de rire. Le vert et le noir avaient coulé et s'étaient mélangés en zébrures grotesques sous l'effet du bain de vapeur.

— Nobles vous êtes, jeunes filles ! A partir de ce moment ! Avec le vert et le noir pour couleurs. Ce que vous avez accompli cette nuit sera longtemps célébré dans Karak.

Je regardai dans la direction des remparts. Entre eux et nous s'étendait un espace plan de roc et de sable, à moins d'une demi-portée de flèche. Une vingtaine de soldats se tenaient autour du feu. Et d'autres, en nombre plus important, étaient groupés sur le parapet près des tours du pont. Il y en avait d'autres à l'extrémité la plus éloignée du rempart qui regardaient les loups.

Les tours du pont-levis descendaient jusqu'au sol rocheux. La tour de gauche offrait un mur aveugle. La tour de droite avait une large porte. Cette porte était ouverte, non gardée, à moins que les soldats réunis autour du foyer ne fussent ses gardiens. Entre les tours descendait une large rampe, la voie d'accès au pont.

On m'effleura le bras. Lur était à côté de moi. Et tout de suite après arrivèrent mes deux capitaines. Puis, l'une après l'autre, les guerrières. Je leur ordonnai de bander les arcs, de tenir prêtes les flèches. L'une après l'autre, elles se matérialisaient de l'obscurité verte, se glissaient près de moi. Elles s'apprêtèrent dans l'ombre du rocher.

Une vingtaine, deux vingtaines... un cri aigu perça comme une flèche le sifflement du torrent ! L'échelle frémit. Elle trembla — et se retourna... De nouveau, ce cri désespéré... l'échelle tomba, ballante !

— Dwayanu !... l'échelle est rompue ! *Ah*... Ouarda...

— Chut, Lur ! Ils ont peut-être entendu ce cri. L'échelle ne pouvait pas se rompre...
— Remonte-la, Dwayanu !... remonte-la !
Nous l'avons halée ensemble. Elle était lourde. Nous la ramenions comme un filet, vivement. Et, soudain, elle n'eut plus de poids. Elle fila entre nos mains...
Ses extrémités avaient été tranchées comme par un coup de couteau ou de hache.
— Trahison ! m'écriai-je.
— Mais une trahison... comment... avec Ouarda qui montait la garde ?
Je me faufilai, à demi courbé, derrière l'ombre des rochers.
— Dara... fais déployer les soldats. Dis à Naral de se glisser à l'autre extrémité. Au signal, qu'ils lâchent leurs flèches. En trois vagues seulement. La première volée sur ceux qui entourent le foyer. La seconde et la troisième sur ceux des remparts les plus proches des tours. Puis suivez-moi. Tu m'as compris ?
— C'est compris. Seigneur !
La consigne fut passée le long de la ligne ; j'entendis vibrer les cordes des arcs.
— Nous sommes moins nombreux que je l'aurais aimé, Lur, mais il n'y a rien d'autre à faire qu'à continuer. Pas moyen de sortir de Sirk autrement que par l'épée.
— Je sais. C'est à Ouarda que je pense...
La voix de Lur trembla.
— Elle est sauve. Si la traîtrise avait été généralisée, nous aurions entendu des bruits de lutte. Assez de palabres, Lur. Il nous faut agir vite. Après la troisième volée de flèches, nous prenons d'assaut la porte de la tour.
Je donnai le signal. Les archers se dressèrent. Leurs traits volèrent sur ceux qui entouraient le feu. Il en resta peu de vivants. Aussitôt, une seconde grêle de flèches s'abattit en sifflant sur ceux proches des tours du pont.

Hé! Ça, c'était du tir précis ! Regardez-les tomber ! Encore une fois...

Sifflement des traits empennés, chant des cordes d'arc ! Dieux ! voilà ce qui s'appelait vivre !

Je sautai à bas des rochers, Lur à mon côté. Les guerrières s'élancèrent sur nos traces. Nous courûmes à la porte de la tour. Nous en étions à mi-chemin avant que ceux qui étaient sur le long rempart prennent l'éveil.

Des cris retentirent. Des trompettes sonnèrent et l'air s'emplit de l'appel d'airain d'un grand gong qui clamait l'alarme à Sirk endormie au delà de la passe. Nous continuâmes à courir. Des javelots s'abattaient dans nos rangs, des flèches sifflaient. D'autres portes dans les remparts intérieurs commençaient à surgir des gardes qui se précipitaient pour nous intercepter.

Nous étions à la porte des tours du pont... nous la franchîmes !

Mais pas tous. Un tiers d'entre nous étaient tombés sous les flèches et les javelots. Nous rabattîmes la lourde porte. Nous abaissâmes derrière les barres robustes qui en assuraient la fermeture. et pas une seconde de trop. La porte se mit à résonner des coups de masse assenés par les gardes surpris.

La salle était en pierre, vaste et nue. A part la porte par laquelle nous étions entrés, elle ne comportait aucune ouverture. J'en compris la raison : jamais Sirk ne s'était attendue à être attaquée de l'intérieur. Il y avait des meurtrières en haut des parois, orientées vers le fossé, et des plates-formes pour les archers. D'un côté, il y avait les rouages et les leviers qui abaissaient et relevaient le pont-levis.

J'enregistrai tout cela d'un coup d'œil. Je fus aux leviers d'un bond, commençai à les manœuvrer. Les rouages tournèrent.

Le pont s'abaissait !

La Sorcière courut à la plate-forme des archers ;

elle regarda au-dehors ; porta son cor à sa bouche ; envoya un long appel par l'archère, le signal qui convoquait Tibur et son armée.

Le martèlement contre la porte avait cessé. Les chocs qu'elle subissait étaient plus forts, plus réguliers — rythmés : la charge d'un bélier. Le bois robuste tremblait sous ces assauts ; les barres grincèrent. Lur me cria :

— Le pont est abaissé, Dwayanu ! Tibur s'y précipite. Il fait plus clair. Le jour se lève. Ils ont amené leurs chevaux !

Je jurai.

— Luka, donne-lui la sagesse de ne pas galoper sur ce pont !

— C'est ce qu'il fait... lui, Rascha et une poignée d'autres seulement... le reste met pied à terre... *Hé !* On tire sur eux depuis les meurtrières... les javelots pleuvent... Sirk prélève un lourd tribut...

Un coup s'abattit avec un fracas de tonnerre contre la porte. Le bois se fendit....

Un tumulte assourdissant. Des hurlements et des cris de guerre. Le tintement de l'épée qui heurte l'épée et le sifflement des flèches. Et, dominant tout, le rire de Tibur.

Le bélier ne s'acharnait plus contre la porte. Je redressai les barres, levai ma hache en position de combat, entrebâillai de la largeur d'un doigt la haute porte — et regardai dehors.

Les soldats de Karak dévalaient la rampe du pont-levis.

J'ouvris la porte plus largement. Les morts de la forteresse s'entassaient au pied de la tour et près de la tête du pont.

Je franchis le seuil. Les soldats me virent.

Le cri de « Dwayanu ! » retentit.

De la forteresse montait toujours la clameur du grand gong — avertissant Sirk.

Sirk ne dormait plus !

4

TSANTAWU, ADIEU !

Au delà de la passe de Sirk résonnait une rumeur pareille au bourdonnement d'une gigantesque ruche en émoi. Des sonneries de trompettes et le roulement des tambours. Tintements de gongs d'airain répondant au gong solitaire qui battait au cœur secret de la forteresse violée. Et les femmes-guerriers de Karak continuaient à affluer par le pont jusqu'à ce que le terre-plein derrière la forteresse en fût rempli.

Le Forgeron fit pivoter son destrier, me fit face :

— Par les dieux... Tibur ! Voilà qui était bien mené !

— Uniquement grâce à toi, Dwayanu ! Tu as vu, tu as compris... tu as agi. Notre rôle était mineur.

Hé ! C'était exact. Mais je me sentis bien près d'éprouver de l'amitié pour Tibur. Vie de mon sang ! Conduire la charge contre la tête du pont n'avait rien d'un jeu. Le Forgeron était un soldat !

Qu'il soit seulement à demi loyal envers moi... et que Khalk'ru emporte la Sorcière !

— Nettoie la forteresse, Frappeur d'enclume. Il ne nous faut pas de flèches dans le dos.

— On est en train de la nettoyer, Dwayanu.

Avec des balais qui étaient l'épée et la lance, la flèche et le javelot, la forteresse fut nettoyée.

La clameur du gong d'airain s'éteignit sur un coup à demi frappé.

Mon étalon posa son nez sur mon épaule, me souffla doucement dans l'oreille.

— Tu n'as pas oublié mon cheval ! Merci, Tibur !

— A toi de conduire la charge, Dwayanu !

Je sautai sur le dos de l'étalon. La hache d'armes levée, je lui fis faire demi-tour et partis au galop vers la passe. Je filais comme la pointe d'une lance. Tibur à ma gauche, la Sorcière à ma droite, les nobles derrière nous, les soldats se précipitant à notre suite.

Nous nous engouffrâmes dans la porte naturelle que formaient les falaises de Sirk.

Une vague humaine se dressa pour nous repousser. Les marteaux de guerre frappèrent, les haches taillèrent, les javelots, les lances et les traits empennés volèrent comme grêle sur nous. Mon cheval chancela et s'abattit en hurlant, les deux jarrets de derrière coupés. Je sentis une main sur mon épaule, qui me tirait à terre. La Sorcière me sourit. Son épée trancha le bras qui m'entraînait au milieu des morts. Avec la hache et l'épée, nous dégageâmes un cercle autour de nous. Je me jetai sur le dos d'un cheval gris d'où un noble venait de tomber, hérissé de flèches.

Nous repartîmes à l'assaut de la vague humaine. Elle céda, se replia autour de nous.

En avant ! Tranche, épée ! Taille, hache ! Frappez d'estoc et de taille et forcez le passage !

La vague courbe qui nous assaillait fut abattue. Nous avions franchi le défilé. Sirk s'étendait devant nous.

Je tirai sur les rênes de mon cheval. Sirk s'étendait devant nous — mais d'une façon trop engageante !

La ville était blottie dans une dépression entre des parois noires verticales, impossibles à escalader. Le défilé était à un niveau plus élevé que les toits des maisons. Elles commençaient à une portée de flèche. C'était une belle cité. Elle n'avait ni forts ni citadelles ; elle n'avait ni temples ni palais. Rien que des maisons de pierre, peut-être un millier, au toit en terrasse, très écartées les unes des autres, entourées de jardins, avec une large avenue bordée d'arbres qui serpentait au milieu. Il y avait de nombreuses allées. Au delà de la ville, s'étendaient champs fertiles sur champs fertiles ainsi que des vergers en fleurs.

Et pas la moindre armée en ordre de bataille pour nous attendre. La voie ouverte.

Trop ouverte.

J'aperçus des reflets d'armes sur les terrasses des maisons. Un bruit de haches dominait les sonneries des trompettes et le roulement des cymbales.

Hé ! Ils barricadaient la large avenue avec leurs arbres, préparaient une centaine d'embuscades à notre intention, ils s'attendaient à ce que nous déferlions en force.

Ils étalaient le filet sous les yeux de Dwayanu !

Cependant la tactique était bonne. La meilleure défense. Je m'y étais heurté dans bien des guerres contre les barbares. Cela impliquait que nous devrions combattre pour chaque pouce de terrain, chaque maison transformée en fort, des flèches nous guettant depuis chaque toit et chaque fenêtre. Ils avaient un vrai chef dans Sirk pour organiser pareille réception en un délai aussi court ! J'éprouvai du respect pour ce chef, quel qu'il fût. Il avait choisi l'unique possibilité de victoire — à condition que ceux contre qui il combattait en ignorent la parade.

Et cette parade, j'en avais une connaissance durement acquise.

Combien de temps ce chef pourrait-il maintenir Sirk à l'intérieur de son millier de forts ? C'est là que réside toujours le danger dans cette méthode de défense. L'instinct irrésistible des habitants d'une cité assaillie est de se précipiter sur ses envahisseurs comme les fourmis et les abeilles pour protéger fourmilière ou ruche. Il ne se trouve pas souvent de chef assez fort pour les retenir. Si chaque maison de Sirk pouvait rester reliée aux autres, chacune étant une part active de l'ensemble, alors Sirk serait impossible à conquérir. Mais quand elles commencent à tomber l'une après l'autre ? A être isolées ? Coupées de la volonté du chef ?

Hé ! C'est alors que le désespoir s'infiltre par la moindre faille ! Ils sont attirés au-dehors par la fureur et le désespoir comme par des cordes. Ils se précipitent — pour tuer ou être tués. La falaise s'écroule, pierre par pierre. Le gâteau est grignoté par les assaillants, miette par miette.

Je divisai nos soldats et envoyai le premier groupe contre Sirk par petites patrouilles, avec ordre de se disperser et d'utiliser tout ce qui pouvait servir de couverture. Elles devaient s'emparer des maisons en lisière de la ville, à n'importe quel prix, tirant leurs flèches de façon qu'elles décrivent une parabole pour atteindre les défenseurs pendant que leurs camarades défonceraient les portes pour pénétrer dans les maisons. D'autres devaient aller attaquer plus loin, mais sans jamais trop s'éloigner de leurs compagnons ni de la large voie qui traversait la cité.

Je jetais un filet sur Sirk et je ne voulais pas que ses mailles fussent rompues.

Il faisait grand jour maintenant.

Les soldats se mirent en marche. Je vis les flèches filer en l'air et retomber, entrelacer leurs trajectoires comme des serpents... j'entendis les coups de hache sur les portes...

Par Luka ! Voilà une bannière de Karak qui flotte sur une des terrasses ! Puis une autre.

Le bourdonnement de Sirk monta d'un ton, se fit plus fort, avec une note de folie. *Hé !* Je savais bien qu'ils ne pourraient pas supporter longtemps ce grignotement ! Et je connaissais cette sonorité ! Elle ne tarderait pas à atteindre la frénésie. Pour replonger dans le désespoir !

Hé ! Il n'y aurait plus longtemps à attendre avant qu'ils se précipitent au-dehors...

A côté de moi, Tibur jurait. Je regardai Lur ; elle tremblait. Les soldats murmuraient, rongeant leur frein, impatients de se jeter dans la bataille. Je regardai leurs yeux bleus, durs et froids ; leurs visages sous le casque n'étaient pas des visages de femmes mais ceux de jeunes guerriers... ceux qui attendraient d'eux une compassion féminine auraient un rude réveil.

— Par Zarda ! Le combat sera fini avant que nous puissions brandir l'épée !

Je ris.

— Patience, Tibur ! La patience est notre meilleure arme. Sirk est la plus forte — si seulement ses habitants s'en rendaient compte. Qu'ils soient les premiers à perdre cette arme-là.

Le tumulte grandit. Au bout de l'avenue apparurent une cinquantaine de soldats de Karak aux prises avec un nombre supérieur de gens de Sirk que venaient grossir constamment, rapidement, d'autres combattants jaillissant de rues transversales ou sautant des toits ou des fenêtres des maisons assiégées.

C'était le moment que j'attendais !

Je donnai l'ordre. Je poussai le cri de guerre. Nous fonçâmes sur eux. Nos francs-tireurs ouvrirent leurs rangs pour nous laisser passer et se mêlèrent à ceux qui nous suivaient en poussant des clameurs. Nous taillâmes une brèche dans les défenseurs de Sirk. Ils succombèrent, mais en tombant ils se battaient, et bien des selles de nobles se vidèrent, bien des destriers périrent avant que nous nous soyons frayé un chemin jusqu'à la première barricade.

Hé ! Comme ils luttèrent contre nous de derrière les arbres hâtivement abattus — les femmes, les hommes, les enfants à peine assez grands pour tendre l'arc ou manier le poignard !

Les soldats de Karak se mirent à les harceler sur les flancs ; les soldats de Karak tirèrent sur eux du haut des maisons qu'ils avaient abandonnées ; nous combattions Sirk comme Sirk avait projeté de nous combattre. Et ceux qui luttaient contre nous ne tardèrent pas à plier et à s'enfuir et nous franchîmes la barricade. Toujours bataillant, nous arrivâmes au cœur de Sirk, une vaste et ravissante place où jouaient des fontaines et s'épanouissaient des fleurs. Les jets d'eau étaient rouges et il n'y avait plus de fleurs quand nous quittâmes cette place.

Nous avons payé un lourd tribut à cet endroit. Une bonne moitié des nobles furent tués. Une lance avait frappé mon casque et manqué de peu m'assommer. Tête nue, éclaboussé de sang, je chevauchais en criant et des gouttes de sang rouge dégoulinaient de mon épée. Naral et Dara avaient été blessées toutes les deux, mais me protégeaient toujours parderrière. La Sorcière, le Forgeron et son familier balafré, indemnes, continuaient à se battre.

Il y eut un tonnerre de sabots. Sur nous fonça une vague de cavaliers. Nous courûmes vers eux. Nous nous heurtâmes comme deux vagues déferlantes. Dressées. Mêlées. Brillez, épées ! Frappez, marteaux ! Fendez, haches ! *Hé !* Maintenant c'était le corps à corps, le style de combat que je connaissais le mieux et que je préférais !

Nous fûmes emportés dans un tourbillon effréné. Je jetai un coup d'œil à ma droite et vis que la Sorcière avait été séparée de moi. Tibur, lui aussi, avait disparu. Bah ! ils s'acquittaient avec honneur de leur devoir sans aucun doute, où qu'ils fussent.

Je frappai à droite, je frappai à gauche avec mon épée. En tête de ceux qui nous combattaient, par-dessus les casques de Karak que leur élan avait interposés entre nous, il y avait un visage basané... un visage basané dont les yeux noirs plongeaient dans les miens un regard qui ne se détournait jamais... jamais... jamais... Epaule contre épaule, avançait avec lui un personnage plus mince dont les yeux noisette, limpides, me dévisageaient fixement.... fixement... fixement. Dans les yeux noirs se lisait de la compréhension — et du chagrin. Les yeux bruns étaient remplis de haine.

Les yeux noirs et les yeux bruns touchèrent quelque chose d'enfoui tout au fond de moi... Ils éveillaient ce quelque chose... ils l'appelaient. Quelque chose qui avait été endormi.

J'entendis ma propre voix crier l'ordre de cesser le combat et, à ce commandement, le fracas de la bataille s'apaisa soudain autour de moi. Gens de Sirk et de Karak, de même, restèrent silencieux, stupéfiés, les yeux tournés dans ma direction. Je lançai mon cheval à travers la foule compacte, regardai intensément les yeux noirs.

Et je me demandais pourquoi j'avais laissé retomber mon épée... pourquoi je restais ainsi... et pourquoi le chagrin qu'exprimaient ces yeux me fendait le cœur...

L'homme au visage sombre prononça... deux mots....

— Leif !.... Degataga !

Ce quelque chose qui dormait s'était réveillé, remontait précipitamment en moi... secouait mon cerveau... s'y agrippait... ébranlait chaque nerf...

J'entendis un cri — la voix de la Sorcière.

Un cheval se fraya un passage au milieu des soldats. En selle était Rascha, les lèvres retroussées sur les dents, ses yeux froids dardant sur moi un regard furieux. Son bras se leva. Sa dague étincela et disparut dans le dos de l'homme qui m'avait appelé... Degataga !

Qui m'avait appelé...

Mon Dieu... mais je le connaissais !

Tsantawu ! Jim !

La chose endormie qui s'était éveillée était maintenant tout à fait consciente... elle avait pris possession de mon cerveau... elle était moi... Dwayanu était oublié !

Je poussai mon cheval en avant.

Le bras de Rascha était levé pour un second coup — le cavalier aux yeux bruns se précipitait sur lui l'épée haute et Jim tombait, s'affalait sur la crinière de son cheval.

Je saisis le bras de Rascha avant que la dague ait eu le temps de frapper de nouveau. Je lui attrapai le bras, le rabattis en arrière ; j'entendis l'os craquer. Il hurla... comme un loup.

Un marteau siffla près de ma tête, me manquant d'un cheveu. Je vis Tibur le ramener à lui en tirant sur sa lanière.

Je me penchai, soulevai Rascha de sa selle. Son bras valide se dressa, la main se crispa sur ma gorge. J'agrippai le poignet et tordis ce bras en arrière. Je le cassai comme j'avais cassé l'autre.

Mon cheval fit un écart. J'avais une main qui serrait Rascha à la gorge, l'autre bras qui l'enlaçait ; je vidai les arçons en l'entraînant dans ma chute. Je tombai sur lui. Je me redressai et le jetai en travers de mon genou. Ma main glissa de sa gorge à sa poitrine. Ma jambe droite enserra les siennes comme dans un étau.

Une brusque poussée vers le bas — un son qui ressemblait au craquement d'un fagot. Le Briseur de Reins n'en briserait plus jamais. Les siens étaient brisés.

Je me relevai d'un bond. Me trouvai face à face avec le cavalier aux yeux bruns...

... Evalie !...

Je lui criai :

— Evalie !

Subitement, le combat reprit tout autour de moi.

Evalie se détourna pour affronter la charge. Je vis les larges épaules de Tibur surgir derrière elle... je le vis arracher Evalie de sa selle... je vis jaillir de sa main gauche un éclair... qui fonça sur moi.

Je fus projeté de côté avec violence. Juste à temps... pas tout à fait assez à temps...

Quelque chose ricocha contre ma tempe. Je tombai sur les mains et les genoux, étourdi, aveuglé. J'entendis Tibur qui riait ; je m'efforçai de lutter contre la nausée et le vertige qui me brouillaient la vue, sentis du sang ruisseler sur mon visage.

Courbé sur les mains et les genoux, vacillant, j'entendis le flux de la bataille m'envelopper, me submerger, me dépasser.

Ma tête cessa de tourner. Je recommençai à voir clair. J'étais toujours à quatre pattes. Sous moi le corps d'un homme — un homme dont les yeux noirs étaient fixés sur les miens avec une expression compréhensive — affectueuse !

Je sentis qu'on m'effleurait l'épaule ; je levai la tête avec peine. C'était Dara.

— Il s'en est fallu d'un cheveu, Seigneur. Bois ça.

Elle approcha une fiole de mes lèvres. Le liquide amer, brûlant, se répandit dans mes veines, m'apporta le calme, m'apporta la force. Je vis que j'étais entouré d'un cercle de guerrières qui me protégeaient — derrière elles, un autre cercle, à cheval.

— M'entends-tu, Leif ?... Je n'ai pas beaucoup de temps...

Je me retournai en titubant, m'agenouillai.

— Jim ! Jim ! Oh ! mon Dieu !... pourquoi es-tu venu ici ? Prends cette épée et tue-moi !

Il tendit la main, saisit la mienne, l'étreignit.

— Ne fais pas l'idiot, Leif ! Tu n'y pouvais rien... mais il faut que tu sauves Evalie !

— Il faut que je te sauve *toi*, Tsantawu... que je te sorte d'ici...

— Tais-toi et écoute. J'ai mon compte, Leif, je le sais. Cette lame a percé la cotte de mailles et s'est enfoncée droit dans mes poumons... je perds mon sang à l'intérieur... Bon Dieu ! Leif ! ne te mets donc pas sens dessus dessous... Cela aurait pu arriver pendant la guerre... cela pouvait arriver n'importe quand... Ce n'est pas de ta faute...

Un sanglot me secoua, des larmes se mêlèrent au sang sur ma figure.

— Mais je l'ai tué, Jim... je l'ai tué !

— Je sais, Leif... du beau travail... je t'ai vu... mais il y a quelque chose que je dois te dire...

Sa voix s'étouffa.

Je portai la fiole à ses lèvres. Cela le fit revenir à lui.

— En ce moment... Evalie... te hait ! Il faut que tu la sauves... Leif... qu'elle te déteste ou non. Ecoute. Un message nous est venu de Sirk, par le canal du Petit Peuple, que tu voulais que nous t'y rejoignions. Tu faisais semblant d'être Dwayanu... tu feignais de ne te rappeler que Dwayanu... pour apaiser les soupçons et conquérir le pouvoir. Tu allais partir en secret... venir à Sirk et mener la bataille contre Karak. Tu avais besoin de moi pour te seconder... besoin d'Evalie pour persuader les pygmées...

— Je ne t'ai pas envoyé de message, Jim ! dis-je en gémissant.

— Je sais que tu ne l'as pas fait — maintenant... mais nous l'avions cru... Tu avais arraché Sri aux loups et défié la Sorcière...

— Jim, ce message mensonger est arrivé combien de temps après le sauvetage de Sri ?

— Deux jours... Quelle importance ? J'avais expliqué à Evalie ce qui... clochait... chez toi... je lui ai dit et redit ton histoire. Elle n'a pas compris... mais elle m'a cru sur parole... Donne-moi encore un peu de ce remède, Leif... je m'en vais...

De nouveau, le breuvage ardent le ranima.

— Nous sommes arrivés à Sirk... il y a deux jours... en traversant la rivière avec Sri et vingt pygmées... ce fut facile... trop facile... pas un loup ne hurla, et pourtant je savais que ces bêtes nous observaient... nous suivaient à la trace... et que les autres s'en rendaient compte aussi. Nous avons attendu... puis l'attaque est venue... j'ai compris alors que nous avions été trompés... Comment as-tu réussi à passer par-dessus ces geysers ?... Tu es un type formidable... peu importe... mais... Evalie croit que tu as envoyé le message... que tu... noire trahison...

Ses yeux se fermèrent. Froides, froides étaient ses mains.

— Tsantawu, mon frère... tu ne le crois pas ! Tsantawu, reviens à toi... parle-moi...

Ses yeux se fermèrent. Froides, froides étaient ses tendis ce qu'il dit...

— Tu n'es pas Dwayanu, Leif ? Ni maintenant... ni à jamais ?

— Non, Tsantawu... ne me quitte pas !

— Approche... ta tête... plus près, Leif... continue à te battre... sauve Evalie.

Sa voix s'affaiblissait.

— Au revoir, Degataga... pas ta faute...

L'ombre du sardonique sourire familier passa sur son visage livide.

— Tu n'as pas choisi tes... satanés... ancêtres !... Tant pis... nous avons passé de... satanés bons moments... ensemble... Sauve... Evalie...

Un flot de sang jaillit de sa bouche.

Jim était mort... mort !

Tsantawu... n'était plus !

LE LIVRE DE LEIF

1

RETOUR A KARAK

Je me penchai sur Jim et déposai un baiser sur son front. Je me relevai. J'étais engourdi par le chagrin. Mais sous cet engourdissement bouillonnaient une rage, une horreur atroces — une fureur implacable contre la Sorcière et le Forgeron — l'horreur de moi-même, de ce que j'avais été... l'horreur de... Dwayanu !

Il fallait que je trouve Tibur et la Sorcière — mais il y avait d'abord autre chose à faire. Evalie et eux pouvaient attendre.

— Dara, dis-leur de le soulever. Transportez-le dans une des maisons.

Elles emportèrent Jim et je les suivis à pied. Le combat continuait, mais loin de nous. Ici ne restaient plus que les morts. Je devinai que Sirk livrait sa dernière bataille au bout de la vallée.

Dara, Naral, moi-même et une demi-douzaine d'autres, nous franchîmes les portes brisées de ce qui était la veille une agréable demeure. Au centre, il y avait un petit vestibule à colonnes. Les autres soldats se groupèrent près du seuil pour garder l'entrée. J'ordonnai que les chaises, les lits et tout ce qui pouvait brûler fussent entassés dans le vestibule pour former un bûcher.

— Seigneur, dit Dara, permets que je lave ta blessure.

Je me laissai choir sur un tabouret et réfléchis pendant qu'elle nettoyait l'entaille de ma tête avec du vin qui piquait. Sous cet étrange engourdissement, mon esprit était très clair. J'étais Leif Langdon. Dwayanu n'était plus maître de mon esprit — et ne le serait jamais plus. Pourtant, il vivait. Il vivait en moi — dont il faisait partie. Tout se passait comme si le choc de reconnaître Jim avait dissous Dwayanu dans Leif Langdon. Comme si deux courants opposés s'étaient unis ; comme si deux gouttes s'étaient fondues l'une dans l'autre ; comme si deux métaux antagonistes s'étaient alliés.

D'une netteté parfaite était le souvenir de tout ce que j'avais vu et entendu, dit, fait et pensé depuis le moment où j'avais été précipité du haut du pont de Nansur. Et d'une netteté parfaite, cruellement parfaite, était tout ce qui s'était passé auparavant. Dwayanu n'était pas mort, non ! Mais s'il faisait partie de moi, j'étais de beaucoup le plus fort. Je pouvais me servir de lui, de sa vigueur, de sa sagesse — par contre, lui ne pouvait pas utiliser les miennes. J'avais la haute main sur lui. J'étais le maître.

Et je songeais, assis là, que si je voulais sauver Evalie — si je voulais accomplir autre chose, que je me savais décidé à réussir ou à mourir en tentant de le faire — je devais toujours me comporter comme si j'étais entièrement Dwayanu. Là résidait ma puissance. Expliquer à mes soldats la transmutation que j'avais subie n'avait rien de facile. Ils croyaient en moi et me suivaient en tant que

Dwayanu. Si Evalie, qui m'avait connu sous le nom de Leif, qui m'avait aimé sous le nom de Leif, qui avait écouté Jim, n'avait pas pu comprendre, ne comprendraient-ils pas moins encore ? Non, ils ne devaient pas s'apercevoir du changement.

Je me tâtai la tête. L'entaille était longue et profonde ; visiblement, seule la dureté de mon crâne lui avait épargné d'être fendu.

— Dara, tu as vu qui a fait cette blessure ?

— C'était Tibur, Seigneur !

— Il a essayé de me tuer... Pourquoi ne m'a-t-il pas achevé ?

— Jamais encore la main gauche de Tibur n'a manqué de donner la mort. Il la croit infaillible. Il t'a vu tomber... il t'a cru mort.

— Et la mort m'a raté d'un cheveu. Elle ne m'aurait pas raté si quelqu'un ne m'avait rejeté de côté. Est-ce toi, Dara ?

— C'était moi, Dwayanu. J'ai vu sa main plonger dans sa ceinture, j'ai compris ce qui allait se passer. Je me suis jetée à tes genoux, pour qu'il ne me voie pas.

— Pourquoi... parce que tu crains Tibur ?

— Non, parce que je ne voulais pas qu'il croie avoir manqué sa cible.

— Pourquoi ?

— Afin d'accroître tes chances de tuer Tibur, Seigneur ! Ta force s'enfuyait avec la vie de ton ami.

Je regardai avec attention ce mien capitaine aux yeux hardis. Que savait-elle exactement ? Bah, j'aurais le temps de le découvrir plus tard. Je me tournai vers le bûcher funéraire. Il était presque achevé.

— Qu'est-ce qu'il a lancé, Dara ?

Elle retira de sa ceinture une arme curieuse, dont je n'avais jamais vu la pareille. Elle avait la forme d'une toupie à la pointe effilée comme une dague et quatre arêtes aussi coupantes que des rasoirs sur les côtés. Elle comportait une hampe de métal longue de huit pouces, ronde, semblable à la hampe d'un javelot miniature. Elle pesait environ cinq livres. Elle était d'un métal que je ne reconnus pas — plus dense, plus dur que le plus bel acier trempé. En fait, c'était un poignard de jet. Mais aucune cotte de mailles ne pouvait arrêter cette pointe adamantine quand elle était projetée avec la force de quelqu'un comme le Forgeron. Dara me la prit des mains et tira sur la courte hampe. Aussitôt les arêtes se déployèrent comme des ailettes. L'extrémité de chacune était en forme de barbelure inversée. Une arme diabolique, s'il en fut jamais. Une fois qu'elle était enfoncée, il n'y avait pas moyen de la retirer sauf en entaillant les chairs, et la moindre traction libérait les ailettes, les accrochant du même coup dans les chairs. Je la repris à Dara et la glissai dans ma propre ceinture. Si j'avais eu des doutes sur ce que j'allais faire à Tibur, je n'en avais plus.

Le bûcher était achevé. J'allai à Jim et le déposai dessus. Je lui baisai les yeux et plaçai une épée entre ses mains inertes. J'arrachai les riches tapisseries de la pièce pour l'en recouvrir. Je battis un silex et allumai le bûcher funéraire. Le bois était sec et résineux, il brûla bien. Je regardai les flammes monter de plus en plus jusqu'à ce que le feu et la fumée forment un dais au-dessus de lui.

Puis, les yeux secs mais la mort dans l'âme, je sortis de cette maison et rejoignis mes guerriers.

Sirk était tombée et le sac avait commencé. De la fumée montait partout au-dessus des maisons pillées. Un détachement de soldats passa, escortant une quarantaine de prisonniers — rien que des femmes et des petits enfants ; certains portaient des traces de blessures. Puis je remarquai que, parmi ceux qui j'avais pris pour des enfants, il y avait une poignée de pygmées dorés. En m'apercevant, les soldats s'arrêtèrent, se figèrent, me dévisageant d'un air incrédule.

— Dwayanu ! s'écria soudain l'un d'eux. Dwayanu est vivant !

Ils me saluèrent en brandissant leur épée et de leur bouche monta une acclamation :

— Dwayanu !

J'appelai du geste leur capitaine.

— Tu croyais donc que Dwayanu était mort ?

— C'est la rumeur qui a couru parmi nous, Seigneur.

— Et cette rumeur disait-elle aussi comment j'avais été tué ?

Elle hésita.

— Certains affirmaient que c'était par le Seigneur Tibur... par accident... qu'il avait lancé son arme sur le chef de Sirk qui te menaçait... et que c'est toi qui avais été frappé à sa place... et que ton corps avait été emporté par les gens de Sirk... je ne sais pas...

— Suffit ! soldat ! Va à Karak avec les captifs ! Ne traîne pas en route et ne raconte pas que tu m'as vu ! C'est un ordre ! Pour le moment, je laisse le bruit courir.

Les soldats s'entre-regardèrent, bizarrement, saluèrent et poursuivirent leur route. Les yeux jaunes des pygmées, pleins d'une haine mortelle, ne me quittèrent pas tant qu'ils purent me voir. J'attendis, en réfléchissant. Voilà donc ce qu'était sans doute l'explication ! *Hé !* Mais ils devaient être talonnés par la peur, sinon ils n'auraient pas pris la peine de répandre cette histoire d'accident ! Je me décidai subitement. Inutile de courir dans Sirk à la recherche de Tibur. Folie que de me laisser voir et que parvienne aux oreilles de Tibur et de Lur la nouvelle que Dwayanu était vivant ! Qu'ils viennent à moi, sans se douter de rien. Il n'y a qu'une voie pour sortir de Sirk et c'est par le pont. C'est là que je les guetterais. Je me tournai vers Dara.

— Nous allons au pont, mais pas par cette route. Nous suivrons les voies détournées jusqu'à ce que nous ayons atteint les falaises.

Elles firent pivoter leurs chevaux et je m'avisai pour la première fois que toute ma petite troupe était montée. Et, pour la première fois, je me rendis compte que toutes appartenaient à ma garde personnelle et que bon nombre d'entre elles étaient de l'infanterie mais qu'elles aussi étaient montées — et qu'une vingtaine de selles étaient aux couleurs de nobles qui nous avaient suivis, la Sorcière, Tibur et moi, dans la passe de Sirk. C'est Naral qui, s'apercevant de ma perplexité, m'en donna l'explication sur le ton à demi impudent qu'elle affectait toujours.

— Celles-là sont tes fidèles, Dwayanu ! Les chevaux étaient libres... et les quelques autres, nous les avons rendus tels. Pour mieux te couvrir au cas où Tibur... commettrait une nouvelle erreur.

Je ne répondis rien à cela jusqu'à ce que nous eussions contourné les maisons en feu et fussions sous le couvert d'une des ruelles. Alors je leur dis :

— Naral... Dara... venez, que nous parlions un moment.

Et quand nous fûmes un peu à l'écart des autres, je déclarai :

— A vous deux je dois la vie. Principalement à toi, Dara. Tout ce que je peux vous donner est à vous si vous le voulez. Je ne vous demande qu'une chose... la vérité.

— Dwayanu, tu l'auras.

— Pourquoi Tibur voulait-il me tuer ?

— Le Forgeron n'est pas le seul qui voulait ta mort, Dwayanu, répliqua sèchement Naral.

Je le savais, mais je désirais l'entendre de leur bouche.

— Qui d'autre, Naral ?

— Lur, et la plupart des nobles.

— Mais pourquoi ? Ne leur avais-je pas ouvert les portes de Sirk ?

— Tu devenais trop puissant, Dwayanu. Ni Lur

ni Tibur ne sont gens à se contenter du second ou du troisième rang... sinon même d'aucun.

— Ils avaient eu d'autres occasions avant...

— Mais tu n'avais pas pris Sirk pour eux, répliqua Dara.

Naral s'exclama avec humeur :

— Dwayanu, tu te moques de nous ! Tu en connais la raison aussi bien que nous, mieux même. Tu es arrivé ici avec cet ami que nous venons de laisser sur sa couche de feu. Tous le savent. Si ta mort est nécessaire, ainsi en était-il de la sienne. Impossible de le laisser vivre pour courir le risque qu'il s'échappe et en ramène d'autres dans le pays — car je sais, et je ne suis pas la seule, qu'il y a de la vie en dehors d'ici et que Khalk'ru ne règne pas en maître suprême comme nous le racontent les nobles. Eh bien, vous voilà ensemble ici, toi et cet ami à toi. Et non seulement vous deux, mais aussi la fille brune des Rrrllyas, dont la mort ou la capture pourrait démoraliser le Petit Peuple et le mettre sous le joug de Karak. Tous les trois... ensemble ! Voyons, Dwayanu ! c'était le moment et l'endroit rêvés pour frapper ! C'est ce qu'ont fait Lur et Tibur... Ils ont tué ton ami, ils ont cru t'avoir tué et ils ont enlevé la fille brune.

— Et si je tue Tibur, Naral ?

— Alors il y aura bataille. Et tu devras bien te garder car les nobles te haïssent, Dwayanu. On leur a dit que tu es opposé aux vieilles coutumes, que tu as l'intention de les rabaisser et d'élever le peuple. Que tu proposes même de mettre fin aux Sacrifices...

Elle me jeta un coup d'œil furtif.

— Et si c'était vrai ?

— Tu as maintenant la plupart des soldats avec toi, Dwayanu. Si c'était vrai, tu aurais aussi presque tout le peuple. Mais Tibur a ses partisans — même parmi les soldats. Et Lur n'est pas une femmelette.

Elle tira d'un geste brutal sur les rênes pour relever la tête de son cheval.

— Mieux vaut tuer aussi Lur pendant que tu es en humeur, Dwayanu.

A cela je ne répondis pas. Nous poursuivîmes notre chemin au trot dans les ruelles sans plus parler. Partout il y avait des morts et des maisons éventrées. Nous sortîmes de la ville et chevauchâmes à travers la plaine étroite en direction de la passe entre les falaises. Le hasard voulut que la grande route fût déserte à ce moment ; nous sommes donc entrés dans le défilé sans être vus. L'ayant franchi, nous gagnâmes la place derrière la forteresse. Là, il y avait des soldats, en quantité, et des groupes de captifs. Je chevauchais au centre de ma troupe, courbé sur le cou de ma monture. Dara m'avait bandé sommairement la tête. Le pansement et un casque que j'avais ramassé dissimulaient mes cheveux blonds. Comme il régnait une grande confusion, je passai sans être remarqué. Je piquai droit sur la porte de la tour, derrière laquelle nous étions cachés quand Karak avait pris d'assaut le pont. Je m'y glissai avec mon cheval et refermai à demi le battant. Mes femmes se groupèrent au-dehors. Il était peu probable que l'on vienne leur chercher noise. Je me mis en devoir d'attendre Tibur.

Elle fut pénible, cette attente ! Le visage de Jim au-dessus du feu de camp. Le visage de Jim me souriant dans les tranchées. Le visage de Jim au-dessus du mien quand je gisais sur la mousse au seuil du Mirage — le visage de Jim au-dessous de moi dans la rue de Sirk...

Tsantawu ! Hélas ! Tsantawu ! Toi qui pensais que seule la beauté pouvait venir de la forêt !

Evalie ? A ce moment-là, je n'éprouvais rien pour Evalie, pris que j'étais dans ces limbes qui étaient à la fois glace et noyau incandescent de rage.

— Sauve... Evalie ! avait ordonné Jim.

Eh bien, je sauverais Evalie ! Ceci mis à part, elle ne m'importait pas plus que la Sorcière... si, un peu plus.... j'avais une revanche à prendre sur la Sorcière... je n'en avais pas sur Evalie...

Le visage de Jim... toujours le visage de Jim... flottant devant moi...

J'entendis un murmure :

— Dwayanu... Tibur arrive !

— Lur est-elle avec lui, Dara ?

— Non, un groupe de nobles. Il transporte la fille brune sur l'arçon de sa selle.

A quelle distance se trouve-t-il, Dara ?

— A une portée d'arc environ. Il avance lentement.

— Quand je sortirai, placez-vous juste derrière moi. Le combat sera entre moi et Tibur. Je ne pense pas que ses compagnons oseront m'attaquer. S'ils le font...

Naral éclata de rire :

— S'ils le font, nous leur sauterons à la gorge, Dwayanu. Il y a un ou deux amis de Tibur avec qui j'aimerais régler un compte. Nous ne te demandons qu'une chose ; ne perds ni temps ni paroles avec Tibur. Tue-le vite. Car, par les dieux ! s'il te tue, ce sera le chaudron bouillant et les couteaux des écorcheurs pour toutes celles d'entre nous qu'il aura capturées.

— Je le tuerai, Naral.

J'ouvris avec lenteur la grande porte. J'apercevais maintenant Tibur, dont le cheval avançait au pas vers le pont. Sur le pommeau de sa selle était Evalie ; son corps était affaissé ; sa chevelure bleu-noir défaite masquait son visage comme un voile ; ses mains étaient liées derrière son dos et serrées dans une de celles de Tibur. Une vingtaine de ses partisans marchaient autour de lui et, à sa suite, des nobles — en majorité des hommes. J'avais remarqué que si la Sorcière avait peu d'hommes dans ses gardes et ses troupes, par contre le Forgeron préférait choisir parmi eux ses amis et son escorte personnelle. Sa tête était tournée vers eux ; sa voix, éclatante de triomphe, et son rire parvenaient nettement jusqu'à moi. L'enceinte était maintenant presque vide de soldats et de captifs. Il n'y avait personne entre nous. Je me demandai où était la Sorcière.

Tibur se rapprochait de plus en plus.

— Prêtes, Dara... Naral ?

— Prêtes, Seigneur !

J'ouvris brusquement la porte. Je fonçai vers Tibur, tête baissée, ma petite troupe derrière moi. Je relevai la tête en immobilisant mon cheval contre le sien et mis mon visage sous son nez.

Le corps entier de Tibur se raidit, ses yeux dardèrent dans les miens un regard furieux, sa bouche béa. Je savais que ceux qui le suivaient étaient figés dans la même stupeur incrédule. Avant que le Forgeron eût surmonté sa paralysie, j'avais arraché Evalie de sa selle, l'avais passée à Dara.

Je brandis mon épée pour trancher la gorge de Tibur. Je ne lui donnai pas d'avertissement. La chevalerie n'était pas de mise. Par deux fois il avait essayé de me tuer par traîtrise. Je voulais en finir vite.

Si rapide qu'ait été mon geste, le Forgeron fut plus prompt. Il se rejeta en arrière, glissa à bas de son cheval et retomba derrière sur ses pieds avec une agilité de chat. Je fus à bas du mien avant qu'il ait à moitié levé sa grande masse d'armes pour la lancer. Je dirigeai la pointe de mon épée vers sa gorge pour la transpercer. Il para le coup avec son marteau. Puis il fut pris d'un accès de folie furieuse. Le marteau tomba en tintant contre le roc. Tibur se jeta sur moi avec un hurlement. Ses bras m'encerclèrent, enchaînant les miens contre mes flancs comme de vivants liens d'acier. Ses jambes cherchèrent les miennes dans un effort pour me faire tomber. Ses lèvres étaient retroussées comme des babines de loup enragé et il enfonça sa tête dans le creux de mon cou en cherchant à me déchirer la gorge avec ses dents.

Mes côtes craquèrent dans l'étau des bras de

Tibur qui se resserraient. Mes poumons étaient oppressés, ma vue se brouillait. Je me tordis sur moi-même pour fuir cette bouche qui fouillait comme un groin et ces crocs fouisseurs.

J'entendis des clameurs autour de moi, j'entendis et vis confusément la masse des chevaux qui tournaient en rond. Les doigts crispés de ma main gauche effleurèrent ma ceinture — se refermèrent sur quelque chose qui y était passé... quelque chose comme la hampe d'un javelot.

Le dard infernal de Tibur !

Je m'abandonnai soudain dans l'étreinte de Tibur. Son rire retentit, rauque de triomphe. Et pendant un quart de seconde sa prise se relâcha.

Ce quart de seconde suffit. Je rassemblai toute mon énergie et rompis son étreinte. Avant qu'il ait pu me serrer de nouveau, ma main avait glissé dans ma ceinture et agrippé le dard.

Je le brandis, le plongeai dans la gorge de Tibur juste sous la mâchoire. J'imprimai une secousse à la hampe. Les ailettes coupantes comme des rasoirs jaillirent, tranchèrent muscles et artère. Le rire tonitruant de Tibur se changea en un hideux gargouillement. Ses mains cherchèrent la hampe, la tirèrent, l'arrachèrent....

Et le sang jaillit de la gorge déchiquetée de Tibur : ses genoux plièrent sous lui, il tituba et s'écroula à mes pieds... suffoquant... ses mains tâtonnant toujours faiblement pour se saisir de moi...

Je restai debout, étourdi, haletant, le sang battant dans mes oreilles.

— Bois, Seigneur !

Je levai les yeux vers Dara. Elle me présentait une outre de vin. Je la pris avec des mains tremblantes et bus à longs traits. Le bon vin me ranima. Soudain, je l'écartai de mes lèvres.

— La fille brune des Rrrllyas... Evalie. Elle n'est pas avec toi ?

— La voilà. Je l'ai mise sur un autre cheval. Il y a eu bataille, Seigneur !

Je dévisageai Evalie. Elle me rendit mon regard avec de froids yeux bruns, implacables.

— Tu ferais bien d'utiliser le reste du vin pour te laver la figure, Seigneur ! Tu n'es pas un spectacle pour une tendre jeune fille.

Je passai la main sur mon visage, la retirai humide de sang.

— Le sang de Tibur, Dwayanu, grâces en soient rendues aux dieux !

Elle fit avancer mon cheval. Je me sentis mieux quand je fus en selle. Je jetai un coup d'œil à Tibur. Ses doigts étaient encore agités de faibles soubresauts. Je regardai autour de moi. Il y avait les restes d'une compagnie d'archers de Karak à la tête du pont. Ils levèrent leurs arcs pour me saluer.

— Dwayanu ! Vive Dwayanu !

Ma troupe semblait étrangement réduite. J'appelai :

— Naral !

— Morte, Dwayanu. Je t'ai dit qu'il y avait eu combat.

— Qui l'a tuée ?

— Peu importe. Je l'ai abattue. Et les survivants de l'escorte de Tibur se sont enfuis. Et maintenant, Seigneur ?

— Nous attendons Lur.

— Alors nous ne nous attarderons pas longtemps, car la voici qui arrive.

Il y eut une brève sonnerie de cor. Je me retournai pour voir la Sorcière accourir au galop sur la place. Ses tresses rousses pendaient, son épée était rougie et elle était presque aussi souillée que moi par le combat. Avec elle chevauchaient à peine une douzaine de ses femmes, moitié moins de ses nobles.

Je l'attendis. Elle arrêta sa monture devant moi, me jaugeant avec un brillant regard farouche.

J'aurais dû la tuer comme j'avais tué Tibur. J'aurais dû la haïr. Mais je découvris que je ne la haïssais pas le moins du monde. Toute la haine qui était en moi semblait s'être déversée sur Tibur. Non, je ne la haïssais pas.

Elle esquissa un sourire.

— Tu es dur à tuer, le Blond !

— Dwayanu, Sorcière !

Elle me jeta un coup d'œil à demi méprisant.

— Tu n'es plus Dwayanu !

— Essaie donc d'en convaincre ces soldats, Lur !

— Oh ! je sais ! dit-elle en abaissant le regard sur Tibur. Ainsi, tu as tué le Forgeron. Eh bien, au moins es-tu encore un homme !

— Je l'ai tué pour toi, Lur ! rétorquai-je avec ironie. Ne te l'avais-je pas promis ?

Elle ne répondit pas, se contenta de demander, comme Dara l'avait fait avant elle :

— Et maintenant ?

— Nous attendons ici que Sirk soit vidée. Puis nous irons à Karak, toi à côté de moi. Je n'aime pas te savoir dans mon dos, Sorcière !

Elle parla à mi-voix à ses femmes, puis resta en selle la tête penchée, à réfléchir, sans plus m'adresser la parole.

Je murmurai à Dara :

— Peut-on se fier aux archers ?

Elle acquiesça d'un signe.

— Ordonne-leur d'attendre pour qu'ils nous accompagnent. Qu'ils traînent à l'écart le corps de Tibur.

Pendant une demi-heure, les soldats passèrent avec des prisonniers, avec des chevaux, avec du bétail et autre butin. De petites troupes de nobles et de leurs partisans arrivaient au galop, s'arrêtaient et parlaient mais, sur mon ordre et au signe de Lur, poursuivaient leur chemin et franchissaient le pont. La plupart des nobles témoignaient d'une surprise atterrée devant ma résurrection ; les soldats me saluaient gaiement.

La dernière compagnie, fortement éprouvée, survint par le défilé. J'avais cherché des yeux Sri, mais il n'était pas avec elle et je conclus qu'il avait été emmené en même temps que les premiers prisonniers ou qu'il avait été tué.

— Viens, dis-je à la Sorcière. Que tes femmes nous précèdent.

Je menai mon cheval jusqu'à Evalie, l'enlevai de sa selle et la plaçai sur le pommeau de la mienne. Elle n'opposa aucune résistance, mais je la sentis se rétracter. Je me doutai qu'elle pensait avoir échangé simplement Tibur pour un autre maître, que pour moi elle n'était qu'un butin de guerre. Si mon esprit n'avait pas été si las, je suppose que cela m'aurait blessé. Mais mon esprit était trop fatigué pour s'en soucier.

Nous franchîmes le pont, à travers les tourbillons de vapeur. Nous étions à mi-chemin de la forêt quand la Sorcière rejeta la tête en arrière et lança un long appel plaintif. Les loups blancs jaillirent des fougères. J'ordonnai aux archers de prendre leurs flèches. Lur secoua la tête.

— Inutile de leur faire du mal. Ils vont à Sirk. Ils ont gagné leur récompense.

Les loups blancs s'élancèrent sur le terre-plein désert vers la tête du pont, franchirent celui-ci en flot pressé, disparurent. Je les entendis hurler parmi les morts.

— Moi aussi, je tiens mes promesses, dit la Sorcière.

Nous poursuivîmes notre route dans la forêt, vers Karak.

2

LA PORTE DE KHALK'RU

Nous n'étions pas loin de Karak quand les tambours du Petit Peuple commencèrent à battre.

J'étais en proie à une lassitude croissante qui m'oppressait comme une chape de plomb. Je luttais pour rester éveillé. Le coup que Tibur m'avait assené sur la tête y était pour quelque chose, mais j'avais reçu aussi d'autres coups et je n'avais rien mangé depuis bien avant l'aube. J'étais incapable de penser, à plus forte raison de réfléchir à ce que j'allais faire une fois revenu à Karak.

Les tambours du Petit Peuple dissipèrent ma léthargie, me réveillèrent net. Ils résonnèrent d'abord comme un coup de tonnerre par-dessus la rivière blanche. Après quoi, ils se mirent à battre sur un rythme lent, mesuré, empli d'une menace impitoyable. C'était comme si la Mort debout sur des tombes vides les piétinait avant de se mettre en marche.

Au premier coup tonnant, Evalie s'était redressée, puis était restée à écouter, les nerfs crispés. Je tirai sur les rênes de mon cheval et vis que la Sorcière s'était arrêtée, elle aussi, et écoutait avec la même attention soutenue qu'Evalie. Il y avait quelque chose d'inexplicablement inquiétant dans ce tambourinage monotone. Quelque chose qui se situait au delà et en deçà de l'expérience humaine — ou qui la devançait. C'était comme des milliers de cœurs nus battant à l'unisson, selon un rythme inaltérable, qui ne cesserait que lorsque les cœurs eux-mêmes s'arrêteraient... inexorable... gagnant irrésistiblement de proche en proche... gagnant, gagnant toujours... jusqu'à ce que les battements s'élèvent du pays entier sur l'autre rive de Nanbu la blanche.

Je m'adressai à Lur :

— Je pense que c'est ici que s'accomplit la dernière de mes promesses, Sorcière. J'ai tué Yodin, je t'ai donné Sirk, j'ai abattu Tibur... et voici ta guerre avec les Rrrllyas.

Je n'avais pas réfléchi à l'effet que mes paroles feraient sur Evalie ! Elle se retourna, me dévisagea longuement avec mépris ; elle dit à la Sorcière d'un ton froid, dans un ouigour hésitant :

— C'est la guerre. N'est-ce pas ce à quoi tu t'attendais quand tu as osé t'emparer de moi ? Ce sera la guerre jusqu'à ce que mon peuple me reprenne. Tu feras bien de veiller à la façon dont tu me traiteras.

C'en fut trop pour la maîtrise de la Sorcière. Tous les feux de sa colère longtemps réprimée jaillirent.

— Parfait ! Nous allons exterminer pour de bon tes chiens jaunes. Et tu seras écorchée ou baignée dans le chaudron... ou donnée à Khalk'ru ! Quelle que soit l'issue de la bataille, il ne restera pas grand-chose de toi pour que tes chiens se le disputent. Tu seras traitée selon ma volonté.

— Non, dis-je, selon la mienne, Lur !

Les yeux bleus dardèrent alors sur moi un regard foudroyant. Et les yeux bruns plongèrent dans les miens avec autant de mépris qu'auparavant.

— Donne-moi un cheval. Je n'aime pas ton contact, Dwayanu.

— Tant pis. Tu restes avec moi, Evalie.

Nous entrâmes dans Karak. Les tambours battaient tantôt fort tantôt faiblement. Mais toujours sur le même rythme inexorable. Le martèlement s'enflait et retombait, s'enflait et retombait. Comme si la Mort piétinait toujours les tombes vides, tantôt avec fureur, tantôt avec légèreté.

Les rues étaient pleines de monde. Les gens dévisageaient Evalie et chuchotaient. Il n'y eut pas de cris de bienvenue, pas d'acclamations. Ils semblaient mornes, effrayés. Je finis par comprendre qu'ils écoutaient les tambours avec une si grande attention qu'ils se rendaient à peine compte de notre passage. Les tambours se rapprochaient. Je les entendais se répondre d'un point à un autre sur l'autre berge de la rivière. La voix des tambours parlants se détachait nettement au-dessus des autres. Et dans le fil de ce qu'ils disaient, sans cesse répété : « Ev-ah-lie ! Ev-ah-lie ! »

Nous avons traversé la place extérieure jusqu'à la porte de la citadelle noire. Là, je m'arrêtai.

— Une trêve, Lur.

Elle jeta un coup d'œil moqueur à Evalie.

— Une trêve ! Quel besoin y a-t-il d'une trêve entre toi et moi... Dwayanu ?

Je répliquai calmement :

— Je suis las de verser le sang. Parmi les captifs, il y a quelques Rrrllyas. Amenons-les dans un endroit où ils pourront discuter avec Evalie et avec nous deux. Nous en relâcherons ensuite une partie que nous enverrons de l'autre côté de Nanbu avec un message disant que nous ne voulons aucun mal à Evalie. Que nous demandons aux Rrrllyas de nous envoyer le lendemain une ambassade habilitée à conclure une paix durable. Et que lorsque cette paix sera conclue ils remmèneront Evalie avec eux, saine et sauve.

Elle dit en souriant :

— Ainsi... Dwayanu... redoute les nains !

Je répétai :

— Je suis las de verser le sang.

— Ah ! pauvre de moi, soupira-t-elle. N'ai-je pas entendu un jour Dwayanu se vanter qu'il tenait ses promesses... et n'ai-je pas été ainsi persuadée de l'en payer d'avance ! Ah ! pauvre de moi... comme Dwayanu a changé !

Elle m'avait piqué au vif, mais je parvins à maîtriser ma colère. Je rétorquai :

— Si tu n'es pas d'accord, Lur, c'est moi-même qui donnerai les ordres. Mais alors nous serons une cité assiégée qui s'entre-déchire. Et une proie facile pour l'ennemi.

Elle réfléchit à ma réponse.

— Donc tu ne veux pas te battre avec les petits chiens jaunes ? Et c'est ton idée que si la jeune femme leur est rendue il n'y aura pas de guerre ? Alors, pourquoi attendre ? Pourquoi ne pas la renvoyer tout de suite avec les captifs ? Les conduire à Nansur, parlementer là-bas avec les nains ? Une conversation par les tambours réglerait la question en un rien de temps — si tu vois juste. Cela nous permettra de dormir cette nuit sans que tu sois dérangé par les tambours.

Le raisonnement n'était pas faux, mais j'en décelai la malice. La vérité, c'est que je ne voulais pas renvoyer Evalie immédiatement. Si elle partait, je n'aurais sans doute jamais l'occasion de me justifier auprès d'elle, de dissiper sa méfiance... de l'amener à m'accepter de nouveau comme le Leif qu'elle avait aimé. Mais avec un peu de temps... j'y réussirais peut-être. Et la Sorcière le savait.

— Il ne faut pas agir avec tant de précipitation, Lur, répliquai-je suavement. Cela leur ferait croire que nous les redoutons — de même que ma proposition t'a fait croire que je les craignais. Nous avons besoin de plus qu'une discussion hâtive au tambour pour sceller un tel traité. Non, nous gardons la jeune femme comme otage jusqu'à ce que nous ayons posé nos conditions.

Elle pencha la tête, réfléchit, puis me regarda avec des yeux limpides et sourit.

— Tu as raison, Dwayanu. J'enverrai chercher les captifs dès que je serai débarrassée de la poussière de Sirk. Ils seront conduits dans ton appartement. Entre-temps, je ferai mieux. J'ordonnerai que les Rrrllyas de Nansur soient avertis que leurs camarades prisonniers ne tarderont pas à leur apporter un message. Cela nous donnera au moins du temps. Et nous avons besoin de temps, Dwayanu... tous les deux.

Je lui jetai un coup d'œil incisif. Elle rit et éperonna son cheval. Je franchis à sa suite le portail et entrai dans la vaste cour intérieure de la citadelle. Elle était bondée de soldats et de prisonniers. Ici, le battement de tambours était amplifié. On avait l'impression que les tambours étaient sur la place même, invisibles et battus par d'invisibles joueurs. Les soldats étaient manifestement mal à l'aise, les prisonniers étaient nerveux, étrangement provocants.

En entrant dans la citadelle, j'appelai divers officiers qui n'avaient pas pris part à l'attaque de Sirk et donnai l'ordre d'augmenter la garnison sur les remparts situés en face du pont de Nansur. Et aussi de sonner l'alarme pour faire revenir les soldats et les habitants des fermes et des postes éloignés. J'ordonnai de renforcer la garde sur les remparts donnant sur la rivière et d'avertir les habitants de la ville que ceux qui désireraient trouver refuge dans la citadelle pouvaient venir mais à condition que ce soit avant la tombée du crépuscule. Il restait à peine une heure jusqu'à la nuit. Les loger dans cet immense bâtiment ne présentait pas de grands problèmes. Je prenais toutes ces dispositions pour le cas où le message resterait sans effet. S'il échouait, je ne voulais pas être responsable d'un massacre alors que Karak pouvait soutenir un siège jusqu'à ce que je réussisse à convaincre le Petit Peuple de ma bonne foi. Ou à en convaincre Evalie et lui faire amener la paix.

Ceci terminé, je conduisis Evalie dans mon appartement, pas celui du Grand Prêtre où le Peuple Noir veillait au-dessus des trois trônes, mais une suite de pièces confortables dans une autre partie de la citadelle. La petite troupe, qui m'avait escorté pendant et après le sac de Sirk, nous suivait. Là, je confiai Evalie à Dara. Je fus baigné, ma blessure nettoyée et pansée, et je fus habillé. Les fenêtres de cet appartement donnaient sur la rivière et il y avait de quoi devenir fou à entendre le battement des tambours. Je donnai l'ordre d'apporter de la nourriture et du vin et fis venir Evalie. Dara l'amena. Elle avait été bien traitée, mais elle ne voulut pas manger avec moi. Elle me dit :

— Je crains que mon peuple n'ait qu'une foi limitée dans les messages que tu envoies, Dwayanu.

— Nous parlerons plus tard de cet autre message, Evalie. Je ne l'ai pas envoyé. Et Tsantawu, en mourant dans mes bras, m'a cru quand je le lui ai dit.

— Je t'ai entendu déclarer à Lur que tu lui avais promis Sirk. Tu ne lui as pas menti, Dwayanu... car Sirk est dévorée. Comment puis-je te croire ?

— Tu auras la preuve que je dis la vérité, Evalie, répliquai-je. Maintenant, puisque tu ne veux pas manger avec moi, va avec Dara.

Elle n'avait rien à reprocher à Dara. Dara était non pas un traître à la langue menteuse, mais un soldat, et se battre à Sirk ou ailleurs était simplement son métier. Evalie partit avec elle.

Je mangeai peu et bus beaucoup. Le vin me ragaillardit, chassa ce qui me restait de fatigue. Pour le moment, je repoussai résolument le chagrin que j'éprouvais à cause de Jim afin de réfléchir à ce que j'avais l'intention de faire et au meilleur moyen d'y parvenir. C'est alors qu'un qui-vive résonna à la porte et que la Sorcière entra.

Ses tresses rousses formaient une couronne où brillaient des saphirs. Elle ne portait pas la moindre marque des combats de la journée, ni aucun signe de lassitude. Ses yeux étaient clairs et brillants, ses lèvres vermeilles souriaient. Sa voix basse et douce, le contact de sa main sur mon bras réveillèrent des souvenirs que j'avais cru disparus avec Dwayanu.

Sur son appel une file de soldats franchirent le seuil en compagnie d'une vingtaine de petits hommes qu'on avait débarrassés de leurs liens ; il y avait de la haine dans leurs yeux jaunes quand ils me virent — et aussi de la curiosité. Je leur parlai avec douceur. Je fis venir Evalie. Elle arriva et les pygmées dorés coururent à elle, se précipitèrent sur elle comme une troupe d'enfants, en pépiant et trillant, caressant ses cheveux, touchant ses mains et ses pieds.

Elle rit, les appela chacun par son nom, puis se mit à parler rapidement. Je ne saisis pas grand-chose de ce qu'elle disait ; par l'ombre sur le visage de Lur, je me rendis compte qu'elle n'avait rien compris du tout. Je répétai à Evalie exactement ce que j'avais dit à Lur — et qu'elle connaissait au moins en partie, car elle avait laissé voir qu'elle savait le ouigour, ou l'ayjir, mieux qu'elle ne l'avouait. Je traduisis de la langue des nains à l'intention de Lur.

Le pacte fut promptement conclu. La moitié des pygmées devaient traverser aussitôt Nanbu pour prendre contact avec la garnison de l'autre côté du pont. Ils enverraient notre message à la forteresse du Petit Peuple au moyen des tambours parlants. Si le Petit Peuple l'acceptait, le battement des tambours de guerre cesserait. Je dis à Evalie :

— Quand ils parleront sur leurs tambours, qu'ils disent que rien ne leur sera demandé d'autre que ce qui était convenu dans l'ancienne trêve... et que la mort ne les guettera plus quand ils traverseront la rivière.

La Sorcière s'écria :

— Qu'est-ce que cela signifie, Dwayanu ?

— Maintenant que Sirk est anéantie, ce châtiment n'est plus nécessaire. Qu'ils ramassent leurs herbes et leurs métaux comme ils voudront. Voilà tout.

— Tu ne penses pas seulement à cela...

Ses paupières se plissèrent.

— Ils m'ont compris, Evalie... mais toi aussi, disleur.

Les petits hommes trillèrent entre eux ; puis dix se détachèrent du groupe, ceux qui avaient été choisis pour porter le message. Comme ils s'éloignaient, je les arrêtai.

— Si Sri est sain et sauf, qu'il vienne avec l'ambassade. Ou mieux, qu'il vienne avant. Faites-lui dire par les tambours qu'il vienne dès qu'il le pourra. Il a mon sauf-conduit, et il restera avec Evalie jusqu'à ce que tout soit réglé.

Ils discutèrent en gazouillant, acquiescèrent. La Sorcière ne fit aucun commentaire. Pour la première fois, je vis les yeux d'Evalie s'adoucir quand elle me regarda.

Les pygmées partis, Lur alla jusqu'à la porte et fit un signe. Ouarda entra.

— Ouarda !

J'aimais bien Ouarda. Je fus content de la savoir en vie. Je m'avançai vers elle, les mains tendues. Elle les prit.

— C'étaient deux des soldats, Seigneur ! Elles avaient des sœurs dans Sirk. Elles ont coupé l'échelle avant que nous ayons pu intervenir. Elles ont été exécutées, dit-elle.

Que ne l'avaient-elles coupée avant que personne ne m'ait suivi !

Je n'eus pas le temps de répondre qu'un de mes capitaines frappa et entra.

— L'heure du crépuscule est passée depuis longtemps et les portes sont closes, Seigneur ! Tous ceux qui ont voulu venir sont à l'intérieur.

— Y en a-t-il beaucoup, soldat ?

— Non, Seigneur !... guère plus d'une centaine. Les autres ont refusé.

— Et ont-ils dit pourquoi ils refusaient ?

— Cette question est-elle un ordre, Seigneur ?

— C'est un ordre.

— Ils ont dit qu'ils étaient plus en sécurité où ils

étaient. Que les Rrrllyas n'avaient pas de querelle avec eux qui n'étaient que de la viande pour Khalk'ru.

— Suffit ! soldat ! (La voix de la Sorcière était âpre.) Va ! Emmène les Rrrllyas avec toi !

Le capitaine salua, exécuta un demi-tour martial et s'en fut avec les nains. Je ris.

— Des soldats coupent notre échelle par sympathie pour ceux qui ont fui Khalk'ru. Les gens du peuple craignent moins les ennemis de Khalk'ru que ceux de leur propre race qui sont ses bouchers ! Nous agissons sagement en faisant la paix avec les Rrrllyas, Lur !

Je la vis pâlir, puis rougir, j'aperçus ses jointures qui blanchissaient quand ses mains se crispèrent. Elle sourit, se versa du vin, leva la coupe d'une main ferme.

— Je bois à ta sagesse, Dwayanu !

Une âme forte, cette Sorcière ! Un cœur de guerrier. Quelque peu dépourvue de douceur féminine, toutefois. Mais rien d'étonnant que Dwayanu l'ait aimée... à sa façon et autant qu'il était en mesure d'aimer une femme.

Dans la pièce s'établit un silence qu'intensifiait bizarrement le battement continu des tambours. Combien de temps restâmes-nous assis dans ce silence, je ne sais pas. Mais soudain le battement des tambours se fit plus faible.

Puis, tout d'un coup, les tambours se turent complètement. L'absence de bruit créait une atmosphère irréelle. Je sentis mes nerfs crispés se détendre comme des ressorts longtemps comprimés. Le brusque silence rendait les oreilles douloureuses, ralentissait les battements du cœur.

— Ils ont le message. Ils ont accepté.

C'est Evalie qui parlait. La Sorcière se leva.

— Tu gardes la jeune femme près de toi, ce soir, Dwayanu ?

— Elle dormira dans une de ces chambres, Lur. Elle sera gardée. Personne ne pourra aller jusqu'à elle sans passer par ma chambre, ici. (Je la regardai d'un air significatif.) Et j'ai le sommeil léger. Tu n'as pas à craindre qu'elle s'évade.

— Je suis heureuse que les tambours n'aient pas à troubler ton sommeil... Dwayanu.

Elle m'adressa un salut moqueur et, accompagnée de Ouarda, me quitta.

La lassitude me retomba soudain dessus. Je me tournai vers Evalie, qui m'observait avec des yeux où je crus voir s'insinuer un doute de ses propres doutes. A coup sûr, ils ne recelaient pas de mépris, ni de haine. Eh bien, je l'avais amenée là où toute ma stratégie avait voulu la conduire. En tête à tête avec moi. Je la regardai et compris qu'étant donné tout ce qu'elle m'avait vu faire, tout ce qu'elle avait subi à cause de moi, les mots ne serviraient à rien. J'étais d'ailleurs incapable de trouver ceux qu'il me fallait. Non, j'avais bien le temps... demain matin, peut-être, quand j'aurais dormi... ou après avoir fait ce que j'avais à faire... alors, elle serait *obligée* de me croire...

— Dors, Evalie. Dors sans crainte... et sois persuadée que tout ce qui était mal devient bien maintenant. Va avec Dara. Tu seras bien gardée. Personne ne peut arriver jusqu'à toi, excepté par cette pièce et c'est là que je me tiendrai. Dors et ne crains rien.

J'appelai Dara, lui donnai mes instructions et Evalie partit avec elle. Arrivée aux portières qui masquaient l'entrée de la pièce voisine, elle hésita, se retourna à demi comme si elle allait parler, mais se ravisa. Et, peu après, Dara revint. Elle dit :

— Elle dort déjà, Dwayanu.

— Comme tu devrais le faire, amie, répliquai-je. Et toutes les autres qui m'ont secondé aujourd'hui. Je pense qu'il n'y a rien à craindre cette nuit. Choisis celles en qui tu peux avoir confiance et poste-les en sentinelle pour garder le couloir et ma porte. Où l'as-tu mise ?

— Dans la chambre voisine de celle-ci, Seigneur !

— Il vaudrait mieux que vous dormiez ici, toi et

les autres, Dara. Il y a une demi-douzaine de pièces à votre disposition. Fais apporter du vin et de la nourriture pour vous — en abondance.

Elle rit.

— Est-ce que tu t'attends à un siège, Dwayanu ?

— On ne sait jamais.

— Tu ne te fies pas beaucoup à Lur, Seigneur ?

— Je ne m'y fie pas du tout, Dara.

Elle hocha la tête, pivota sur elle-même pour s'en aller. Obéissant à une impulsion soudaine, je déclarai :

— Dara, cela vous aiderait-il à mieux dormir ce soir, toi et les autres, et cela t'aiderait-il à rassembler tes sentinelles si je te disais qu'il n'y aura plus de Sacrifices à Khalk'ru tant que je vivrai ?

Elle sursauta ; son visage s'éclaira, s'adoucit. Elle me tendit vivement la main.

— Dwayanu... j'avais une sœur qui a été donnée à Khalk'ru. Parles-tu sérieusement ?

— Par la vie de mon sang ! Par tous les dieux vivants ! J'y suis fermement décidé.

— Dors bien, Seigneur !

Sa voix était étranglée. Elle s'éloigna, passa de l'autre côté des tentures mais pas avant que j'aie vu les larmes sur ses joues.

Bah ! une femme a le droit de pleurer — quand bien même est-elle un soldat. Moi-même j'avais pleuré aujourd'hui.

Je me versai du vin et m'assis pour réfléchir en buvant. Mes pensées tournaient principalement autour de l'énigme de Khalk'ru. Et il y avait à cela une excellente raison.

Qu'était Khalk'ru ?

J'ôtai la chaîne qui me pendait au cou, ouvris le médaillon et examinai l'anneau. Je le refermai et le jetai sur la table. Je ne sais pas pourquoi, mais j'avais l'impression qu'il était mieux là que sur ma poitrine pendant que je me livrais à ces réflexions.

Dwayanu avait douté que cette Chose effroyable

fût l'Esprit du Vide et moi, qui étais maintenant Leif Langdon et un Dwayanu passif, j'étais absolument certain qu'elle ne l'était pas. Pourtant, je ne pouvais pas accepter la théorie de Barr selon laquelle il s'agissait d'hypnotisme collectif — et la tricherie était hors de question.

Quel qu'il fût, comme l'avait dit la Sorcière, Khalk'ru existait. Ou tout au moins cette Forme, qui se matérialisait par le rite, l'anneau et l'écran, *existait*.

Je songeai que j'aurais pu mettre l'aventure dans le temple de l'oasis au compte d'une hallucination si elle ne s'était pas renouvelée ici, au Pays-dans-l'ombre. Mais il n'y avait aucun doute possible sur la réalité du sacrifice que j'avais dirigé ; aucun doute possible sur la destruction — absorption — dissolution — des douze jeunes femmes. Et aucun sur la foi absolue de Yodin dans le pouvoir qu'avait le tentacule de m'emporter, et aucun doute non plus sur sa propre annihilation. Et je songeai que si les victimes et Yodin se moquaient de moi en coulisse, comme l'avait prétendu Barr, eh bien, ce devait être dans les coulisses d'un théâtre appartenant à un monde autre que celui-ci. Il y avait aussi la profonde horreur du Petit Peuple, l'horreur d'un si grand nombre des Ayjirs — et il y avait la révolte dans l'ancien Pays des Ayjirs, issue de cette même horreur, qui avait détruit le Pays des Ayjirs par la guerre civile.

Non, quelle que fût cette Chose, si fortement que répugne la science à admettre sa réalité — que ce fût de l'atavisme ou de la superstition, appelons ça comme Barr le voudra — je savais que cette Chose était réelle ! De cette terre ? Non, certainement, elle n'appartenait pas à cette terre. Elle n'était même pas surnaturelle. Ou plutôt elle l'était dans la mesure où elle venait d'une autre dimension ou même d'un autre monde que nos cinq sens étaient incapables d'appréhender.

Et je me dis, alors, que la science et la religion

sont vraiment proches parentes, ce qui explique en grande partie pourquoi elles se haïssent si fort, que les hommes de science et les hommes de religion sont parfaitement semblables dans leur dogmatisme, leur intolérance, et que chaque âpre bataille religieuse sur telle ou telle interprétation de foi ou de culte a son équivalence dans les batailles scientifiques sur un os ou sur un rocher.

Cependant, de même qu'il y a dans les Eglises des hommes dont l'esprit ne s'est pas fossilisé au point de vue religieux, de même, dans les laboratoires, il y a des hommes dont l'esprit ne s'est pas fossilisé au point de vue scientifique... Einstein qui a osé bousculer toutes les conceptions de l'espace et du temps avec son espace quadri-dimensionnel dans lequel le temps aussi est une dimension, et qui a fait suivre cela de la preuve de l'existence d'un espace à cinq dimensions au lieu de quatre, qui sont tout ce que nos sens sont capables de comprendre et qui en comprennent un de travers... la possibilité d'une douzaine de mondes évoluant entremêlés à celui-ci... dans le même espace... l'énergie, que nous appelons matière, de chacun d'eux accordée à une vibration différente — et chacun totalement ignorant des autres... bouleversant de fond en comble le vieil axiome que deux corps ne peuvent occuper la même place au même moment.

Et je me disais — qui sait si dans des temps très, très reculés un savant de cette époque-là, un des Ayjirs, n'avait pas découvert tout cela ? S'il n'avait pas découvert la cinquième dimension en plus de la longueur, la largeur, l'épaisseur et la durée ? Ou découvert un de ces univers parallèles dont la matière filtre par les interstices de notre propre matière ? Et, découvrant cette dimension ou ce monde, avait trouvé le moyen pour que les habitants de cette dimension ou de cet autre monde puissent à la fois connaître ceux de notre monde et se manifester à eux ? Si par le son et par le geste, par l'anneau et par l'écran, il avait créé un passage permettant à ces habitants de pénétrer chez nous ou tout au moins de nous apparaître ! Alors, quelle arme constituait cette découverte — quelle arme pouvaient posséder les inévitables prêtres de cette Chose ! Et quelle arme ils avaient effectivement possédée voici des siècles, tout comme ils la possédaient ici, à Karak.

Si cette hypothèse était juste, y avait-il un seul habitant ou plusieurs pour hanter ces passages en quête de sa rasade de vie ? Les souvenirs légués par Dwayanu me disaient qu'il avait existé d'autres temples dans le Pays des Ayjirs en dehors de celui de l'oasis. Etait-ce le même Etre qui apparaissait dans chacun d'eux ? La Forme qui venait par la pierre brisée de l'oasis était-elle la même qui s'était nourrie dans le temple du Mirage ? Ou étaient-ils nombreux — ces habitants d'autres dimensions ou d'autres mondes — à répondre avidement aux évocations ? Il n'était pas non plus nécessairement vrai que chacune de ces Choses ait eu la forme du Kraken. Ce pouvait être la forme que leur imposait l'entrée dans ce monde-ci en conséquence de lois purement naturelles.

J'y réfléchis longtemps. Cela me semblait être la meilleure explication de Khalk'ru. Dans ce cas-là, pour se débarrasser de Khalk'ru, il fallait détruire les moyens qu'il avait d'entrer. Et cela, songeai-je, était exactement ce qu'avaient conclu les anciens Ayjirs.

Mais cela n'expliquait pas pourquoi seuls ceux de la vieille race pouvaient évoquer...

J'entendis parler à voix basse de l'autre côté de la porte. Je m'en approchai silencieusement, écoutai. J'ouvris. Lur était là, parlant aux gardes.

— Qu'est-ce donc que tu désires, Lur ?

— Te parler. Je ne te retiendrai pas longtemps, Dwayanu.

J'examinai la Sorcière. Elle attendait très calmement, ni défi, ni ressentiment, ni calcul subtil dans le regard — rien qu'une prière. Ses tresses rousses tombaient sur ses blanches épaules ; elle n'avait ni arme ni parure. Elle semblait plus jeune que je ne l'avais jamais vue, et quelque peu désolée. Je n'éprouvai aucun désir de me moquer d'elle ou de la repousser. Je ressentis au contraire l'émoi d'une profonde pitié.

— Entre, Lur... et dis tout ce que tu as sur le cœur.

Je refermai la porte derrière elle. Lur s'approcha de la fenêtre, regarda au-dehors les faibles miroitements de la nuit verte. J'allai vers elle.

— Parle doucement, Lur. La jeune femme dort dans la chambre voisine. Laissons-la se reposer.

— J'aurais préféré que tu ne sois jamais venu, le Blond, dit-elle d'une voix sans timbre.

Je songeai à Jim et je répondis :

— Je l'aurais préféré aussi, Sorcière. Mais je suis là.

Elle se pencha vers moi, posa la main sur ma poitrine.

— Pourquoi me hais-tu tellement ?

— Je ne te hais pas, Lur. Il ne me reste plus de haine dans le cœur... sauf pour une chose.

— Et c'est... ?

Je regardai involontairement vers la table. Une seule chandelle y brûlait et sa clarté tombait sur le médaillon qui contenait l'anneau. Son regard suivit le mien.

— Qu'as-tu l'intention de faire ? dit-elle. Ouvrir Karak aux nains ? Réparer Nansur ? Régner ici sur Karak et les Rrrllyas avec leur fille brune à ton côté ? Est-ce cela... et si c'est cela, qu'adviendra-t-il de Lur ? Réponds-moi. J'ai le droit de savoir. Il y a un lien entre nous... je t'ai aimé quand tu étais Dwayanu... tu sais à quel point...

— Et tu m'aurais assassiné pendant que j'étais encore Dwayanu, répliquai-je d'un air sombre.

— Parce que j'ai vu Dwayanu mourir quand tu as plongé ton regard dans les yeux de l'étranger, répondit-elle. Toi que Dwayanu avait dominé tu tuais

Dwayanu. J'aimais Dwayanu. Pourquoi n'aurais-je pas cherché à le venger ?

— Si tu crois que je ne suis plus Dwayanu, alors je suis l'homme dont tu as attiré l'ami dans un piège pour le massacrer — l'homme dont tu as attiré dans un piège celle qu'il aime et que tu aurais supprimée. Alors, dans ce cas... quels droits as-tu sur moi, Lur ?

Elle resta silencieuse un long moment, puis elle déclara :

— Tous les torts ne sont pas de mon côté. Je te dis que j'aimais Dwayanu. Dès le début, j'ai deviné une partie de ton histoire, le Blond. Mais j'ai vu Dwayanu s'éveiller en toi. Et je savais qu'il s'agissait bien de lui ! Je savais aussi que Dwayanu serait en danger tant que vivraient ton ami et la jeune femme brune. Voilà pourquoi j'ai intrigué pour les amener dans Sirk. J'ai jeté les dés en pariant sur la chance de les tuer avant que tu les aies vus. Alors, pensais-je, tout irait bien. Il ne resterait plus personne pour ranimer en toi ce que Dwayanu avait maîtrisé. J'ai perdu. J'ai compris que j'avais perdu quand un caprice de Luka vous a réunis tous les trois. Alors la rage et le chagrin se sont emparés de moi et j'ai... j'ai fait ce que j'ai fait.

— Lur, dis-je, réponds-moi sincèrement. Ce jour où tu es revenue au lac des Fantômes après avoir poursuivi les deux femmes — est-ce que ce n'étaient pas des espionnes à toi qui ont porté ce faux message dans Sirk ? Et n'as-tu pas attendu de savoir qu'Evalie et mon ami étaient tombés dans le piège pour me dire de passer à l'attaque ? Et n'avais-tu pas en tête — si j'ouvrais la voie de Sirk — de te débarrasser non seulement de ces deux-là mais aussi de Dwayanu ? Car, rappelle-toi, tu as peut-être aimé Dwayanu mais, comme il te l'a dit, tu aimes le pouvoir encore plus que lui. Et Dwayanu était une menace pour ta puissance. Réponds-moi avec franchise.

Pour la seconde fois, je vis des larmes dans les

yeux de la Sorcière. Elle répliqua d'une voix saccadée :

— J'ai envoyé les espions, oui. J'ai attendu que les deux soient dans le piège. Mais jamais je n'ai voulu faire de mal à Dwayanu !

Je ne la crus pas. Mais je ne ressentais toujours aucune colère, aucune haine. Ma pitié augmenta.

— Lur, maintenant, je vais te dire la vérité. Il n'est pas dans mon intention de régner sur Karak et les Rrrllyas en compagnie d'Evalie. Je n'ai plus aucun désir de puissance. Cela s'est dissipé avec Dwayanu. Dans la paix que je vais conclure avec les nains, tu régneras sur Karak, si c'est ce que tu souhaites. La jeune femme brune retournera chez eux. Elle ne tiendra pas à rester dans Karak. Moi non plus, je...

Elle m'interrompit :

— Tu ne peux pas aller avec elle. Jamais les chiens jaunes n'auront confiance en toi. Leurs flèches seraient toujours pointées sur toi.

J'acquiesçai d'un signe — je m'en étais avisé depuis longtemps.

— Tout cela doit s'organiser, répliquai-je. Mais il n'y aura plus de Sacrifices. La porte de Khalk'ru lui sera fermée à jamais. Et c'est moi qui la fermerai.

Ses pupilles se dilatèrent.

— Tu veux dire...

— Je veux dire que je chasserai à jamais Khalk'ru de Karak... à moins que Khalk'ru ne se révèle plus fort que moi.

Elle se tordit les mains dans un geste de désespoir.

— A quoi me servirait alors de régner sur Karak... comment pourrais-je tenir le peuple ?

— N'empêche... je détruirai la porte de Khalk'ru.

Elle murmura :

— O dieux !... si seulement j'avais l'anneau de Yodin !...

Cela me fit sourire.

— Sorcière, tu sais aussi bien que moi que Khalk'ru ne répond pas à l'appel d'une femme.

Les flammes magiciennes étincelèrent dans ses yeux ; un éclair vert les traversa.

— Il existe une ancienne prophétie, le Blond, que Dwayanu ne connaissait pas — ou avait oubliée. Elle dit que lorsque Khalk'ru répond à l'appel d'une femme... il reste ! Voilà pourquoi dans l'antique Pays des Ayjirs aucune femme ne pouvait être prêtresse et présider au Sacrifice.

Cela me fit rire.

— Joli compagnon, Lur... pour ajouter à tes loups.

Elle se dirigea vers la porte, s'arrêta.

— Et si je t'aimais... comme j'ai aimé Dwayanu ? Si je me faisais aimer de toi comme Dwayanu m'a aimée ? Mieux même ! Si je renvoyais la jeune femme brune auprès de son peuple et supprimais la peine de mort qui était le lot des siens sur cette berge de Nanbu, laisserais-tu les choses comme elles sont... et régnerais-tu avec moi sur Karak ?

Je lui ouvris la porte.

— Je t'ai dit que je ne m'intéressais plus au pouvoir, Lur.

Elle s'éloigna.

Je revins à la fenêtre, en approchai un siège et m'assis pour réfléchir. Soudain, tout près de la citadelle, j'entendis un loup crier. Par trois fois il hurla, puis trois fois encore.

— Leif !

Je me levai d'un bond. Evalie était à côté de moi. Elle me dévisageait à travers le voile de ses cheveux ; ses yeux lumineux plongeaient dans les miens un regard limpide — où il n'y avait plus ni doute, ni haine, ni peur. Ils étaient comme naguère.

— Evalie !

Mes bras l'enlacèrent, mes lèvres se posèrent sur les siennes.

— J'écoutais, Leif !

— Tu me crois, Evalie !

Elle m'embrassa, m'étreignit.

— Mais elle a raison, Leif. Tu ne peux plus retourner avec moi dans le pays du Petit Peuple. Jamais,

jamais ils ne comprendront. Et je ne veux pas habiter Karak.

— Veux-tu venir avec moi, Evalie, dans mon pays ? Après que j'aurai fait ce que je dois faire... si je ne suis pas détruit en le faisant ?

— J'irai avec toi, Leif !

Elle pleura un instant et, un moment après, s'endormit dans mes bras. Alors je la soulevai, l'emportai dans sa chambre et rabattis sur elle les couvertures de soie. Elle ne se réveilla pas.

Je retournai dans ma propre chambre. En passant près de la table, je ramassai le médaillon, commençai à l'enfiler autour de mon cou. Je le rejetai. Jamais plus je ne porterais cette chaîne. Je me laissai tomber sur le lit, mon épée à portée de la main. Je m'endormis.

3

DANS LE TEMPLE DE KHALK'RU

Par deux fois je me réveillai. La première, ce fut le hurlement des loups qui me tira du sommeil. On aurait cru qu'ils étaient sous ma fenêtre. J'écoutai d'une oreille somnolente et m'assoupis de nouveau.

La seconde fois, j'émergeai d'un rêve troublé avec toute ma lucidité. Un bruit dans la chambre m'avait alerté, j'en étais sûr. Ma main saisit mon épée que j'avais posée par terre à côté du lit. J'avais l'impression que quelqu'un était dans la pièce. Je ne distinguais rien dans la pénombre verdâtre qui emplissait la chambre. J'appelai à mi-voix :

— Evalie, c'est toi ?

Il n'y eut pas de réponse, pas un bruit.

Je m'assis dans mon lit, je sortis même une jambe pour me lever. Puis je me rappelai les gardes à ma porte, Dara et ses guerrières de l'autre côté, et je me dis que ce devait être mon rêve agité qui m'avait réveillé. Pourtant, je restai un moment couché à écouter, l'épée à la main. Le silence finit par me replonger dans le sommeil.

On frappa à ma porte et je sortis péniblement de ce sommeil. Je vis que l'aube était levée depuis longtemps. J'allai doucement à la porte pour ne pas réveiller Evalie. Je l'ouvris et là, avec les gardes, il y avait Sri. Le petit homme était venu bien armé, avec lance et sabre et — entre ses épaules — un de ces minuscules tambours parlants à la résonance surprenante étant donné ses dimensions réduites. Il me regarda de la façon la plus amicale. Je lui tapotai la main et désignai les tentures.

— Evalie est là-bas, Sri. Va l'éveiller !

Il passa devant moi en trottinant. Je saluai les gardes et me détournai pour rejoindre Sri. Il se tenait devant les tentures avec des yeux où il n'y avait plus la moindre sympathie. Il dit :

— Evalie n'est pas là.

Je le dévisageai avec incrédulité et, le bousculant presque au passage, me précipitai dans la chambre. Elle était vide. J'approchai de la pile de couvertures de soie et de coussins sur lesquels avait dormi Evalie. Ils étaient froids. Sri sur mes talons, j'allai dans la pièce suivante. Dara et une demi-douzaine des guerrières étaient couchées là et dormaient. Evalie n'était pas parmi elles. J'effleurai Dara à l'épaule. Elle se redressa en bâillant.

— Dara... la jeune femme a disparu !

— Disparu ?

Elle me considéra avec autant d'incrédulité que moi le pygmée doré. Elle se leva d'un bond, courut dans la pièce vide, puis visita avec moi les autres salles. Les guerrières y dormaient, mais pas Evalie.

Je revins en courant à ma propre chambre et à sa porte. Une colère folle s'empara de moi. Vivement, d'un ton âpre, je questionnai les sentinelles. Elles n'avaient vu personne. Nul n'était entré ; nul n'était passé. Le pygmée doré écoutait, sans jamais me quitter des yeux.

Je retournai vers la chambre d'Evalie. Je passai à côté de la table où j'avais jeté le médaillon. Ma main tomba dessus, le souleva ; il était étrangement léger... je l'ouvris...

L'anneau de Khalk'ru n'y était pas !

Je regardai d'un œil plein de fureur le médaillon vide — et la conscience de ce que ce vide et la disparition d'Evalie signifiaient m'envahit comme une flamme torturante. Je gémis et m'appuyai à la table pour ne pas tomber.

— Bats le tambour, Sri ! Appelle les tiens ! Dis-leur de venir tout de suite. Il est peut-être encore temps !

Le pygmée doré émit une sorte de sifflement ; ses yeux devinrent de petits lacs de feu jaune. Il ne pouvait pas connaître toute l'horreur de ma pensée, mais il en devinait assez. Il bondit vers la fenêtre, ramena devant lui son tambour et battit appels sur appels — péremptoires, rageurs, déchaînés. La réponse vint aussitôt — elle vint de Nansur, puis tout le long de la rivière et au delà les tambours du Petit Peuple retentirent.

Lur les entendrait-elle ? Elle ne pouvait pas ne pas les entendre... mais en tiendrait-elle compte ? Leur menace l'arrêterait-elle ? Cette menace l'avertirait que j'étais réveillé et que le Petit Peuple savait qu'il était trahi... en même temps qu'Evalie.

Mon Dieu ! Si elle entendait... était-il encore temps de sauver Evalie ?

— Vite, Seigneur ! appela Dara en passant la tête entre les tentures.

Le nain et moi l'avons rejointe en courant. Elle désigna le mur du côté du rempart. A l'endroit où deux pierres sculptées s'assemblaient pendait un lambeau de soie.

— Il y a une porte là, Dwayanu ! Voilà comment elles l'ont emportée. Elles se sont hâtées. L'étoffe a été coincée quand la pierre s'est remise en place.

Je cherchai des yeux quelque chose pour taper sur la pierre. Mais Dara tâtait çà et là le mur. La pierre pivota. Sri passa comme une flèche devant moi et s'engouffra dans le corridor sombre qu'elle masquait. Je me précipitai en trébuchant derrière lui, Dara sur mes talons, les autres nous emboîtant le pas. Le couloir était étroit et pas très long. Il aboutissait à un mur de pierre compact, Dara tâtonna de nouveau jusqu'à ce que ce mur s'ouvrît.

Nous débouchâmes dans l'appartement du Grand Prêtre. Le Kraken braqua sur moi et à travers moi son regard empreint d'impénétrable malveillance. J'eus cependant l'impression qu'il s'y mêlait maintenant une expression de défi.

La fureur insensée qui m'animait, l'élan aveugle de ma rage tombèrent d'un seul coup. Une froide délibération, une résolution méthodique d'où la hâte était exclue les avaient remplacés. *Est-il trop tard pour sauver Evalie ?... Il n'est pas trop tard pour te détruire, mon ennemi...*

— Dara, trouve-nous des chevaux. Rassemble d'urgence tous les soldats en qui tu peux avoir confiance. Ne prends que les plus robustes. Tiens-les prêts à la porte de la route qui va au temple... Nous allons en finir avec Khalk'ru. Tu le leur diras.

Je me tournai vers le pygmée doré.

— Je ne sais pas si je peux sauver Evalie. Mais je vais mettre fin à Khalk'ru. Attends-tu les tiens ou viens-tu avec moi ?

— Je vais avec toi.

Je savais où la sorcière demeurait dans la citadelle noire, et ce n'était pas très loin. J'étais convaincu que je ne l'y trouverais pas, mais je devais m'en assurer. Et elle pouvait avoir emmené Evalie au lac des Fantômes, pensai-je en poursuivant mon chemin, passant devant des groupes de soldats silencieux, inquiets, perplexes, qui me saluaient. Mais, au fond du cœur, je savais qu'elle ne l'avait pas fait. Au fond de moi, j'avais conscience que c'était Lur qui m'avait réveillé dans la nuit. Lur qui s'était faufilée entre les tentures pour prendre l'anneau de Khalk'ru. Et si elle avait fait cela, c'était pour une unique raison. Non, elle n'était pas au lac des Fantômes.

Pourtant, si elle était venue dans ma chambre — pourquoi ne m'avait-elle pas tué ? Ou bien en avait-elle eu l'intention, mais le fait de m'être réveillé et d'avoir appelé Evalie l'en avait-il dissuadée ? Avait-elle craint d'avancer ? Ou m'avait-elle volontairement épargné ?

J'arrivai à son appartement. Elle n'y était pas. Aucune de ses femmes ne s'y trouvait. Le lieu était vide — même de gardes.

Je me mis à courir. Le pygmée doré m'imita, entonnant un chant strident, ses javelots dans la main gauche, son sabre-faucille dans la droite. Nous atteignîmes la porte donnant sur la route du temple.

Une troupe de trois ou quatre cents soldats m'y attendait. A cheval — et rien que des femmes. J'enfourchai une monture que Dara tenait prête pour moi, hissai Sri sur la selle. Nous fonçâmes vers le temple.

Nous avions parcouru la moitié du trajet quand, d'entre les arbres qui bordaient la route du temple, jaillirent les loups blancs. Ils surgirent de chaque côté comme un torrent blanc, sautèrent à la gorge des chevaux, se précipitèrent sur les cavaliers. Ils brisèrent notre élan, nos bêtes trébuchèrent, tombèrent sur celles que les crocs des loups avaient abattues dans cette rapide embuscade inattendue ; les cavaliers entraînés par la chute de leur monture étaient éventrés et déchiquetés par les loups avant d'avoir pu se relever. Nous nous débattions au milieu d'eux — hommes, chevaux et loups entraînés dans un tourbillon éclaboussé d'écarlate.

Le grand chien-loup chef de la meute de Lur me sauta à la gorge, ses yeux verts étincelant. Je n'avais pas le temps de tirer l'épée. Je le saisis par le cou avec ma main gauche, le soulevai et le projetai pardessus mon épaule. Néanmoins, ses crocs m'avaient happé et entaillé.

Nous avions traversé la meute. Ce qui en restait se mit à nous pourchasser. Les loups avaient levé un lourd tribut sur ma troupe.

J'entendis résonner une enclume... par trois fois frappée... l'enclume de Tubalcaïn !

Mon Dieu ! C'était bien vrai... Lur dans le temple... avec Evalie... et Khalk'ru !

Nous filâmes comme le vent jusqu'à la porte du temple. J'entendis des voix psalmodier l'antique chant. L'entrée était noire de monde... Elle était hérissée d'épées, celles des nobles, hommes et femmes.

— Fonce au travers, Dara ! Passe-leur sur le corps !

Nous nous lançâmes contre eux comme un bélier. L'épée affrontait l'épée, les masses d'armes et les haches de guerre s'abattaient sur eux, les chevaux les piétinaient.

Pas un instant le chant strident de Sri ne s'interrompit. Son javelot frappait d'estoc, son sabre frappait de taille.

Nous fîmes irruption dans le temple de Khalk'ru. Le chant s'arrêta. Les chanteurs se dressèrent pour nous barrer la route ; ils nous frappèrent avec l'épée, la hache, le marteau ; ils poignardèrent et tailladèrent nos chevaux ; ils nous tirèrent à bas. L'amphithéâtre était un bouillonnant chaudron de mort...

Le rebord de la plate-forme était devant moi. J'éperonnai mon cheval pour en approcher, me mis debout sur son dos et sautai sur la plate-forme. Immédiatement à ma droite, il y avait l'enclume de Tubalcaïn ; à côté, marteau levé pour frapper, se tenait Ouarda. J'entendis le roulement des tambours, les tambours de l'évocation de Khalk'ru. Le dos des prêtres était courbé au-dessus d'eux.

Devant les prêtres, l'anneau de Khalk'ru haut levé, il y avait Lur.

Et entre elle et la bulle océane de pierre jaune qui était la porte de Khalk'ru, des nains enchaînés oscillaient deux par deux dans les ceintures d'or...

Dans l'Anneau du Guerrier... Evalie !

La Sorcière ne regarda pas une fois dans ma direction ; pas une fois elle ne se retourna vers le chaudron empli de clameurs de l'amphitéâtre où se battaient nobles et guerriers.

Elle commença le rite.

Poussant un hurlement, je me ruai sur Ouarda. Je lui arrachai des mains l'énorme marteau. Je le lançai droit sur l'écran jaune... droit sur la tête de Khalk'ru. C'est de toutes mes forces que je lançai cet énorme marteau.

L'écran se fendit ! Le marteau rebondit dessus... tomba.

La voix de la Sorcière résonnait... sans discontinuer... sans une hésitation.

L'écran fêlé trembla. Le Kraken flottant dans la bulle océane parut se rétracter... s'élancer en avant...

Je courus vers lui... vers le marteau...

Je m'arrêtai un instant près d'Evalie. J'enfonçai les mains dans la ceinture d'or, la rompis comme s'il s'était agi d'un fétu de paille. Je jetai mon épée à ses pieds.

— Garde-toi, Evalie !

Je ramassai le marteau. Je le brandis. Les yeux de Khalk'ru bougèrent... ils se dardèrent sur moi, ils avaient conscience de ma présence... les tentacules remuèrent ! Et le froid paralysant commença à m'assaillir... je tendis toute ma volonté contre lui.

J'assenai sur la pierre jaune un coup de marteau de Tubalcaïn... puis un autre... un autre encore...

Les tentacules de Khalk'ru s'allongèrent vers moi !

Il y eut un craquement cristallin, comme si la foudre tombait tout près. La pierre jaune de l'écran vola en éclats. Elle s'éparpilla autour de moi comme de la neige fondue chassée par un ouragan glacé. Une secousse sismique ébranla le sol. Le temple oscilla. Mes bras retombèrent, paralysés. Le marteau de Tubalcaïn échappa à mes mains qui ne le sentaient plus. Le froid glacial m'enveloppa dans un tourbillon... monta... de plus en plus... un sifflement aigu et terrifiant retentit...

Pendant un instant, la forme du Kraken plana dans l'espace où s'était trouvé l'écran. Puis elle se contracta. Elle parut aspirée vers les lointains infinis. Elle disparut.

Et la vie reflua en moi !

De longs éclats déchiquetés de pierre jaune gisaient sur le sol rocheux... du noir du Kraken parmi eux... Je les réduisis en poussière à coups de talon...

— Leif !

La voix d'Evalie, aiguë, angoissée. Je me retournai brutalement. Lur se précipitait sur moi, l'épée haute. Avant que j'aie pu esquisser un geste, Evalie s'élançait entre nous, se jetait au-devant de la Sorcière, la frappait avec ma propre épée.

La lame de Lur para le coup, s'enfonça... profondément... Evalie tomba...

Lur bondit vers moi. Je la regardai approcher sans bouger, avec indifférence... il y avait du sang sur son épée... le sang d'Evalie...

Une espèce d'éclair s'abattit sur ma poitrine. Elle s'immobilisa, comme si une main l'avait repoussée. Elle tomba lentement à genoux. Elle s'affaissa sur le sol rocheux.

Le chien-loup se hissa d'un saut sur le rebord de la plate-forme en hurlant. Il fonça sur moi. Il y eut un autre éclair. Le chien-loup culbuta, en plein élan, et tomba.

Je vis Sri, les jarrets pliés. Un de ses javelots était fiché dans la poitrine de Lur, l'autre dans la gorge du loup... je vis le pygmée doré courir vers Evalie... la vis se relever une main pressée contre l'épaule d'où jaillissait du sang...

Je me dirigeai vers Lur, d'un pas raide d'automate. Le loup blanc essaya de se redresser, puis rampa jusqu'à la Sorcière en se traînant sur le ventre. Il l'atteignit avant moi. Il laissa tomber sa tête sur la poitrine de Lur. Il se tourna et me dévisagea avec fureur en mourant.

La Sorcière leva les yeux vers moi. Son regard était

doux et de sa bouche toute cruauté avait disparu. Elle me sourit.

— Comme j'aurais voulu que tu ne sois jamais venu ici, le Blond !

Puis...

— *Hélas* et — *Hélas !* Mon lac des Fantômes !

Sa main remonta lentement jusqu'à la tête du loup mourant et se posa dessus dans un geste de caresse. Elle poussa un soupir...

La Sorcière était morte.

En relevant la tête, j'aperçus les visages bouleversés d'Evalie et de Dara.

— Evalie... ta blessure...

— Superficielle, Leif... Elle sera vite guérie... c'est sans importance.

— Honneur à toi, Dwayanu ! dit Dara. C'est un grand exploit que tu as accompli aujourd'hui !

Elle se laissa tomber à genoux, me baisa la main. Je vis alors que ceux de mes partisans qui avaient survécu à la bataille dans le temple étaient montés sur la plate-forme et s'étaient agenouillés devant moi. Je vis aussi que Ouarda gisait près de l'enclume de Tubalcaïn. Je vis que Sri était également à genoux et me considérait avec des yeux emplis de vénération.

J'entendis le tumulte des tambours du Petit Peuple... non plus de l'autre rive... dans Karak même... et plus près encore.

Dara reprit la parole :

— Retournons à Karak, Seigneur. Tu y régneras désormais sans partage.

Je m'adressai à Sri :

— Frappe ton tambour, Sri. Annonce aux tiens qu'Evalie est vivante. Que Lur est morte. Que la porte de Khalk'ru est close pour toujours. Il faut faire cesser la tuerie.

— Ce que tu as fait efface tout motif de guerre entre Karak et mon peuple, répliqua Sri. A toi et à

Evalie nous obéirons. Je vais expliquer aux miens ce que tu as fait.

Il ramena devant lui le petit tambour, leva les mains pour le battre. Je l'arrêtai.

— Attends, Sri. Je ne serai plus là pour qu'on m'obéisse !

— Dwayanu ! s'écria Dara, tu ne veux pas nous quitter ?

— Si, Dara... je retourne maintenant dans ce pays d'où je suis venu... je ne rentre pas à Karak. J'en ai fini avec le Petit Peuple, Sri.

Evalie demanda d'une voie oppressée :

— Et moi... Leif ?

Je posai les mains sur ses épaules, plongeai mon regard dans ses yeux.

— La nuit dernière, tu as murmuré que tu m'accompagnerais, Evalie. Je te délie de cette promesse... je pense que tu seras plus heureuse ici avec tes petits amis...

— Je sais où est mon bonheur, déclara-t-elle d'un ton ferme. Je m'en tiens à ma promesse... à moins que tu ne veuilles plus de moi...

— Bien sûr que je veux de toi, ma brune !

Elle se tourna vers Sri :

— Transmets mon affection à mon peuple, Sri. Je ne le reverrai plus.

Le petit homme se cramponna à elle, se prosterna à ses pieds, gémit et pleura pendant qu'elle lui parlait. A la fin, il s'assit sur ses talons et contempla longuement la porte brisée du Kraken. Je vis la science secrète s'infiltrer en lui. Il vint à moi et me tendit les bras pour que je le soulève. Il releva mes paupières et plongea son regard dans mes yeux. Il fourra la main à l'intérieur de ma tunique, plaça sa tête sur ma poitrine, écouta mon cœur battre. Il sauta à terre, attira à lui la tête d'Evalie, chuchotant.

— La volonté de Dwayanu est la nôtre, dit Dara. Cependant il est difficile de comprendre pourquoi il ne demeure pas avec nous.

— Sri comprend... mieux que moi. Cela m'est impossible, Dara.

Evalie s'approcha. Ses yeux brillaient de larmes contenues.

— Sri dit qu'il nous faut partir maintenant, Leif, et nous hâter. Les miens ne doivent pas me voir. Il va leur donner sur son tambour une raison quelconque... Il n'y aura pas de combat... et désormais la paix régnera...

Le pygmée doré commença à battre le tambour parlant. Aux premiers battements, la multitude des autres tambours se tut. Quand il eut fini, ils recommencèrent — joyeux, triomphants. Puis une note d'interrogation s'y glissa. Une fois encore, Sri tambourina un message... la réponse vint — coléreuse, péremptoire et, d'une curieuse façon, incrédule.

Sri me cria :

— Vite ! Vite !

— Nous restons avec toi, Dwayanu, dit Dara, jusqu'au dernier moment.

Je hochai la tête et regardai Lur. Sur sa main, l'anneau de Khalk'ru scintilla soudain. J'approchai, soulevai la main inerte et lui ôtai l'anneau. Je l'écrasai sur l'enclume de Tubalcaïn comme je l'avais fait pour l'anneau de Yodin.

— Sri connaît un chemin qui nous mènera dans ton monde, Leif, dit Evalie. Il se trouve à la source de Nanbu. Sri va nous conduire.

— Est-ce que le chemin passe près du lac des Fantômes, Evalie ?

— Je vais le lui demander... oui, il y passe.

— C'est bien. Nous allons dans un pays où les vêtements que je porte ne conviendraient guère. Et il faut faire quelques préparatifs pour toi.

Nous quittâmes le temple à cheval, Sri sur ma selle, Evalie et Dara m'encadrant. Les tambours étaient très proches. Ils étaient lointains quand nous sortîmes de la forêt pour nous engager sur la route. La moitié de l'après-midi s'était écoulée quand nous atteignîmes le lac des Fantômes. Le pont-levis était abaissé. Il n'y avait personne dans la garnison. Le château de la Sorcière était vide. Je cherchai, et trouvai mon paquet de vêtements ; je me dépouillai des atours de Dwayanu. Je pris une hache de guerre, passai une courte épée dans ma ceinture, choisis des javelots pour Evalie et pour moi. Ils nous aideraient à arriver à bon port, seraient notre seul atout pour nous procurer de la nourriture par la suite. Nous emportions des provisions prises dans le château de Lur — et des fourrures pour vêtir Evalie quand elle sortirait du Mirage.

Je ne montai pas dans la chambre de la Sorcière. J'entendis murmurer la cascade — et n'osai pas la regarder.

Tout le reste de cet après-midi-là, nous galopâmes le long de la berge de la rivière blanche. Les tambours du Petit Peuple nous suivaient... cherchaient... questionnaient... appelaient... « Ev-ah-lie... Ev-ah-lie... Ev-ah-lie... »

A la tombée de la nuit, nous étions parvenus au pied des falaises à l'extrémité de la vallée. C'est là que Nanbu jaillissait en flots puissants et torrentueux de quelque source souterraine. Nous traversâmes avec précaution de l'autre côté. Sri nous fit suivre pendant un bon moment une gorge qui montait en pente raide, et nous y campâmes.

Ce soir-là, je restai longtemps assis à réfléchir à ce que devrait affronter Evalie dans ce monde nouveau qui l'attendait au delà du Mirage — le monde du soleil et des étoiles, du vent et du froid. Je réfléchis longuement à ce qu'il fallait faire pour la protéger jusqu'à ce qu'elle soit adaptée à ce monde. Et j'écoutai les tambours du Petit Peuple qui l'appelaient — et je la regardais dormir, pleurer et sourire dans ses rêves.

Il fallait lui apprendre à respirer. Je savais que lorsqu'elle émergerait de cette atmosphère où elle avait vécu depuis la prime enfance, elle cesserait instantanément de respirer — par suite de l'absence du stimulant habituel, l'acide carbonique. Elle devrait se forcer à respirer jusqu'à ce que ses réflexes redeviennent automatiques et qu'elle n'ait plus besoin de s'en préoccuper. Et la nuit, quand elle dormirait, ce serait trois fois plus difficile. Je devrais rester éveillé, monter la garde auprès d'elle.

Et il faudrait qu'elle entre dans ce monde nouveau avec les yeux bandés, en aveugle, jusqu'à ce que ses nerfs accoutumés à la luminosité verdâtre du Mirage soient capables de supporter une lumière plus forte. Des vêtements chauds, nous pouvions en combiner avec les peaux et les fourrures. Mais la nourriture — qu'est-ce donc qu'avait dit Jim il y a de cela longtemps, si longtemps ? — que ceux qui ont absorbé la nourriture du Petit Peuple meurent s'ils en mangent d'une autre sorte ? Eh bien, c'était vrai en partie. Mais en partie seulement — cela pouvait s'arranger.

Avec l'aube, un souvenir me revint brusquement : le sac que j'avais caché sur la berge de Nanbu avant que nous plongions dans ses flots blancs, les loups sur nos talons. Si ce sac était retrouvé, cela nous aiderait au moins à résoudre le problème de l'habillement d'Evalie. J'en parlai à Dara. Elle se mit en route avec Sri pour le chercher. Pendant leur absence, les guerrières firent des expéditions pour trouver de la nourriture et j'enseignai à Evalie ce qu'elle devait faire pour franchir en sécurité ce pont périlleux qui reliait son monde au mien.

Sri et Dara restèrent partis deux jours — mais ils avaient trouvé le sac. Ils rapportèrent la nouvelle que la paix était faite entre les Ayjirs et le Petit Peuple. Quant à moi...

Dwayanu le Libérateur était venu comme l'avait promis la prophétie... il était venu et les avait sauvés de l'antique malédiction... puis il était retourné comme c'était son droit vers ce pays qu'il avait quitté pour accomplir la prophétie... et il avait emmené avec lui Evalie comme c'était également son droit. Sri avait répandu la nouvelle.

Et le lendemain, quand la clarté annonça que le

soleil s'était levé au-dessus des pics qui enserraient la Vallée du Mirage, nous nous mîmes en route — Evalie à mon côté, pareille à un svelte adolescent.

Nous grimpâmes jusqu'à ce que nous fussions entrés dans les brumes vertes. C'est là que nous nous dîmes adieu. Sri étreignit Evalie, baisa ses mains et ses pieds en pleurant. Et Dara me saisit aux épaules.

— Tu nous reviendras, Dwayanu ? Nous t'attendrons !

C'était comme l'écho de la voix du capitaine ouigour — il y avait de cela très, très longtemps...

Je me détournai et commençai l'ascension, suivi d'Evalie. Je songeai qu'ainsi Eurydice avait suivi celui qu'elle aimait en remontant du Pays des ombres dans un autre temps très, très lointain.

Les silhouettes de Sri et des guerrières qui nous regardaient s'estompèrent. Les brumes vertes les cachèrent.

Je sentis le froid âpre effleurer mon visage. Je pris Evalie dans mes bras — grimpai, grimpai encore inlassablement... et arrivai enfin en trébuchant dans la chaleur des pentes inondées de soleil au delà du puits des précipices.

Et le jour est venu où nous avons gagné la longue et dure bataille pour que vive Evalie. Il n'est pas facile d'échapper à l'emprise du Mirage. Nous avons tourné la tête vers le sud et nous avons posé nos pieds sur la piste du sud.

Et pourtant...

Hé ! Lur, Sorcière ! Je te vois couchée là-bas, souriant de tes lèvres devenues tendres, la tête du loup blanc sur la poitrine ! Et Dwayanu vit toujours en moi !

TABLE DES MATIERES

LE LIVRE DE KHALK'RU

LE LIVRE DU MIRAGE

LE LIVRE D'EVALIE

LE LIVRE DE LA SORCIERE

LE LIVRE DE DWAYANU

LE LIVRE DE LEIF

SCIENCE-FICTION et FANTASTIQUE

ALDISS Brian W.

520** LE MONDE VERT
Dans les frondaisons d'un arbre gigantesque, des colonies de créatures humaines tentent de survivre

ASIMOV Isaac

404** LES CAVERNES D'ACIER
Dans les cités souterraines du futur, le meurtrier est demeuré semblable à lui-même (manquant)

453** LES ROBOTS
Comment les robots, d'abord esclaves soumis des hommes, devinrent leurs maîtres

468** FACE AUX FEUX DU SOLEIL
Sur Solaria, les hommes ne se rencontraient jamais et, pourtant, un meurtre venait d'y être commis

484** TYRANN
Les despotes de Tyrann voulaient conquérir l'univers. Sur la Terre, une poignée d'hommes résistait encore

542** UN DEFILE DE ROBOTS
D'autres récits passionnants sur ce sujet inépuisable

552** CAILLOUX DANS LE CIEL
Un homme de notre temps est projeté dans l'empire galactique de Trantor

BOULLE Pierre

458** LES JEUX DE L'ESPRIT
Sous un Gouvernement mondial scientifique, les distractions des hommes ne tomberont-elles pas au niveau le plus grossier ?

CLARKE Arthur C.

349** 2001-L'ODYSSEE DE L'ESPACE
Ce voyage fantastique aux confins du cosmos a suscité un film célèbre

COOPER Edmund

480** PYGMALION 2113
John pouvait-il réellement aimer Marion-A, une femme robot ?

DICK Philip K.

547* LOTERIE SOLAIRE
Un monde régi par le hasard et les jeux

563** DR. BLOODMONEY
La vie quotidienne dans une civilisation post-atomique (déc. 1974)

EWERS H.H.

505** DANS L'EPOUVANTE
Les portes du fantastique s'ouvrent sur celles de l'horreur

FARMER Philip José

537** LES AMANTS ETRANGERS
Les amours d'un terrien avec une femme non humaine

HAMILTON Edmond

432** LES ROIS DES ETOILES
John Gordon avait échangé son esprit contre celui d'un prince des étoiles (décembre 1974)

490** LE RETOUR AUX ETOILES
John Gordon et l'oiseau pensant Korkhann luttent pour sauver l'empire de Fomalhaut (manquant)

HEINLEIN Robert

510** UNE PORTE SUR L'ETE
Pour retrouver celle qu'il aimait, il lui suffisait de revenir 30 ans en arrière

519** LES ENFANTS DE MATHUSALEM
Certains hommes jouissent d'une semi-immortalité. Pour fuir les persécutions ils partent à la conquête des étoiles

541** PODKAYNE, FILLE DE MARS
Les aventures d'une adolescente martienne et d'un bébé-fée sur Vénus

562** ETOILES, GARDE-A-VOUS !
Dans la guerre galactique, l'infanterie, malgré ses armures électroniques, supporte les plus durs combats (décembre 1974)

KEYES Daniel

427** DES FLEURS POUR ALGERNON
Charlie était un simple d'esprit. Des savants vont le transformer en génie comme Algernon, la souris

LEVIN Ira

342** UN BEBE POUR ROSEMARY
A New York, Satan s'empare des âmes et des corps

434** UN BONHEUR INSOUTENABLE
Les hommes, programmés dès leur naissance, subissent un bonheur devenu insoutenable à force d'uniformité

LOVECRAFT Howard P.

410* L'AFFAIRE CHARLES DEXTER WARD
Echappé de Salem, le sorcier Joseph Curwen vint mourir à Providence en 1771. Mais est-il bien mort ?

459*** DAGON
Le retour du dieu païen Dagon, et de nombreux autres récits de terreur

LOVECRAFT H.P. et DERLETH A.

471** LE RODEUR DEVANT LE SEUIL
Au nord d'Arkham, il est une forêt où rôdent d'anciennes et terribles puissances

MERRITT Abraham

557** LES HABITANTS DU MIRAGE
La lutte d'un homme contre le dieu-Kraken venu d'outre-espace

MOORE Catherine L.

415** SHAMBLEAU
Parmi les terribles légendes qui courent l'espace l'une au moins est vraie : la Shambleau

533** JIREL DE JOIRY
De son château moyenâgeux, Jirel se transporte au delà du temps et de l'espace

RAYER Francis G.

424** LE LENDEMAIN DE LA MACHINE
« Maudit soit le nom de Mantley Rawson », entendait-il dire de toutes parts. Or, ce nom était le sien

SADOUL Jacques

532** LES MEILLEURS RECITS DE « ASTOUNDING STORIES »
Une mutation capitale dans l'histoire de la science-fiction américaine

551** LES MEILLEURS RECITS DE « AMAZING STORIES »
Les œuvres importantes de la première revue de science-fiction

SCHACHNER Nat

504** L'HOMME DISSOCIE
La solidarité interraciale entre Terriens et Martiens doit-elle passer avant le patriotisme ?

SILVERBERG Robert

495** L'HOMME DANS LE LABYRINTHE
Depuis 9 ans, Muller vivait au cœur d'un labyrinthe parsemé de pièges mortels

SIMAK Clifford D.

373** DEMAIN LES CHIENS
Les hommes ont-ils réellement existé ? se demandent les chiens le soir à la veillée

500** DANS LE TORRENT DES SIECLES
Comment tuer un homme qui est déjà mort depuis longtemps ?

STURGEON Théodore

355** LES PLUS QU'HUMAINS
Ces enfants étranges ne seraient-ils pas les pionniers de l'humanité de demain ?

369** CRISTAL QUI SONGE
Fuyant des parents indignes, Horty trouve refuge dans un cirque aux personnages fantastiques

407** KILLDOZER-
LE VIOL COSMIQUE
Des extra-terrestres à l'assaut des hommes et de leurs machines

TOLKIEN J.R.R.
486** BILBO LE HOBBIT
Les hobbits sont des créatures pacifiques, mais Bilbo savait se rendre invisible, ce qui le jeta dans des combats terrifiants

VAN VOGT A.E.
362** LE MONDE DES Ã
Gosseyn n'existait plus : il lui fallait reconquérir jusqu'à son identité
381** A LA POURSUITE
DES SLANS
Les slans sont beaux, intelligents, supérieurs aux hommes : c'est pourquoi ils doivent se dissimuler
392** LA FAUNE DE L'ESPACE
Au cœur d'un désert d'étoiles, le vaisseau spatial rencontre des êtres fabuleux
397** LES JOUEURS DU Ã
L'enjeu de ce siècle éloigné dans le futur, c'est la domination des mondes
418** L'EMPIRE DE L'ATOME
L'accession au pouvoir suprême du Seigneur Clane Linn, le mutant aux pouvoirs fabuleux
419** LE SORCIER DE LINN
La Terre conquise, c'est l'univers hostile des extra-terrestres qui s'oppose désormais au Seigneur Clane, le mutant génial
439** LES ARMURERIES D'ISHER
Lorsque McAllister entra dans la boutique d'armes, il se trouva dans le futur
440** LES FABRICANTS D'ARMES
La Guilde des armuriers avait condamné à mort Robert Hedrok, mais celui-ci était immortel
463** LE LIVRE DE PTATH
Après sa mort, le capitaine Peter Holroid se réveile dans le corps du dieu Ptath
475** LA GUERRE
CONTRE LE RULL
Seul Trevor Jamieson pouvait sauver l'humanité de son plus mortel ennemi : le Rull
496** DESTINATION UNIVERS
De la Terre jusqu'aux confins de la Galaxie
515** TENEBRES
SUR DIAMONDIA
Il était le colonel Morton, mais aussi des milliers d'autres personnes, y compris 400 prostituées
529** CREATEUR D'UNIVERS
La jeune femme qu'il avait tuée l'année précédente l'invita à prendre un verre

VEILLOT Claude
558** MISANDRA
Une civilisation de femmes où le Viril est abattu à vue

VONNEGUT Kurt Jr.
470** ABATTOIR 5
Il se trouvait à Dresde, en 1945, sous les bombardements, et, en même temps, sur la planète Tralfamadore
556** LE BERCEAU DU CHAT
La Glace-9 a la particularité de transformer tout ce qui est liquide en solide...

ZELAZNY Roger
509* L'ILE DES MORTS
Qui avait bien pu ressusciter plusieurs ennemis défunts de Francis Sandow?

ÉDITIONS J'AI LU
31, rue de Tournon, 75006-Paris

Exclusivité de vente en librairie
FLAMMARION

IMPRIMÉ EN FRANCE PAR BRODARD ET TAUPIN
6, place d'Alleray - Paris.
Usine de La Flèche, le 05-10-1974.
6492-5 - Dépôt légal 4e trimestre 1974.